RECURSOS NATURALES ANDINOS

RECURSOS NATURALES ANDINOS

SHOZO MASUDA, Editor

UNIVERSIEAD DE TOKIO
1988

1988 Imprenta Kenkyusha-Tokio-Japón

Prólogo

Este libro reúne artículos cuyo denominador común es el estudio de los recursos naturales, mayormente renovables, de los Andes Centrales y Meridionales. Estos artículos representan los informes, de carácter preliminar, de la investigacióm nultidisciplinaria organizada por la Universidad de Tokio bajo el patrocino del Ministerio de Educación del Gobierno Japonés y que se llevó a cabo en campo en 1986–1987.

Esta investigación corresponde a la 4ª etapa del proyecto general iniciado en 1978, con el propósito de estudiar el aprovechamiento del medio ambiente y de los recursos naturales en el mundo andino. La meta principal no difiere de la que guiaba las tres investigaciones anteriores: acumular, antes de nada, datos básico importantes sobre la etnografía andina que serán de utilidad para cualquier consideración teórica acerca de la antropología ecológica de la citada región. Como hemos manifestado al principio (S. Masuda, ed., *Estudios etnográficos del Perú meridional*, 1981, p. vi), hemos querido distinguir estrictamente entre el nivel histórico y el actual al considerar los asuntos referentes al tema central. En este conjunto de artículos, se incluyen trabajos históricos y etnográficos contemporáneos que se complementan.

Para realizar nuestro proyecto, hemos contado con el apoyo de numerosos individuos y organizaciones. El Ministerio de Relaciones Exteriores de Chile y el Instituto Nacional de Cultura del Perú amablemente nos otorgaron el permiso para realizar la investigación. La Pontificia Universidad Católica del Perú, así como la Pontificia Universidad Católica de Chile, sobre todo sus Sedes Regionales Talcahuano y Temuco, nos han brindado una ayuda inestimable. Quisiéramos agradecer especialmente a las autoridades de la Ciudad de Camaná por el gran respaldo que facilitó nuestro trabajo, y al Doctor Guillermo Galdós Rodríguez y a los miembros del Archivo Departamental de Arequipa por habernos permitido la aproximación a sus valiosos documentos históricos. Finalmente debemos expresar nuestro profundo sentimiento de reconocimiento a los informantes y amigos en muchos lugares donde investigabamos, en la costa meridional del Perú, en la costa chilena entre el Norte Grande y las islas Guaitecas, y en la puna argentina.

Shozo Masuda

Tokio, 5 de marzo de 1988

Contenido

Lista de contribuidores

Alberto Arrizaga
Departmento de Biología Marina, Pontificia Universidad Católica de Chile, Sede Regional Talcahuano, Casilla 127, Talchuano, Chile

Bente Bittmann
Antropóloga residente en Antofagasta. Casilla 724, Antofagasta, Chile

Shozo Masuda
Departmento de Estudios Latinoamericanos y Departamento de Antropología Cultural, Universidad de Tokio, Komaba 3-8-1, Meguro-ku, Tokio, Japón 153

Rodolfo Merlino
Universidad de Buenos Aires y CONICET, Argentina

Kazuyasu Ochiai
Facultad de Letras, Universidad de Teikio, Otsuka 359, Hachioji, Japón 192-03

Margarita Ozcoidi
Universidad de Buenos Aires, Buenos Aires, Argentina

Franklin Pease G. Y.
Departamento de Letras y Ciencias, Pontificia Universidad Católica del Perú, Apatado 12514, Lima 21, Perú

Mario Sánchez Proaño
Universidad de Buenos Aires, Argentina

Hitoshi Takahashi
Departamento de Estudios Latinoamericanos, Universidad de Tokio, Komaba 3-8-1, Meguro-ku, Tokio, Japón 153

Keiichi Tsunekawa
Departamento de Estudios Latinoamericanos, Universidad de Tokio, Komaba 3-8-1, Meguro-ku, Tokio, Japón 153

Norio Yamamoto
4ª Sección de Investigación, Museo Nacional de Etnología, Senri Banpaku Koen, Suita, Japón 565

Explotación y consumo del camarón de río, *Cryphiops caementarius* (Molina, 1782) en el Perú y Chile

Keiichi Tsunekawa
Universidad de Tokio

1. INTRODUCCION

Desde la época prehispánica el camarón de río ha sido explotado y utilizado como un alimento nutritivo y sabroso, tanto en el Perú como en Chile. Hoy en día, los platos preparados a base de camarones son considerados como un manjar de lujo. Hasta hace unos treinta a cuarenta años, este recurso natural abundaba tanto en los ríos del Perú, que era una comida común entre sus pobladores ordinarios. En Chile, la escasez de este recurso se dió antes que en el Perú.

Durante aquella época cuando las llamas, burros o mulas eran los únicos medios de transporte, el camarón de río se consumía principalmente en las zonas cercanas a los ríos. Pero los residentes de la sierra y de las ciudades remotas también podían darse el gusto de consumirlo de vez en cuando, pues llegaba a ellos en estado seco.

En el Perú y Chile se encuentran varios tipos de camarones de río. Sin embargo, se hace referencia que sólo tres de ellos han sido explotados en gran escala: *Macrobrachium*, *Cryphiops caementarius* (Molina 1782) y *Parastacus spinifrons* (Philippi, 1882). Los dos primeros pertenecen a la misma familia Palaemonidae y, dicho biológicamente, tienen un antecedente común de origen marino, pues ambos necesitan el ambiente del agua salobre del estuario del río para su vida larvaria (Báez, Sanzana y Weinborn 1983: 155–56). En contraste, el *Parastacus spinifrons* pertenece

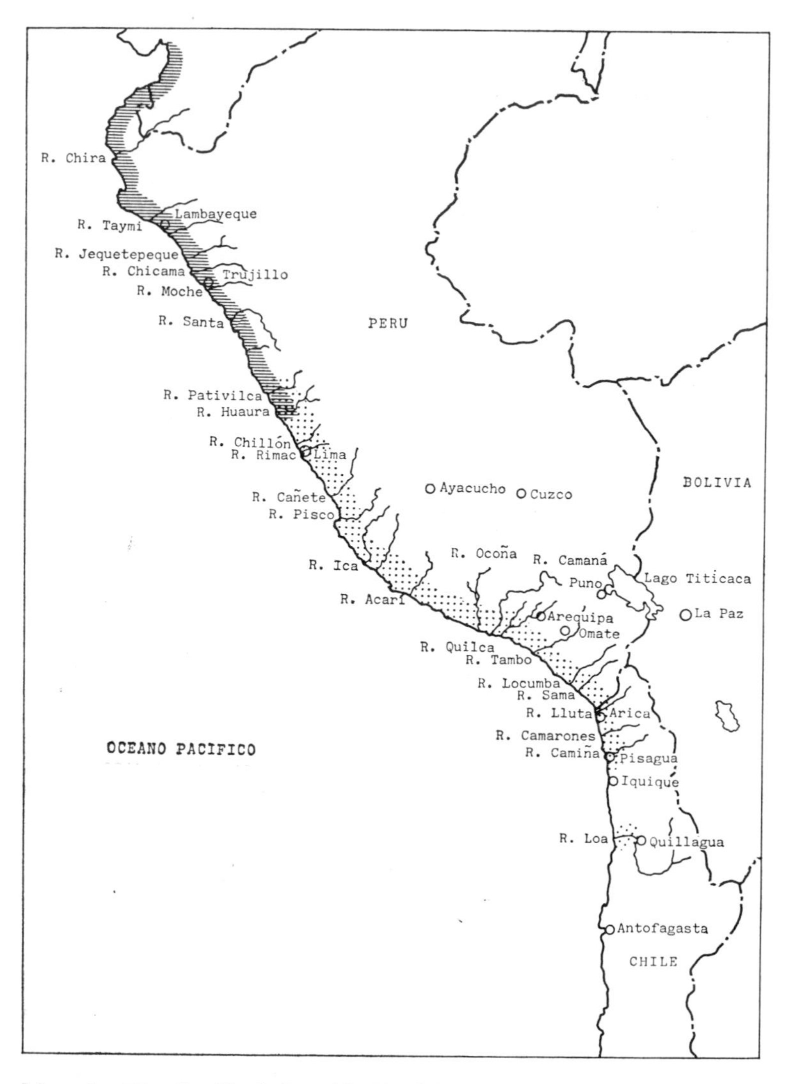

Mapa 1 Distribución de la población del camarón de río en Perú y Chile

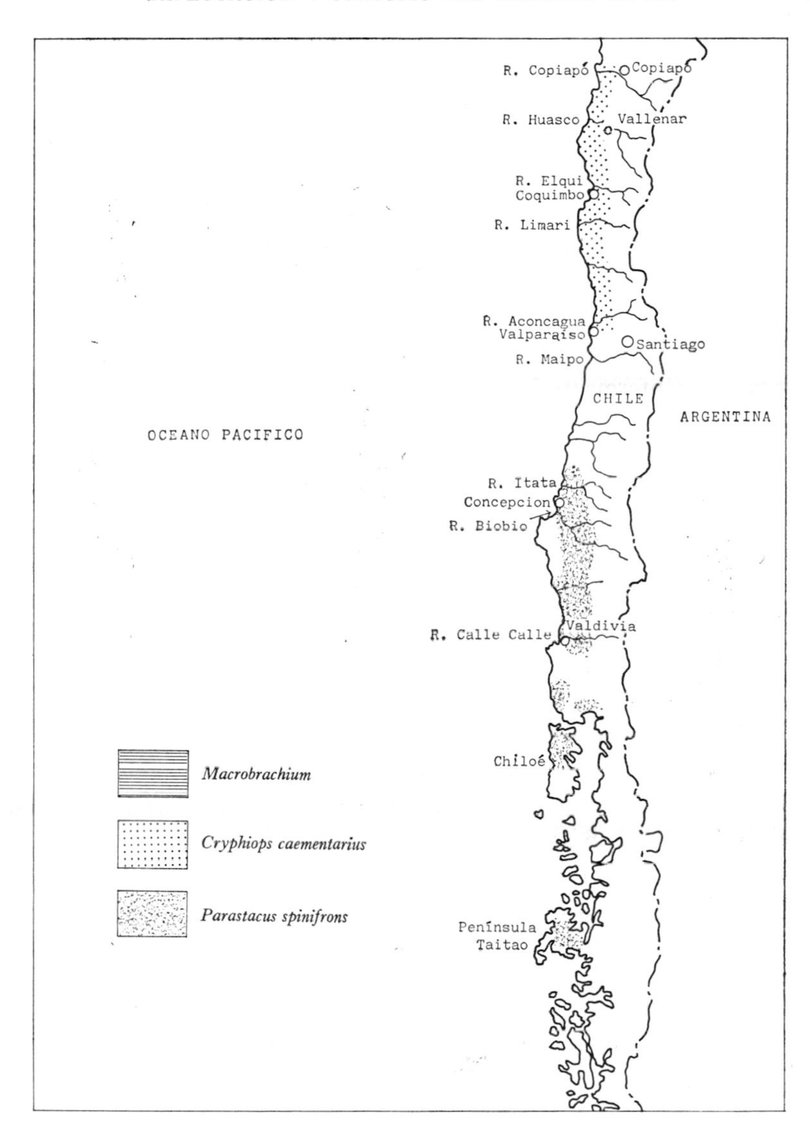
R. Copiapó
Copiapó
R. Huasco
Vallenar
R. Elqui
Coquimbo
R. Limari
R. Aconcagua
Valparaiso
Santiago
R. Maipo
CHILE
ARGENTINA
OCEANO PACIFICO
R. Itata
Concepcion
R. Biobio
R. Calle Calle
Valdivia
Chiloé
Península
Taitao
Macrobrachium
Cryphiops caementarius
Parastacus spinifrons

a la familia Parastacidae y, durante toda su vida vive en el agua dulce de los ríos o lagos.

En cuanto a la distribución geográfica de estos tres tipos de camarones a lo largo de la costa occidental de América del Sur, el *Parastacus spinifrons* sólo vive en las aguas continentales del sur de Chile entre Talcahuano y la Península de Taitao, incluyendo la Isla de Chiloé (véase Mapa 1). Aunque la carne de esta especie es dura y desabrida, Nibaldo Bahamonde escribió en 1951 que, se explotaba para venderlo mayormente a los restaurantes de lujo (Bahamonde 1951: 92–93). A principios de la década de los ochenta, un biólogo chileno observó que era vendido en las calles de Santiago (Informante Nº 62; véase el Anexo para descripciones sobre Informantes).

La población del género *Macrobrachium* se distribuye desde Baja California hasta el río Huaura (11°04′ Latitud Sur), de modo que es conocido en el Perú como "camarón de río del norte". Se encuentran ocho especies de este género en el Perú, entre las cuales el *Macrobrachium gallus* (Holthuis 1952) y el *Macrobrachium inca* (Holthuis 1950) son los más abundantes. La abundancia del *Macrobrachium* fue notable hasta 1930. Desde entonces, la población de este género ha disminuído tanto que se observa la explotación de los camarones sólo en los ríos de Jequetepeque, Pativilca y Huaura (Amaya de Guerra y Guerra Martínez 1976: 6 y 47).

El *Cryphiops caementarius* es la única especie que se explota hoy en un nivel notable en el Perú y Chile. Habita entre el río Taymi-Mochumi en el Perú (6°32′ L.S.) y el río Aconcagua de Chile (32°55′ L.S.) (Báez, Sanzana y Weinborg 1983: 154). Se le conoce como "camarón de río del sur" en el Perú porque es especialmente abundante en los ríos al sur del río Pativilca; mientras tanto es llamado "camarón de río del norte" en Chile. La carne de esta especie es tan sabrosa que ha sido grandemente apreciada por la gente. Hoy, la gran mayoría de los camarones que se sirven en los restaurantes en el Perú y Chile, son de la especie *Cryphiops caementarius* (véase Foto 1).

En el Perú, esta hidrofauna es especialmente abundante en seis ríos: Pativilca, Pisco, Ocoña, Camaná-Majes, Quilca y Tambo (ONERN 1985: 239). Sin embargo, los camarones de los primeros dos ríos sólo se consu-

Foto 1 *Cryphiops caementarius*

men ensus cercanías (Viacana et al. 1978: 214). La gran mayoría de los camarones que llegan hasta los mercados de las grandes ciudades como Lima, son de los cuatro ríos del Departamento de Arequipa.

En Chile, hay referencias de que existe explotación comercial del *Cryphiops caementarius* en los ríos de Loa y Huasco (Informantes Nº 55 y Nº 60). Sin embargo, la escala de explotación es mucho menor en Chile que en los ríos arequipeños. Sólo los camarones del río Huasco llegan hasta Santiago a través de un medio organizado.

El presente trabajo trata de la historia de la explotación y el consumo del camarón de río, *Cryphiops caementarius*, principalmente en el Departamento de Arequipa en el Perú, y secundariamente en el norte de Chile.

2. EXPLOTACION Y CONSUMO DEL CAMARON DE RIO EN LA EPOCA PREHISPANICA

Explotación en el Perú

El hecho de que el camarón de río se explotaba y se comía en la época prehispánica es comprobado por varias evidencias arqueológicas.

Primero, se han hallado en excavaciones muchas cerámicas con relieves o dibujos de este crustáceo, especialmente en la Costa norte y central del Perú. Un libro que trata sobre la pesca en el Perú prehispánico contiene cinco fotos de cerámicas de las culturas de Moche, Chimú y Chancay que representan, según sus autores, las figuras de "camarones",

Foto 2 Izanga

"langostas" o "crustáceos" (Pérez Bonany et al s/f.: 147, 165, 179, 181 y 196). Sin embargo, algunas figuras que se denominan "langostas" o sólo "crustáceos" son en realidad, a juzgar por su apariencia, camarones de río.

Las cerámicas con figuras de camarones de río se han hallado no sólo en la costa sino también en el Altiplano. El Museo de Arqueología del Cuzco conserva una cerámica con un dibujo colorado del camarón de río. Se dice que esta cerámica es de estilo cuzqueño y que pertenece a la época incaica (Universidad del Cuzco: Nº 3069).

Por otro lado, una cerámica de estilo Inca, cuya foto aparece en el libro mencionado, representa la figura de un hombre que extrae camarones con la ayuda de una izanga, instrumento tradicional para la pesca de camarones de río.

La izanga que se observa hoy en los ríos arequipeños, se fabrica con carrizos o cañas de 1.20 a 1.50 metros de largo, que se amarran con sauces alrededor de un aro de unos 40 a 50 centímetros de diámetro. En el otro extremo del instrumento, se unen los carrizos o cañas empleados, con una

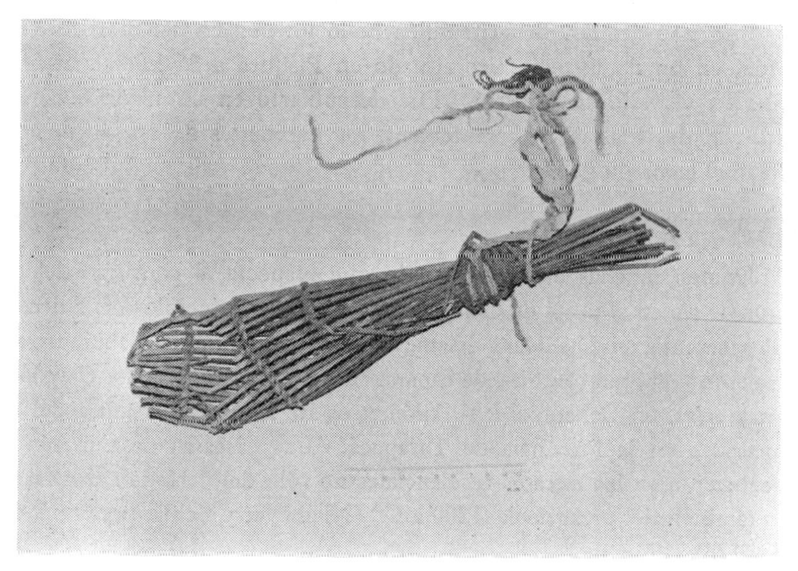

Foto 3 Ofrenda de Izanga (Huacapuy, Valle de Camaná)

cuerda de sauce o molle para que el instrumento tenga forma cónica (Foto 2). En los ríos situados al norte de Pisco, este instrumento es generalmente conocido como "canasta" y tiene una mayor longitud y diámetro (Viacana et al. 1978: 203).

Las izangas se colocan con la boca en el sentido contrario a la corriente para atrapar los camarones que bajan con la corriente hacia la zona estuaria (Tsunekawa 1986: 210).

Otra evidencia sobre el uso de la izanga en la época prehispánica, es el descubrimiento de tres ofrendas de izangas; fueron extraídas en 1984 de las huacas de Huacapuy del valle de Camaná, por el Dr. Augusto Belán y sus asistentes de la Universidad Católica "Santa María" de Arequipa (Foto 3). Este punto se localiza en el cerro al lado del río Camaná, aproximadamente a dos kilómetros sobre la desembocadura.

Estas izangas hechas en totora tienen una longitud total de 25 centímetros y dos de ellas contienen restos momificados de camarón. Según el Dr. Belán, estas ofrendas pertenecen a la cultura local de Chuquibamba entre la época Wari y la incaica (Informante Nº 31).

El grupo del Dr. Belán también halló un pedazo del brazo del camarón, en un depósito incaico situado en Pisques a 25 kilómetros más arriba en el valle de Camaná. Fue descubierto en un tazón cerámico junto con dos maíces. Aparentement, los habitantes de este lugar consumían el camarón de río.

Explotación en Chile

Existen muchas evidencias en lo que respecta al consumo del camarón de río en el norte de Chile. Por ejemplo, a principios de la década de los sesenta, el Dr. Hans Niemeyer y el Dr. Virgilio Schiappacasse extrajeron una gran cantidad de caparazones de camarón de río, *Cryphiops caementarius*, en Conanoxa a 40 kilómetros de la desembocadura del río Camarones en la Provincia de Tarapacá. Las cáscaras de camarón se descubrieron en los estratos residenciales no sólo del período agroalfarero sino también del preagrícola (1200 a.C.) (Niemeyer y Schiappacasse 1963: 111 y 128).

Por otro lado, dos arqueólogos chilenos informaron que habían hallado cáscaras y brazos de camarón en las ruinas arqueológicas de Quillagua al lado del río Loa. El Dr. Patricio López Cortés descubrió cáscaras y brazos en los restos de una antigua aldea que pertenece a la segunda fase de la cultura Quillagua (1125 d.C.). Otros objetos hallados en el mismo lugar señalan que la gente que vivía allí era pastor-agricultor (Informante Nº 54). Además, el Dr. Miguel Cervellino Giannoni encontró cáscaras de camarón en los restos de un basural adjunto a una aldea de Quillagua. Este lugar arqueológico data, según el Dr. Cervellino, de hace unos mil años (Informante Nº 57).

Lamentablemente, no se ha encontrado ningún instrumento para la pesca de camarones en el norte de Chile. Los Doctores Niemeyer y Schiappacasse escriben que "no se conserva aquí (la Quebrada de Camarones) ninguna tradición de cómo se hacía la pesca en tiempos prehistóricos" (Niemeyer y Schiappacasse 1963: 106).

En la década de los cincuenta del presente siglo, en el río Loa se empleaba un instrumento parecido a la izanga, aunque era hecho de alambre en lugar de carrizos o cañas (Castro 1958: 65). En Chile, este arte no se llama "izanga" sino "canasta" o "cesto" (Informante Nº 58).

Recetas Camaroneras

El hecho de que los nativos consumieron camarones de río como comidas, es parcialmente probado por la existencia de las recetas a base de camarones que llevan denominaciones indígenas. Mejía Xesspe da las siguientes recetas en quechua: Yu'kra kanka o camarón asado; Yu'kra chupe o sopa de camarones cocida con papas, rakacha, verduras y ají; Yu'kra uchu o picante de camarones; Okopa o una masa espesa de camarones, harina de maíz, maní, verduras y ají, todos molidos (Mejía Xesspe 1978: 222). Todavía quedan en el Perú recetas como el "chupe de camarón" y "ocopa de camarón".

De las cuatro recetas mencionadas, la primera no es un plato en sí, sino que es empleado como un ingrediente para la preparación de otras recetas como el chupe o el picante. Rostworowski cita el trabajo de Antonio Bautista de Salazar (1596) diciendo que la cantidad de camarones secos —amuka, en quechua— solían llegar a Cuzco en la época incaica (Rostworowski 1981: 91).

3. EXPLOTACION Y CONSUMO DEL CAMARON DE RIO EN LA EPOCA COLONIAL

Ríos camaroneros

Muchos cronistas y viajeros en la época colonial, mencionan los ríos donde se observaba la explotación de los camarones. Por ejemplo, Antonio Vásquez de Espinoza, cura que viajó extensivamente por la costa occidental de Sudamérica a principios del siglo XVII, menciona nueve ríos donde abundaban camarones: Chicama, Chincha, Pisco, Ica, Ocoña, Siguas, Tambo, un río cercano a Arica y el río Camarones (Vásquez de Espinoza 1969: 273, 326–27, 336–37, 345, 348–49 y 358–59). Sólo uno, el río Chicama, es norteño. Tal vez sea una evidencia especialmente notable de la explotación de camarones en los ríos del sur del Perú ya en el siglo XVII; fenómeno que continúa hasta hoy día.

Cosme Bueno viajó por el Perú en el siglo XVIII y escribió que había abundancia de camarones en el río Majes y el río Ocoña (Bueno 1951: 83). La pesca de camarones en Majes y Ocoña también atrajo la atención del cura Xavier Echeverría en 1804. Hizo una observación muy interesante del valle de Ocoña:

> "Su párroco no paga cuartas al prelado y por vía de sínodo se le ha destinado una parte del río para la pesca de camarones, que secos tienen su valor en la ciudad" (en Barriga: 120–21).

Este tipo de información sobre el privilegio de curas sólo aparece en cuanto al valle de Ocoña. Cuando Vázquez de Espinosa pasó por este valle a principios del siglo XVII, todavía no contaba con un cura residente y entonces los nativos le regalaron camarones como agradecimiento por sus servicios al ofrecer la misa (Vázquez de Espinosa 1969: 336). Esta descripción, junto con el testimonio de Xavier Echeverría citado arriba, puede significar dos cosas. Primero, el valle de Ocoña era uno de los valles más pobres en Arequipa, tan pobre que no pudo mantener su propio cura residente. Segundo, por falta de una agricultura próspera, la pesca de camarones era una actividad económicamente muy importante para sus habitantes; tan importante que el derecho de la pesca de camarones fue ofrecido al cura que posteriormente vino a residir en el valle.

El derecho de la pesca de camarones en el río Ocoña se mantuvo monopolizado por el cura por lo menos hasta 1863. En noviembre de ese año, Antonio Raimondi se quedó en el valle de Ocoña durante tres noches y observó la siguiente situación en el valle:

> "La pesca de los camarones no es libre en Ocoña. Por una antigua costumbre, el cura tiene derecho sobre toda la longitud del río, que se halla comprendida dentro de la circunscripción de su curato. La orilla del río, dividida en trechos que tienen una legua de largo, la arrienda a individuos particulares. Cada trecho se llama un puesto y por cada uno le pagan al cura de 8 a 12 pesos anuales, para tener derechos a pescar. El curato de Ocoña tiene 12 puestos, lo que equivale a una renta de 120 a 140 pesos anuales que percibe tan sólo por conceder el derecho de pesca de Camarones" (Raimondi 1929: 69–70).

Técnicas de explotación

Existen varios documentos históricos en cuanto a las técnicas de pesca de camarones en la época colonial. Por ejemplo, Guamán Poma, quien nació en el Perú a mediados del siglo XVI describe las actividades productivas típicas de cada mes del año en la sociedad incaica. En el mes de enero, según su observación, es el "tienpo de camarones que coxen con yxangas" (Guamán Poma 1980: 1028).

A mediados del siglo XVII, el Padre Bernabé Cobo describió cada uno de los animales y plantas que observó en el reino de Perú. En el Capítulo IX, menciona al camarón de río y escribe que se encuentran abundantes camarones en ese reino. La temporada de la pesca de camarones es el verano, cuando los ríos vienen de crecida, con el agua turbia. Se utilizan "cañizos y nasas" para la explotación de camarones en este período del año (Cobo 1964: 290). Las "nasas" son, según Mejía Xesspe, equivalentes a las izangas (Mejía Xesspe 1978: 222). Los "cañizos" a su vez, son posiblemente los actuales chaucos o agüinas (wina, en quechua). El chauco tiene la forma de un cono, parecido a la izanga. La diferencia es que el chauco tiene un embudo de carrizos insertado en su boca, de tal forma que los camarones penetran la trampa fácilmente pero tienen gran dificultad para salir de ella. Se requiere de este embudo porque el chauco se coloca con la boca a favor de la corriente, la que arrastraría los camarones atrapados si no existiera el cono interno.

La agüina es una caja rectangular construida con varas de caña brava entretejidas que permiten el filtrado del agua. Este instrumento se coloca en aquellos lugares del río donde hay un desnivel que provoca una caída de agua de poca altura. Los peces y los camarones arrastrados por la corriente quedan cogidos encima de la trampa (Foto 4).

Según Bernabé Cobo, los nativos también pescaban los camarones durante el invierno, cuando hay poca agua en los ríos. En esta estación del año, ellos secaban los brazos de los ríos y cogían los crustáceos que allí quedaban (Cobo 1964: 290). Esta técnica que hoy es conocida como "secas" fue bastante popular en los ríos arequipeños hasta la década de los cuarenta de nuestro siglo (Informantes Nº 22, Nº 37 y Nº 43). El uso

Foto 4 Agüina (Valle de Majes)

de esta técnica fue prohibido en el año 1953 por el gobierno, pero aún fue observado en la parte baja de los ríos Pativilca y Pisco hasta mediados de la década de los setenta (Viacana et al. 1978: 207).

Por otro lado, Hipólito Ruiz, botánico español del siglo XVIII, observó en la Provincia de Concepción del reino de Chile, dos especies de camarones. Según su descripción, "la una se cría en los ríos, Lagunas y esteros y son de delicado gusto y la otra habita en la tierra, la qual escarban como los Topos, de donde la llamaron los naturalistas Cáncer Talpa: por lo común no se hace uso de esta especie por la dureza de su concha y poca carnosidad" (Ruiz 1952: 255). Aparentemente, la primera especie mencionada no es *Cryphiops caementarius* sino *Parastacus spinifrons*, mientras que la otra es *Parastacus araucanius* (Faxon), *Parastacus pugnax* (Poeppig), o *Parastacus nicoleti* (Philippi) cuyos nombres vulgares son "camarón de las vegas" y "camarón de gualbe" (Bahamonde y Vila 1971: 7).

Casi en el mismo tiempo, un abate chileno, Juan Ignacio Molina, descubrió en el reino de Chile "cangrejos fluviales" a los cuales denominó "Cáncer caementarius" y describió las características del crustáceo detalladamente. Esta especie reaparece después con el nombre de *Cryphiops caementarius*.

Ignacio Molina menciona el método de pesca escribiendo que "los labradores los cogen con facilidad echando en el río u arroyo donde los hay un cesto ó canasto con un pedazo de carne en el fondo" (Molina 1788: 288–89). Esta trampa no es la izanga porque es imposible colocar señuelos en su fondo. Lo interesante es el hecho de que existe una trampa con señuelos, empleada en Chile contemporáneo. Es una nasa cilíndrica, en cuya boca se inserta otra nasa de forma cónica como en el caso del chauco. Interiormente se colocan señuelos. Antiguamente se fabricaban con carrizos o caña, pero actualmente se usa alambre de hierro. Según un biólogo chileno, es una trampa ampliamente usada en el río Loa (Castro 1958: 64).

Esferas geográficas del consumo de camarones

El testimonio de Vázquez de Espinosa y otras evidencias más, indican que los recolectores de camarones fueron los residentes de cada valle en esta época. El artículo de Hitoshi Takahashi del presente libro menciona un protocolo notarial de 1580 y un testamento de un indio cuzqueño de 1588 que prueban que los habitantes nativos del valle de Majes pescaban camarones (véase págs. 70–73).

Los documentos citados por Takahashi también señalan que los camarones no sólo se consumían en las zonas de pesca sino también se enviaban secos hasta Arequipa. La observación de Xavier Echeverría citada anteriormente también sugiere que los camarones secos fueron llevados a las ciudades. Además, Bernabé Cobo escribe que los camarones "se llevan secos de unas partes a otras" (Cobo 1964: 290).

Otros documentos que confirman la llegada de camarones secos a la ciudad de Arequipa en la época colonial son los del "Cargo del Ramo de Alcabalas de la Administración de Arequipa". Estos documentos contienen información sobre el contenido de los cargamentos que llegaron a Arequipa, los remitentes de dichos cargamentos, los arrieros encargados, los caminos tomados para entrar a la ciudad, las fechas de llegada y los precios de los cargamentos. Sólo once de las 496 unidades correspondientes al año 1790 hacen referencia a los camarones. La información

Cuadro 1 Comercio de Camarones Secos en Arequipa, 1790

Fecha de Llegada	Origen Geográfico del Cargo	Local de Aduana	Volumen del Cargo (arrobas)	Cargos Adjuntos
5 febrero	Tambo	Characato	5	algodón (7 arrobas)
13 marzo	Camaná	Uchumayo	10	
14 marzo	Camaná	Uchumayo	20	
17 marzo	Tambo	Characato	4	
25 marzo	Tambo	La Pampa	8	
27 marzo	Tambo	Characato	2	chuychos (3 arrobas)
25 octubre	Ocoña	Uchumayo	65	
1 diciembre	Ocoña	Uchumayo	36	
1 diciembre	Ocoña	Uchumayo	21	
13 diciembre	Tambo	Characato	1	alfenique, etc.
21 diciembre	Ocoña	Uchumayo	62	

Fuentes: AGN, C16, Legajos 48 y 50.

contenida en estas once unidades es presentada en el Cuadro 1. Como se indica en dicho cuadro, los camarones secos llegaron a Arequipa en 1790 procedentes de los valles de Ocoña, Tambo y Camaná. Los arrieros que llevaron los camarones de Ocoña y Camaná, pasaron por el camino de Uchumayo, o sea, el Camino Real; mientras que los arrieros del valle de Tambo tomaron el camino de Characato o el de La Pampa. Los arrieros de Ocoña transportaron mayor cantidad de camarones que los de otros valles. En contraste, los arrieros de Tambo llevaron menos de diez arrobas cada vez y en muchos casos llevaron otros cargamentos junto con los camarones.

En aquel entonces, una arroba de camarones secos costaba dos pesos en Arequipa, equivalente al precio de una arroba de aguardiente de Huancarqui o una arroba de ají del valle de Tambo. En el mismo año, la aceituna camaneja sólo costaba 5 reales la arroba en Arequipa (AGN: C-16, leg. 48 y 50).

Todas estas referencias indican que los camarones fueron llevados hasta lugares bastante distantes de los ríos camaroneros en forma seca. Para fabricar los camarones secos, primero éstos son asados en la fogata o en el horno y después secados al sol durante dos o tres días. Esta técnica de fabricación se mantiene igual aún hasta hoy día (Informantes Nº 13 y Nº 43).

La razón por que se necesitaban secar los camarones antes de llevarlos a lugares remotos es que los camarones frescos se malogran muy pronto después de salir del agua natural. Hasta mediados de la década de los cincuenta de nuestro siglo, se han empleado yerbas ribereñas, como callacás o tembladera ("cola de caballo") para conservar los crustáceos. Con esta técnica de conservación se mantienen frescos los camarones durante no más de 48 horas. En realidad, se recomienda comer los camarones dentro de las 24 horas después de haber sido pescados (Informante Nº 51). Esto significa que los camarones frescos pueden ser consumidos principalmente por la gente que vive dentro de una distancia no mayor de 24 horas de recorrido. Naturalmente, las esferas geográficas del consumo de los camarones frescos son estrechamente limitadas por el método de transporte y por la técnica de conservación. Por eso, en la época colonial, cuando el transporte de mercaderías se realizaba a lomo de bestias y todavía no se conocía la técnica de fabricación del hielo, los camarones frescos sólo se consumían en las cercanías de los ríos y a los lugares lejanos se enviaban los camarones secos.

Para la ciudad de Arequipa, los únicos valles que teóricamente podían proveer los camarones frescos eran los de Sihuas y de Vítor. De acuerdo con los viajeros del siglo pasado, cuando la condición de los caminos no había sido mejorada tanto a comparación con la época colonial, el viaje desde Sihuas hasta Vítor y desde Vítor hasta Arequipa, tomaba medio día (unas 5 ó 6 horas) y 9 a 14 horas respectivamente (Sartiges 1947: 5; Haigh 1967: 19; Belaúnde 1960: 34).

La llegada de los camarones frescos a la ciudad de Arequipa es parcialmente evidenciada por la existencia de un lugar denominado "Pampa de Camarones", situado a 1.5 kilómetros del centro de la ciudad, donde antiguamente se localizaban los tanques donde se guardaban temporalmente los camarones (Informante Nº 33). El camino de Uchumayo pasaba por Pampa de Camarones y llegaba hasta el puente Bolognesi, el único puente permanente que cruzaba el río Chili hasta que se construyera el puente Grau a fines del siglo pasado (Informante Nº 1).

Por otro lado, los ciudadanos de Lima también podían comprar camarones frescos en el mercado de la ciudad. A principios del siglo XIX, W. B. Stevenson, secretario del vice-almirante de Chile, observó camarones de 15 a 17 centímetros de largo en el mercado pesquero de Lima (Stevenson 1829: 225). Estos camarones eran aparentemente de los ríos cercanos a Lima, tales como el Chillón y el Rímac. El hecho de que se pescaban camarones en estos ríos en la época colonial, es probado por la existencia de gremios o cofradías de camaroneros en el valle de Chillón y en el Cercado de Lima, a fines del siglo XVIII (Rostworowski 1981: 112).

Se debe añadir que los camarones de los valles de Chillón y Rímac, fueron los primeros en recibir una protección gubernamental en el presente siglo. En junio de 1935, se aprobó el primer reglamento de pesca de camarones en los ríos Chillón y Rímac; reglamento que fue reconfirmado en abril de 1947 por el nuevo Ministerio de Agricultura. De acuerdo con este reglamento, sólo a los miembros de los gremios de camaroneros se les otorgaba el carné correspondiente para pescar camarones en los dos ríos mencionados. También se estipularon las técnicas de pesca permisibles, las zonas donde se autorizaba la pesca y la talla mínima de los camarones que se permitían recolectar (Viacana et al. 1978: 220 y 222–23). Aparentemente, la pesca de camarones había sido realizada en esos ríos tan intensamente que los gobernantes sintieron la necesidad de reglamentar la pesca aquí, antes que en otras zonas del Perú.

Como se mencionó anteriormente, los camarones fueron mayormente pescados por los residentes de cada valle camaronero y llevados por los arrieros a las ciudades lejanas. Además de este tipo de comercio, se puede considerar que hubieron ocasiones en que los residentes de la *puna* y *quechua* bajaban a los valles de la *yunga*, donde conseguían los camarones que llevaban a sus pueblos natales. Aunque falta información documental, existen evidencias circunstanciales sobre este punto.

Por ejemplo, los residentes de algunos valles arequipeños atestiguaron que los llameros bajaron hasta principios de nuestro siglo, para hacer trueques de los productos serranos con los de los valles consteños. En Camaná, las caravanas de 20 a 30 llamas bajaban de Cotahuasi y Viraco al valle hasta la década de los veinte, trayendo habas tostadas, maíz, borrego salado y charqui, para cambiarlos por aceituna, ají, plátanos, arroz y camarones secos (Informantes N° 20 y N° 21).

En el valle de Tambo, antiguamente bajaban los pastores arequipeños de Polobaya, Yarabamba, Quequena y Pocsi con sus vacunos, ovinos y llamas para pastarlos en las lomas de la buena calidad en la costa, tal como las de Cuyo, Jesús y de Quebrada Honda. Esta costumbre cesó después de la década de los cuarenta debido a la degeneración de las lomas. Los pastores practicaban en el valle de Tambo el trueque de queso y carne con camote y ají. En el proceso del negocio, hubieron ocasiones en que los camarones secos fueron ofrecidos a los pastores como un obsequio (Informante N° 38).

En el valle de Ocoña, un ex-transportista de camarones informó que los indígenas habían descendido con sus llamas para cambiar charqui y chalona con ají, arroz y "caspas", que es el nombre local que se da a los camarones secos (Informante N° 18). En este valle, los llameros bajan

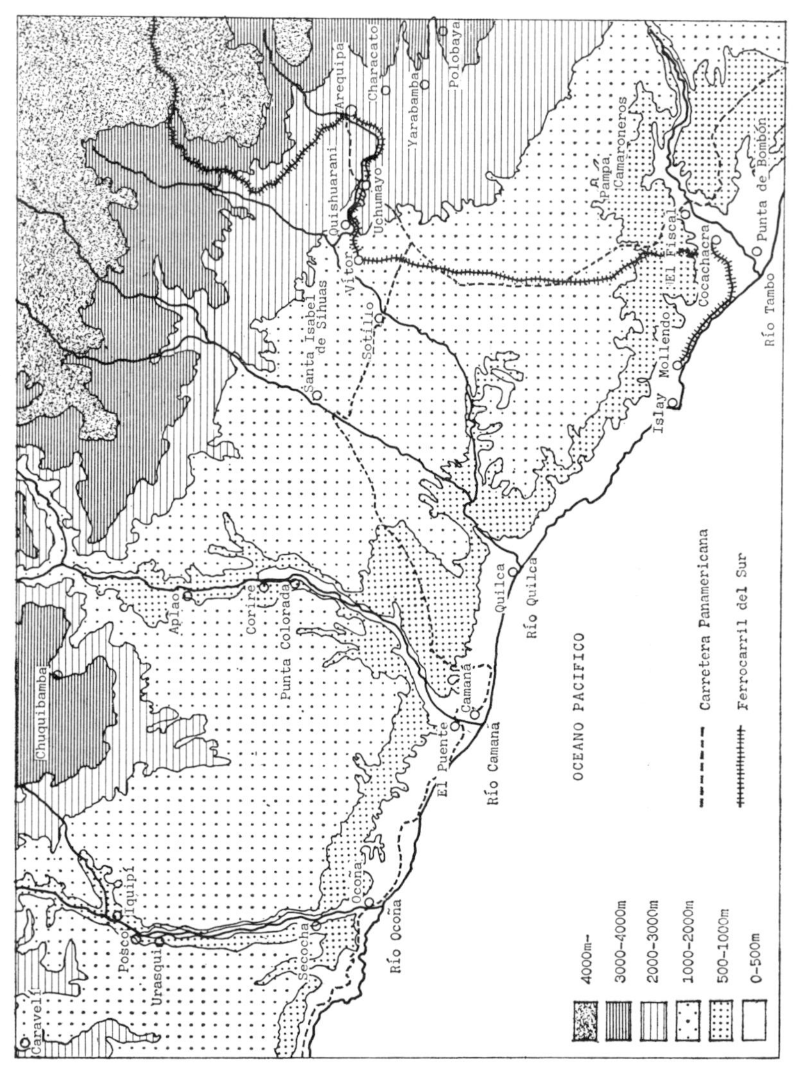

Mapa 2 Costa Sur del Perú

hasta estos días a Secocha, situado a 15 kilómetros sobre el Pueblo de Ocoña, aunque actualmente no compran camarones debido al precio excesivo (Informante Nº 15).

Además de los llameros y otros pastores, descendían también los agricultores de la sierra a los valles costeños, como trabajadores temporales en las haciendas. Alvarez Jiménez escribió en 1790, que los indios de Pampacolca bajaban al valle de Majes para trabajar temporalmente en las viñas. En los viñedos de Vítor, también se encontraban "jornaleros de las circunvecinas serranías" (en Barriga: 32 y 292). Porque los ríos de estos valles estaban llenos de camarones en aquel entonces, no es difícil suponer que algunos de los serranos se dedicaran no sólo a los trabajos agrícolas sino también a la pesca de camarones. Un ex-hacendado de Corire atestiguó que la gente de Cailloma había bajado por el sendero de la Quebrada Huacán al valle de Majes para trabajar como peones. Ellos aprovechaban los momentos de reposo para pescar camarones y secarlos luego en los techos de sus chozas. De regreso a la sierra, llevaban consigo todos los camarones secos acumulados durante su estancia en el valle. Posteriormente, algunos de estos serranos regresaban al valle, como camaroneros migratorios o residentes (Informante Nº 44).

4. EXPLOTACION Y CONSUMO DEL CAMARON DE RIO EN LA EPOCA REPUBLICANA

El primer siglo de la Independencia

A través de los trabajos de los científicos, especialmente geólogos nacionales y extranjeros, se puede conocer que la distribución geográfica de los camarones y el modo de explotación y uso de esta hidrofauna casi no variaron en el siglo que siguió a la Independencia. M. Caplan escribió en 1859 que el valle de Tambo, además de algodón, olivos, arroz, azúcar, maíz, papas, etc., "tiene el recurso del río, que abunda en camarones" (Caplan 1859: 89). Mariano Paz Soldán también escribe que el valle de Tambo era tan abundante en recursos agrícolas y pesqueros, incluyendo el camarón de río, que la gente de Arequipa, Moquegua e Islay—cuyo puerto había sido reconstruido en 1830—, calificaron al valle como su "despensa".

En cuanto al valle de Majes, Paz Soldán describe: "el río tiene en su seno infinidad de pejerreyes y camarones de excelente gusto, así es que con la pesca de ellos se mantiene casi toda la población". Paz Soldán también menciona los recursos del valle de Camaná y escribe que los camarones se cogían allá en tal abundancia que los camarones secos eran un artículo importante para llevar a Arequipa, Bolivia y otros lugares interiores. Según Paz Soldán, "es tan sabroso el camarón seco de Camaná, que con seis de ellos se hace un exquisito Chupe para diez personas". (Paz Soldán 1862: 477, 489 y 500).

A mediados del siglo XIX, Antonio Raimondi menciona la pesca de camarones en Ocoña como una de sus industrias principales (Raimondi 1874: 168). Según su observación, "para llevar a cabo esta pesca, plantan numerosas estacas en los brazos del río, dejando intervalos entre ellas para amarrar unas canastas cónicas, con la boca hacia el lado de la corriente". Indudablemente, las "canastas cónicas" a las que se refería Raimondi, son las izangas. Además, los camaroneros asaban sus presas sobre el fuego y las secaban después al sol por algunos días. "Los Camarones así preparados, se venden en el mismo pueblo de Ocoña a 2 pesos la arroba y en Arequipa a 5 y 6 pesos" (Raimondi 1929: 69). Observamos así que el precio del camarón seco en Arequipa subió de 2.5 a 3 veces más entre 1790 y 1863.

Por otro lado, un geólogo chileno describió la situación del valle de Camarones en 1890 de la siguiente manera:

> "El nombre de este valle es sin duda debido a los enormes e innumerables camarones que se encuentran en su río y que en muchas partes forman una verdadera nata. Su tamaño es el de las langostas, y hay algunos hasta de 0 m 50 centímetros de largo. Su sana y sabrosa carne es el alimento principal de los indios del valle" (Riso Patrón 1890: 16).

Por falta de grandes ciudades como Arequipa y Lima, los camarones pescados en los ríos norteños de Chile, como Camarones y Loa, eran llevados a las zonas de salares para su venta en las "oficinas salitreras". Esta práctica continuó hasta principios de nuestro siglo, según un biólogo chileno quien hizo extensas investigaciones del *Cryphiops caementarius* entre 1970 y 1984 (Informante Nº 63). Además, existe información en el sentido que los pescadores de Pisagua, cuando la pesca en el mar no era buena, subían a la Quebrada de Camiña y pescaban camarones que llevaban luego en bolsas de totora a los pueblos salitreros para venderlos allí. Este fenómeno se observó hasta la década de los treinta de nuestro siglo (Informante Nº 55).

Impacto del desarrollo del ferrocarril

El primer indicio de cambio en el modo de explotación y consumo del camarón de río, vino con el desarrollo de los transportes modernos, como el ferrocarril y los automóbiles.

El primer ferrocarril del Perú inició su servicio entre Lima y Callao en 1851. En el sur del Perú, Meiggs empezó la construcción del Ferrocarril del Sur en 1868 y la ruta que conecta Arequipa con Mollendo ya estaba construida a inicios de 1871. Esta línea llegó a Puno en abril de 1876. Los trabajos de construcción demoraron después debido a problemas financieros. El Ferrocarril del Sur llegó a Cuzco sólo en 1908 (Roel 1986: 182–83 y 286).

Con la construcción del ferrocarril, el tiempo de viaje entre Islay (o Mollendo) y Arequipa fue acortado a un tercio del tiempo que tomaba anteriormente. Un viajero francés que desembarcó en Islay en julio de 1858, empleó 24 horas para llegar a Arequipa (Grandidier 1861: 45). Veinticuatro años antes de esta travesía, Flora Tristán había viajado por la misma ruta empleando 40 horas; casi la mitad de las cuales fue aparentemente usada para el descanso en el trayecto (Tristán 1971: 205). La primera parte de este camino la conforma un sendero que recorre el inmenso y caluroso desierto que se prolonga hasta el valle de Vítor, en el cual empieza otro camino montañoso que pasa por Quishuarani y Uchumayo, entrando así en el valle de Arequipa. Bajo estas condiciones, era imposible transportar los camarones frescos del valle de Tambo hacia Arequipa.

Con la construcción del ferrocarril, la situación cambió drásticamente; el viaje entre Mollendo y Arequipa tomaba desde ese entonces sólo ocho ó nueve horas (Middendorf 1973: 167). Los camarones pescados en la zona baja del río Tambo eran despachados a Arequipa desde las Estaciones de Ensenada o de Tambo. De acuerdo con la versión de un anciano de Punta de Bombón, en las décadas de los veinte y treinta del presente siglo, varios residentes de la zona eran contratados por comerciantes arequipeños para que pescaran camarones y se los enviaran frescos, como cargamentos ferrocarrileros. Durante la misma época, los pobladores de Polobaya se transportaban en el ferrocarril —ya no a lomo de bestia— para pescar los camarones en Tambo, llevándolos en canastas protegidas con tembladeras, para venderlos en la ciudad de Arequipa (Informante Nº 27).

Como se menciona en el capítulo anterior, en la época colonial los camarones de Tambo eran transportados secos a Arequipa a través de Characato o La Pampa. Se puede suponer que los arrieros, para llegar a estos pueblos, tenían que subir el cerro en la zona media del río Tambo y llegar a Yarabamba por los senderos de muchas estepas. Esta suposición es parcialmente evidenciada por el hecho de que la llanura inmediatamente sobre la zona media del río, se llama "Pampa Camaroneros". De acuerdo con un informante que nació en Chucarapi y posee una chacra en Pascana, los camarones de la zona media del río Tambo comenzaron a despacharse frescos desde la Estación Cachendo después de la construcción del Ferrocarril del Sur (Informante Nº 38).

Aparentemente, las llamas y mulas fueron reemplazadas por el ferrocarril en esta parte del Departamento de Arequipa. Las bestias pasaron a ser usadas sólo para transportar los camarones hasta las estaciones ferrocarrileras.

Un viejo habitante del valle de Sihuas atestiguó que el ferrocarril también les dió beneficios, pues los productos del valle —incluyendo los camarones— eran rápidamente transportados a Arequipa o Mollendo una vez que llegaban a la estación ferrocarrilera (Informante Nº 26).

En 1900, Mariano A. Belaúnde, hacendado de varios valles arequipeños, construyó con el permiso del Gobierno de Nicolás de Piérola, una línea ramal que conectó las riberas del río Vítor con el Ferrocarril del Sur (Belaúnde 1960: 35–36). Según un anciano vitoreño, corría un "autocarril" en esta línea entre la Estación Ramal y Sotillo, éste último situado en la orilla occidental del río (Informante Nº 36). Entonces, los residentes del valle de Sihuas sólo tenían que traer sus productos hasta las cercanías de la orilla del río Vítor.

Los habitantes de los valles de Majes, Camaná y Ocoña no tenían tanta suerte como los de Sihuas y Vítor, pues el autocarril de Mariano Belaúnde, originalmente planeado para llegar hasta Majes, nunca salió ni un paso del valle de Vítor. Según un informante de Majes, antes de que se construyera la trocha automovilística a fines de la década de los veinte, los viajeros que partían del valle de Majes a las cuatro de la mañana, sólo podían llegar no más lejos de Sihuas antes del anochecer. Por tanto, necesitaban medio día más para llegar a la Estación Vítor (Informante Nº 44).

Naturalmente, el viaje era más largo para los camanejos y los ocoñejos. Desde Camaná se necesitaban dos días y dos noches para llegar hasta Arequipa, en 1920 (Informante Nº 20). Un anciano camanejo que empezó a trabajar como camaronero en 1925, atestiguó que en aquel entonces vendió camarones secos a los "negociantes" que vivían en La Pampa, pueblo situado a dos kilómetros al norte de la ciudad de Camaná. Estos negociantes llevaban los camarones secos en mulas y burros, hacia Arequipa, Mollendo, Cuzco y Puno (Informante Nº 13). Probablemente las bestias llevaban la mercancía hasta Vítor desde donde eran transportados en los carros ferrocarrileros.

Impacto del desarrollo del transporte automovilístico

La segunda administración de Augusto Leguía emitió en 1920 la Ley de Conscripción Vial por la cual todos los ciudadanos comprendidos entre los 18 y los 68 años de edad, estaban obligados a dedicarse a los trabajos de construcción vial: 12 días al año los que tenían entre 21 y 50 años, y 6 días al año los restantes. En realidad, se cometieron tantos abusos que en muchos casos sólo los indígenas fueron realmente obligados a trabajar sin retribución (Antonello Gerbi: 68).

A mediados de la década de los veinte, la carretera costeña del sur llegó hasta Nazca, aunque todavía no estaba asfaltada (Gerbi s/f: 69). En el Departamento de Arequipa, los valles costeños estaban conectados con la ciudad de Arequipa por las trochas, muchos tramos de las cuales tenían superficies primitivas.

Eduardo y Luis Alberto Belaúnde trajeron por primera vez un camión a Aplao del valle de Majes, en 1926. Se declaró una fiesta general en el valle, para celebrar el acontecimiento (Zúñiga s/f: 36). En Punta de Bombón, apareció el primer automóvil por el año 1926 (Informante Nº 2). En el valle de Camaná, los primeros camiones fueron introducidos en 1920 por la Compañía Carpio Hermanos, para transportar el algodón al puerto de Quilca; iniciándose en 1926 el tráfico regular de camiones entre Camaná y Arequipa (Morante 1965: 434 y 612). El primer cargamento de camarones frescos fue despachado de Camaná a Arequipa por Grimaldo Rozales a fines de la década de los veinte (Informante Nº 20). El tiempo de viaje había sido reducido de 48 horas a 12 horas, hasta este momento.

Sin embargo, el comercio de camarones frescos por camión no prosperó en esta época. La razón principal del fracaso, fue la incertidumbre por el servicio automovilístico, que a su vez fue causada por las siguientes razones:

Primero, las rutas de las trochas eran diferentes a las de las carreteras de hoy día. Eran más largas y con un mayor número de curvas peligrosas. La trocha que parte de Camaná subía a la Quebrada Bandurria, mientras que la trocha de Majes empezaba a subir el cerro al frente del pueblo de Corire. Entre Vítor y Arequipa, el camino pasaba por Quishuarani, pues antes de la década de los cincuenta no se había construído aún la mejor carretera de Cerro Verde (Informante Nº 44).

Además, hacían falta puentes permanentes en los valles de Majes, Camaná y Ocoña, hasta que a mediados de la década de los treinta, se construyeron los puentes de fierro. Durante el período de estiaje se colocaban los puentes de palo, pero llegado el período de la crecida eran desmontados y reemplazados por los andariveles en Majes, y por las balsas en Camaná.

El andarivel, todavía observado hoy en la zona entre Majes y Camaná, es una cuerda de fierro atravesada de orilla a orilla a la cual se atan con sogas una tarima de madera y sirve para el transporte de cargas y pasajeros.

Para pasar la tarima, se la tira con otra soga desde la ribera. Esta técnica es exactamente igual a la que fue descrita por Joseph de Acosta en 1590. La única diferencia es que en la época de Acosta, se empleaba una soga en lugar de la cuerda de fierro y un canasto en lugar de una tarima de madera (Acosta 1894: 247).

En Camaná, en la década de los veinte, existían balsas que utilizaban cueros de res inflados y revestidos de brea como flotadores. Según un ex-betero de la balsa, anciano camanejo, las balsas de cueros, que después fueron reemplazados por el bote de madera, cruzaban el río Camaná entre Bodeguilla y Chule (Informante Nº 13).

Otro factor que hizo incierto el tráfico automovilístico era la deficiencia en el servicio de reparación de automóviles (Rivero 1940: 200–201). Cuando la confiabilidad de las máquinas de los automóviles era todavía muy baja y las trochas estaban llenas de obstáculos, la falta de servicios de reparación impidió aún más un transporte seguro.

Por estas razones, hasta la década de los treinta, la mayoría de los camarones despachados desde los valles de Ocoña, Camaná y Majes seguían siendo los camarones secos.

En lo que respecta al consumo de camarones, habían aparecido nuevas recetas del tipo criollo, tal como el ceviche de camarón, la tortilla de camarón, arroz con camarón, etc. En el valle de Camaná, se comía "capisca" que viene a ser el camarón sancochado con ají verde y cebollas picadas. Según José María Morante, es una comida del folklore de Camaná (Morante 1965: 562). Sin embargo, no hay evidencia alguna que asegure que sea una comida nativa o criolla.

Además vinieron a usarse nuevos ingredientes en las recetas indígenas. Por ejemplo, la leche fue introducida como un ingrediente importante del chupe de camarón.

5. EXPLOTACION Y CONSUMO DEL CAMARON DE RIO EN LA EPOCA CONTEMPORANEA

Inicio de un gran cambio

Se observó una notable mejoría en la situación del transporte automovilístico cuando concluyó la construcción de la Carretera Panamericana en la época del primer gobierno de Manuel Prado (1939–45). Desde ese entonces, los automóviles vinieron a reemplazar al ferrocarril y a las bestias de carga como medios de transporte de los camarones —secos y frescos— de todos los valles arequipeños.

El recorrido entre Camaná y Arequipa fue reducido a ocho horas, cuatro horas menos que antes, aunque el viaje para Lima todavía tomaba dos días por la falta de pavimentación (Informantes Nº 18, Nº 19 y Nº 20). Desde ese entonces los camarones frescos de Camaná llegaban constantemente a Arequipa. Uno de los primeros copiadores que empezó la recolección de camarones en 1940 informó que él diariamente despachaba a su socio en Arequipa, de 15 a 20 canastas de camarones frescos en el carro de carga (Informante Nº 45). Una canasta contiene más o menos 15 kilogramos de camarones frescos.

El viaje desde la zona media de Tambo también se hizo muy conveniente y rápido (tomaba ahora sólo medio día), pues se podían transportar los camarones frescos directamente desde la ribera hasta el mercado de Arequipa (Informante Nº 38).

En el valle de Majes, los pescadores contratados por los comerciantes de la ciudad de Arequipa, empezaron a despacharles los camarones frescos en canastas por medio de los ómnibuses y los carros de carga. En aquella época aún no habían aparecido los copiadores profesionales en Majes (Informantes Nº 39, Nº 40 y Nº 44).

En cuanto al comercio con Lima, ya que los camarones frescos no podían llegar aún allí, un negociante arequipeño —Juan Oviedo— pensó a mediados de la década de los cuarenta, en despacharlos en forma de "colas" (Informantes Nº 19 y Nº 20). Para fabricar las colas de camarón, primero se pasan los camarones por agua caliente, después se quitan la cabeza y la cáscara y finalmente se secan las colas al sol por varios días, echándoles sal. Juan Oviedo no sólo compraba las colas a los pescadores sino también tenía una "peladora" o una fábrica de colas en Ocoña (Informante Nº 13).

Por otro lado, un señor Castro vino a Ocoña para comprar colas y llevarlas hasta Bolivia (Informante Nº 18). También participaron otros negociantes de Arequipa, Lima, Puno y Cuzco en este negocio de las colas (Informante Nº 13). Sin embargo, sólo continuó por cinco o seis años más hasta que en febrero de 1951, el gobierno prohibiera la industrialización y el comercio de colas, por la misma razón que se mencionará más adelante.

En 1948, un señor Villalba de Lima y un señor Harton de origen belga, ambos pilotos civiles, iniciaron el transporte de camarones frescos para Lima aprovechando el servicio aéreo de Faucett, que usaba el campo de aterrizaje de La Pampa, Camaná (Informante Nº 20 y Nº 21). Además, Villalba usaba una avioneta para transportar los camarones de Ocoña a Camaná, donde transbordaba las canastas al avión de Faucett (Informante Nº 19).

Sin duda, existían fuertes demandas de camarones frescos en Lima. Debe recordarse que exactamente en este período, se emitió el primer reglamento de pesca de camarones en los ríos de Chillón y Rímac (véase págs. 18–19). Era una prueba de la disminución de esta fauna en los ríos de la costa central del Perú. Así se abrió un gigante mercado para los camarones de los ríos sureños. Sin embargo, la cantidad que se podía transportar por avión era limitada y el negocio no era muy rentable debido al alto costo que significaba el transporte aéreo. Se requería desarrollar el transporte terrestre a fin de abastecer debidamente las demandas. La pavimentación de la Carretera Panamericana progresó rápidamente durante el período del gobierno de Manuel Odría (1948–1956). En el inicio de la década de los cincuenta, el trabajo de pavimentación llegó hasta Puerto Viejo de Chala y el tiempo de viaje entre Camaná y Lima se redujo hasta unas 12 horas (Informantes Nº 10, Nº 11 y Nº 49). Finalmente, el comercio rentable de camarones frescos con Lima se hizo posible. Así apare cieron en algunos valles arequipeños los transportistas especializados en el comercio de camarones frescos. Ellos se llamaban comúnmente "camioneteros".

En Camaná, los primeros camioneteros fueron Miguel Zanabría, Augusto Zúñiga y Dagoberto Campos. Ellos fueron pronto seguidos por otros, cuyo número llegó a casi veinte durante el apogeo del negocio camaronero. La mayoría de estos transportistas son del mismo Camaná.

En Ocoña, Zenón Olachea tomó la delantera seguido por Hernán Carnero, Crotto Cruzado, Luis Castro, Federico Lercari y un tal señor Flores (Informantes Nº 10, Nº 11, Nº 18 y Nº 49). Por lo menos se sabe que Crotto Cruzado y Flores no son del valle de Ocoña (Informantes Nº 16 y Nº 18).

En el valle de Majes, un comerciante arequipeño Soilo Blutrón y un limeño Velázquez fueron los primeros camioneteros que transportaron los camarones frescos a Lima (Informantes Nº 39 y Nº 51). Los nativos de Majes como Juan Cabrera (de Aplao) y Ernesto Alpaca (de Corire) entraron en el negocio un poco después (Informante Nº 39).

En contraste, no aparecieron los camioneteros residentes en los valles de Quilca, Sihuas y Vítor. Los camioneteros camanejos como Tassara Briceño y los hermanos de Uyen Cáceres mandaban sus camionetas a Quilca para comprar los camarones a los acopiadores, algunos de los cuales eran de Quilca y otros de Camaná (Informantes Nº 10 y Nº 13). Los valles de Sihuas y de Vítor fueron atendidos por los transportistas de la ciudad de Arequipa, tal como Manuel Zeballos y Julio Alfaro (Informantes Nº 22 y Nº 36). Este último posteriormente estableció una serie de restaurantes, "El Gato Vitoreño", especializados en recetas camaroneras. La gran mayoría de los camarones de estos valles eran destinados al mercado de Arequipa.

Después del inicio del comercio de camarones frescos con Lima, el volúmen de pesca de esta fauna natural empezó a aumentar en gran escala, tanto así que el gobierno central se vió obligado a emitir una serie de reglamentos a fin de proteger la especie. Ya se ha hecho mención del reglamento de fecha febrero de 1951 que prohibía la industrialización y el comercio de las "colas". El propósito de esta ley era de proteger a los camarones de la pesca indiscriminada que había sido provocada por el comercio de "colas", para el que ni el tamaño de los camarones podía ser obstáculo ya que incluía también camarones jóvenes y que tenía además la facilidad de que podía ser preparado en cualquier cantidad en las mismas orillas sin el riesgo de que pudiera malograrse.

Antes de este reglamento sobre las "colas", en noviembre de 1950 se había declarado una veda de pesca entre el 1º de diciembre al 31 de marzo de cada año. Estos son los meses en que hay mayor eclosión de huevos en los ríos arequipeños. Aparentemente, esta determinación no impactó entre los pescadores, pues en febrero de 1952 el gobierno tuvo que emitir un nuevo reglamento que estipulaba la imposición de multas a aquellos quienes violaban la veda. Además, en setiembre del mismo año, le fue otorgado a la Dirección de Caza y Pesca del Ministerio de Agricultura atribuciones para conceder permisos de pesca, abrir registros de pescadores y determinar métodos permisibles para la pesca de camarones (Viacana et al. 1978: 220).

Por fin, en febrero de 1953, se publicó un reglamento que hacía extensiva a toda la nación las estipulaciones emitidas originalmente para los ríos Chillón y Rímac (Viacana et al. 1978: 223–224). Permitía la pesca de los camarones de más de tres centímetros de longitud cefalotorácica, en toda la extensión de los ríos de la costa, con excepción del sector que abarca dos kilómetros de extensión desde su desembocadura. El propósito de esta última disposición está estrechamente relacionada con el ciclo biológico del camarón de río, *Cryphiops caementarius*.

A través de los experimentos llevados a cabo en los tanques acuáticos, se conoce que las larvas del *Cryphiops caementarius* necesitan para su desarrollo una considerable concentración de sales en el agua (Rivera et al. 1983: 324; Viacana et al. 1978: 172–173). Aunque el desove ocurre a todo lo largo del río, las larvas mueren pronto si no llegan al ambiente apropiadamente salobre. Por eso, los camarones *Cryophiops caementarius*, especialmente sus hembras, descienden el río hasta la zona estuaria aprovechando la fuerte corriente de las crecidas veraniegas. En esta época, la gran mayoría de los ejemplares que se encuentran en la zona baja del río son hembras, y muchas de ellas son ovígeras. Así, el desove masivo ocurre en el estuario o cerca del estuario entre noviembre y marzo (Elías Hernández 1960: 95; Viacana et al. 1978: 170). De acuerdo con el importante estudio de dos biólogos chilenos, se distinguen 17 estadios Misis y un estadio postlarvario entre la eclosión de la larva y su metaformosis en camarones juveniles. El período total del desarrollo larvario es de 115 días según sus experimentos (Báez y Sanzana Díaz 1983: 347). Un biólogo peruano también distinguió 18 estadios larvarios, pero insiste en que el período de intermuda es entre 3 a 5 días (Munaylla Alarcón 1977: 14). En este caso, el período total de la vida larvaria es de no más de 54 a 90 días. De todas maneras, las larvas permanecen en los ambientes estuario-marinos por largo tiempo.

Después, los camarones jóvenes empiezan el movimiento migratorio desde la desembocadura hacia arriba. De acuerdo con Elías Hernández, biólogo de la Dirección de Caza y Pesca, quien permaneció en Camaná en la década de los cincuenta y los sesenta, ellos se movilizan en grupos muy compactos cerca de la desembocadura, pero desde el sector que está a dos kilómetros más arriba de la desembocadura empiezan a subir en interminables filas a lo largo de las orillas. Una vez que pasan los 15 kilómetros sobre el estuario, los camarones empiezan a moverse individualmente (Elías Hernández 1972: 39). Ya en el período de estiaje, algunos ejemplares continuan su migración llegando hasta lugares a más de mil metros sobre el nivel del mar. Llegado el período de la crecida, empiezan nuevamente la migración descendiendo hasta el estuario donde occurre otro desove.

Por eso, la veda veraniega y la prohibición de la pesca en el sector que abarca los dos kilómetros de extensión desde la desembocadura del río, tiene por objetivo la protección de las hembras ovígeras y los camarones juveniles.

La resolución ministerial de 1953 también determinó los métodos permisibles para la pesca de camarones. Se permitió el uso de las manos, llica, isigua, atarraya, la lombriz, luz artificial de lámpara de carburo o linterna a pilas y el anzuelo con carnadas; mientras que se prohibió todas las trampas fijas tal como izangas y chaucos, sustancias tóxicas, explosivos y la técnica de secas. Así las izangas y secas, técnicas más antiguas de la pesca de camarones, fueron legalmente prohibidas porque se temía que estas técnicas propendían a una pesca indiscriminada de camarones de todos los tamaños. Se creía que una pesca selectiva sería posible con otros métodos.

La llica es un aparejo que tiene un arco de madera al cual va cosida una bolsa de malla confeccionada de hilo. La isigua tiene la forma de un aro en vez de un arco. Los pescadores sostienen estos aparejos con una sola mano y con la otra remueven las piedras para hacer salir a los camarones escondidos, los que quedan atrapados en la llica (o la isigua). Se usa en aquellas partes del río con poca profundidad. La atarraya es una red cónica de uno a dos metros de alto que lleva en el perímetro trozos de plomo para que la red se hunda con el peso de ellos, atrapando así a todos los camarones dentro de su perímetro. La lombriz y el anzuelo con carnadas son técnicas más o menos semejantes que emplean un cordel atado a una caña rústica. La lámpara de carburo y la linterna a pilas son usadas para la pesca nocturna (Viacana et al. 1978: 205–206; Elías Hernández 1960: 100–101). Estos últimos instrumentos todavía no habían sido introducidos en los ríos arequipeños cuando se emitió el reglamento de 1953. Esta técnica que emplea la luz artificial es llamada "güinchir", que antiguamente empleaba un haz de cañas y luego el candil o mechón a kerosene (Informante Nº 8).

A pesar de la buena intención del gobierno, los reglamentos no tuvieron buen éxito en su propósito de proteger los camarones de río. Al contrario, condujo a una innovación importante en la técnica de conservación que a su vez estimuló más la pesca de camarones. Un transportista de Majes informó que su padre fallecido, que fue también uno de los primeros transportistas del valle de Majes, pensaba en la manera de evitar la vigilancia policial durante la época de veda, y un día se le ocurrió la idea de usar cajas con tapas en lugar de canastas. Si se emplearan cajas con tapas, sería más difícil detectar su contenido en las garitas de control. Sin embargo, para usar cajas cerradas, se requería de una nueva técnica de conservación, pues las yerbas húmedas, la técnica tradicional de conservación de camarones, no son suficientes para conservar camarones dentro de un ambiente donde falta aire fresco. Así se llegó a la idea de usar hielo en lugar de callacás o tembladera. Este transportista creativo, que estaba enfermo en aquel entonces por lo que no pudo concretar su idea, se la transmitió a un amigo, Zenón Olachea de Ocoña. Este hombre, que había sido carpintero antes de ser transportista de camarones, fabricó un cajón de madera enlatado por dentro y empezó a transportar los camarones frescos en estos cajones a mediados de la década de los cincuenta, obteniendo óptimos resultados. Pronto se divulgó esta nueva técnica entre los transportistas.

Con la introducción del cajón con hielo, se hizo posible acumular mayor cantidad de camarones antes de despacharlos, pues el hielo tiene una mayor capacidad de conservación que los callacás o tembladera. Si se cambia el hielo diariamente, los camarones se mantienen frescos durante 8 a 15 días (Informante Nº 51). Los transportistas vinieron a competir para acumular la mayor cantidad posible y para este propósito alentaron a los acopiadores y a los camaroneros.

Con el notable aumento del comercio de camarones frescos, aparecieron nuevos fenómenos —en lo que respecta a la explotación y el uso de esta fauna natural— que pueden ser reunidos en los cuatro puntos siguientes:

(1) Formación de una nueva división de labores para la explotación y comercialización de los camarones;
(2) El aumento notorio de camaroneros y la formación de aldeas camaroneras;
(3) Cambios en los métodos de pesca; y,
(4) Disminución paulatina de este recurso importante.

Nueva división de labores

Hasta la década de los treinta de nuestro siglo, no existieron camaroneros profesionales en los valles arequipeños, posiblemente con la sóla excepción del valle de Ocoña. Es cierto que la pesca de camarones era una actividad productiva con la cual fácilmente hubieran podido subsistir las personas con poco recurso, pues los ríos estaban llenos de camarones. Sin embargo, el comercio de camarones secos estaba limitado por falta de una demanda suficiente, mientras que la venta en los valles mismos era muy poco remunerada. Se vendían los camarones por porciones, no por kilos como hoy en día (Informante Nº 33). Por eso, los habitantes pobres y los trabajadores serranos se dedicaban prioritariamente a los trabajos agrícolas y secundariamente a la pesca de camarones. Después de la década de los cuarenta, ya aparecieron los recolectores especializados en la pesca de camarones, algunos de los cuales eran residentes de los valles y otros forasteros.

En cuanto a la comercialización, anteriormente los pescadores mismos mandaban los camarones a los comerciantes de las ciudades, encomendando el trabajo de transporte a los arrieros y/o a los carros de carga. No existían intermediarios entre los pescadores y los comerciantes. Después del inicio de la década de los cuarenta, aparecieron los acopiadores en el valle de Camaná. Este fenómeno se difundió a otros valles en la década de los cincuenta.

Hay dos tipos de acopiadores. Uno de ellos es el llamado "copiador", que visita en acémilas a los camaroneros, algunos de los cuales empezaron a vivir en chozas rústicas a orillas del río. El otro tipo de acopiador es el "balsero" que baja el río en balsa comprando camarones en la ruta (Tsunekawa 1986: 210–213). Sólo se encuentran balseros en Camaná y Ocoña. En este último valle, hay dos rutas de recorrido. Una es la de 60 kilómetros, entre Urasqui y el puente de la Carretera Panamericana; y la otra desde más arriba de Urasqui hasta Posco (Informante Nº 17). En el caso de Camaná, las balsas recorrían 100 kilómetros entre el puente de Punta Colorada y el puente de la Carretera Panamericana. Después de la construcción de un dique para un proyecto de irrigación, las balsas sólo llegan hasta El Túnel, 10 kilómetros más arriba del puente de la Panamericana, durante la época de estiaje.

En muchos casos, los copiadores y los balseros tienen contratos con determinados camioneteros y reciben de ellos el dinero para la compra de camarones (Informantes Nº 10 y Nº 11). Anteriormente, los camioneteros transportaban las balsas hasta el punto de partida, práctica que se perdió después por la disminución de la pesca.

Muchos de los copiadores y balseros son ex-camaroneros, pues el conocimiento de los ríos y de los camaroneros es indispensable para el trabajo de acopio. También se encuentran, aunque muy pocos, personas que iniciaron su trabajo como camaroneros ó copiadores, y después terminaron realizando el oficio de camioneteros (Informantes Nº 18 y Nº 51).

Aquí se debe mencionar un método muy especial del acopio en la zona alta del río Ocoña. Existía siempre la dificultad de transportar los camarones de la zona alta de este río, pues no existía un camino para autos y tenía que subirse el cerro en burros, entorpeciendo el transporte de los camarones hasta el campamento de Cuno Cuno, donde esperaban las camionetas. Por 1968, Sumar Catán empezó a usar una avioneta para transportar los camarones acopiados directamente hasta Camaná donde los entregaba a los camioneteros. Sin embargo, esta práctica sólo se mantuvo unas dos o tres temporadas, pues murió en la selva en un accidente aéreo. A mediados de la década de los setenta, un señor Canga reabrió el servicio del transporte aéreo, pero también falleció unos años después estrellándose en un cerro del valle de Ocoña. Hoy, gracias a la introducción de los carros de doble tracción, ya los transportistas pueden llegar directamente a la zona alta del río Ocoña (Informantes Nº 10, Nº 11 y Nº 49).

Los camioneteros existen sólo en el Departamento de Arequipa, Perú. No se encuentran ni en Chile ni en otra parte del Perú (Viacana et al. 1978: 214). Los camioneteros difieren de los arrieros antiguos en dos aspectos importantes. Primero, mientras que los arrieros se dedicaban al trabajo del transporte, los camioneteros modernos son los organizadores capitalistas que dominan todo el proceso de la explotación y la comercialización de camarones. Mientras que el arriero de la época colonial transportaba no más de 65 arrobas (750 kilogramos) de camarones secos (véase Cuadro 1), el camionetero contemporáneo lleva de 3,000 a 10,000 kilogramos por recorrido y esto gracias a que cuenta con el carro de cámara frigorífica que fue introducido a mediados de la década de los sesenta. El comercio de camarones fue tan bueno que muchos camioneteros, después del descenso de la pesca, se convirtieron en prósperos hombres de negocios dedicados a los molinos de arroz, bancos privados, restaurantes, tiendas comerciales, etc.

Segundo, antiguamente los arrieros llevaban los camarones a Arequipa, Cuzco y otras partes de la Sierra. En este sentido, el movimiento de camarones se constituía en la figura más amplia del intercambio vertical de productos entre las diferentes zonas ecológicas de los Andes del Sur. La introducción del ferrocarril y el transporte automovilístico no varió este modo de intercambio hasta mediados de la década de los cuarenta. Sólo con el inicio del comercio con Lima, cambió drásticamente la situación, de tal modo que los camioneteros llevan la mayor parte de los camarones arequipeños horizontalmente hacia Lima.

Camaroneros migratorios y aldeas camaroneras

En la década de los cuarenta, aparecieron los camaroneros migratorios que se originaron fuera de los valles camaroneros de Arequipa. Según informantes de varios valles, los primeros camaroneros migratorios fueron de Omate, Departamento de Moquegua (Informantes Nº 13, Nº 18, Nº 38, Nº 39, Nº 40, Nº 44 y Nº 47). Se pueden considerar varias razones que provocaron este fenómeno. Primero, como atestiguó una omateña, habían tantos minifundistas en Omate que muchos habitantes tuvieron que salir de sus pueblos para trabajar como obreros estacionales (Informante Nº 46). Segundo, Omate está bastante cerca de El Chorro, lugar más alto del río Tambo donde se realiza la pesca de camarones (Viacana et al. 1978: 208). Se supone que los omateños tradicionalmente tenían conocimiento de las artes de la pesca de camarones. Tercero, Omate está ubicado en el camino importante que conecta Moquegua con Arequipa. Por ello, los habitantes debían tener bastante información sobre estas dos ciudades mencionadas, incluyendo información sobre lo altamente remunerativo que resultaba el negocio de camarones en Arequipa.

En la década de los cincuenta, empezaron a descender los habitantes de los Departamentos de Puno y Cuzco hasta la costa arequipeña, fenómeno que se acentuó en la década de los sesenta (Informantes Nº 3, Nº 10, Nº 11, Nº 12, Nº 30 y Nº 38). Hoy en día, la mayor parte de los camaroneros son puneños y cuzqueños.

Muchos camaroneros migratorios se trasladan de un río a otro para la pesca. Mientras tanto, los habitantes originarios de cada valle dejaron de dedicarse a la pesca de camarones para trabajar en los campos, esto gracias al éxito logrado en la actividad agrícola, que es a su vez, debido a los proyectos de irrigación y a las Reformas Agrarias realizadas después de la década de los sesenta. Así, cuando se hizo una entrevista a un grupo de 16 a 18 camaroneros, todos miembros del Comité de Pescadores y Defensa de la Fauna del Río Camaná, no se encontró ni un camaronero de origen camanejo. El presidente de este comité era omateño (Informante Nº 14).

La mayoría de los pescadores forasteros vienen a pescar en los ríos temporalmente y luego regresan a sus pueblos natales para dedicarse a la faena agrícola. Sin embargo, ya en la década de los cuarenta, algunos empezaron a residir permanentemente, formando aldeas camaroneras en varios valles arequipeños.

En el valle de Majes, un camaronero vitoreño, Alejandro Febres, construyó una casita en Punta Colorada, por el año 1940, al lado del puente de fierro que cruza el río. Después, varios camaroneros vinieron a residir allí; tal es así que en 1955, vivían ocho familias, seis de las cuales fueron de Omate (Informante Nº 51). Punta Colorada (véase Foto 5) desarrolló hasta convertirse en 1961 en una aldea que consistía en 34 viviendas con 186 residents (Dirección Nacional de Estadística y Censos 1966: Cuadro Nº 3.4). El crecimiento de la aldea continuó y en 1981 el número de viviendas llegó a 44 con 240 habitantes (Instituto Nacional de Estadística 1984: Cuadro Nº 1). En el proceso de crecimiento, los habitantes construyeron en el pueblo una capilla para venerar a San Pedro (Informante Nº 52).

En el valle de Camaná, los camaroneros residentes vivían en los

Foto 5 Punta Colorada, 1986

pueblos pobres como San José y Chule, ambos situados cerca de la desembocadura. Sin embargo, después de la década de los cincuenta, los camaroneros foráneos empezaron a formar una nueva aldea al lado del puente de la Carretera Panamericana, que después vino a llamarse "El Puente". En 1961, ya vivían 203 personas en 41 viviendas (Dirección Nacional de Estadísticas y Censos 1966: Nº 3.4). Hoy se encuentran 89 viviendas con 402 habitantes (Instituto Nacional de Estadística 1984: Cuadro Nº 1).

En el valle de Tambo, cuando se construyó la Carretera Panamericana en la Quebrada de Cachendo por el año 1940, un señor Murril vino a establecer un bar para viajeros en un lugar llamado "El Fiscal". Está a 200 metros del puente que cruza el río Tambo. Posteriormente, la señora Hirma Gustinza de Cocachacra, compró este bar y lo convirtió en un restaurante especializado en comidas a base de camarones (Informante Nº 38). El Restaurante El Fiscal —como se vino a llamar el bar— es tan famoso como el "Restaurante de la Señora Alvarado" en Punta Colorada y "El Gato Vitoreño" en Sotillo, Vítor. Los camaroneros vinieron a vivir cerca del restaurante, formando así un caserío. Sin embargo, el crecimiento del pueblo fue interrumpido por la caída drástica de la pesca de camarones que a su vez fue causada por un derrumbe del cerro en la zona alta del río ocurrido a medados de la década de los cincuenta. Según informantes de Punta de Bombón, no se encontró ni un sólo camarón durante dos o tres años después de esta catástrofe (Informantes Nº 27 y Nº 28). Cuando llegó una comerciante arequipeña a El Fiscal a mediados de la década de los setenta, sólo vió el restaurante y varias casitas más en aquél lugar (Informante Nº 30). Según el censo de población de 1981, se encontraron 39 viviendas con 174 habitantes en este lugar (Instituto Nacional de Estadística 1984: Cuadro Nº 1).

Cambios en el arte de la pesca de camarones

El incremento de la demanda de camarones y la prohibición de los métodos tradicionales de pesca por el reglamento de 1953, impulsaron juntos el desarrollo de nuevas técnicas de pesca.

Por el año 1956, apareció la lámpara de carburo para la pesca nocturna, reemplazando al candil a kerosene en varios ríos arequipeños. La lámpara de carburo es más durable y no produce el humo y el hollín tan encendidos como el candil, que impiden la visión. La pesca se hizo más eficiente con la introducción de este instrumento (Foto 6). En la primera mitad de la década de los sesenta, apareció la linterna a pilas, cuya utilidad es sin duda mayor que la lámpara de carburo. Se dice que fueron los

Foto 6 Lámpara de carburo

camaroneros norteños los primeros en llevar estos instrumentos a los valles arequipeños (Informantes Nº 8, Nº 14 y Nº 40). Aparentemente los norteños empezaron a usarlos antes que los arequipeños, pues el reglamento de 1953 ya había mencionado estos aparejos.

En la primera mitad de la década de los sesenta, los norteños también introdujeron la máscara acuática. Anteriormente, algunos camaroneros usaban una caja corta de lata cuyo fondo era reemplazado por una lámina de vidrio, a través de la cual se podía ver dentro del agua (Informante Nº 7). Sin duda, la visión es mucho mejor con la máscara que con la lata.

Con la introducción de la máscara nasal, se hizo posible la técnica del buceo. Los camaroneros, algunos desnudos y otros vestidos con trajes de goma negra, se paran de frente contra la corriente, buscan los camarones con ayuda de la máscara y también con el auxilio de la linterna en la noche, y los atrapan con las manos. En el proceso, sumergen casi todo el cuerpo (Tsunekawa 1986: 210).

El gobierno creía que el buceo haría posible una pesca selectiva de sólo los camarones grandes. Por ello, añadió "empleo de aparejos de buceo" como una técnica permisible en la pesca de camarones, en noviem bre de 1965 (Viacana et al. 1978: 224). Así, desde la década de los sesenta, el buceo y la izanga han sido los métodos más populares en la pesca camaronera. El uso de la izanga está prohibido desde 1953, sin embargo se la observa ampliamente en los valles arequipeños. Según una investigación realizada en 1975 y 1976 por biólogos peruanos, el 50.5% de los camarones fueron pescados por el buceo en el río Majes-Camaná, mientras que los otros 25.6% por las izangas (Viacana et al. 1978: 209).

Disminución de los camarones y sus efectos

El aumento del volumen de la pesca camaronera se señala en el Cuadro 2. Estas cifras representan sólo el comercio registrado de camarones, mas no abarca el comercio ilegal que se supone considerable. Por eso, las cifras absolutas no son confiables del todo. Sin embargo, se puede observar el cambio relativo en la pesca de camarones. El apogeo de la pesca camaronera fue en 1965, desde entonces ha disminuído paulatinamente repitiéndose periódicamente las temporadas buenas y las malas.

Cuadro 2 Volumen de Pesca de Camarones de Río en Perú (Toneladas)

	Llegada al Mercado de Lima (1)	Expedición de los Ríos Sureños		Expedición de los Ríos Arequipeños
		(2)	(3)	(4)
1956	400.8			
57	417.8			
58	639.7			
59				
60				
61	630.9			
62	347.2			
63	459.2			
64	659.5			
65	1,049.8		1,238	1,238.1
66	300.5		1,038	
67	690.0		806	
68	430.0		511	
69	585.0		683	
70	534.0		624	624.3
71	545.0	897	897	
72	592.5	711	711	
73	400.0	527	527	
74		500	500	
75		434	434	385.7
76		526	526	
77		807	696	
78		866		
79		646		
80				793.0
85				241.9

Fuentes: (1) Elías Hernández 1974; (2) Tsunekawa 1986: 208; (3) Elías Ponce 1980: 3; (4) Información directa de la Dirección Regional X Arequipa, Ministerio de Pesquería.

Existen varias causas que explican la disminución de la fauna. Primero, la técnica del buceo con máscara aumentó la eficacia de la pesca, tanto que la técnica se hizo más remunerativa, como se anota anteriormente. Además, contra la expectativa del gobierno, el buceo se dirigió a una pesca indiscriminada. Según un estudio estadístico, el buceo diurno es la modalidad que no tiene "selectividad" en cuanto a tallas y sexos (Viacana et al. 1978: 200–209). Significa que los buzos pescan no solamente los machos y los ejemplares grandes sino también las hembras y los ejemplares pequeños, contribuyendo así a la depredación de la fauna.

Segundo, la reducción del caudal ocasionada por los proyectos de irrigación en la zona alta de los ríos deterioró el ambiente acuático adecuado para los camarones, pues una disminución acentuada del agua puede aumentar las influencias dañinas de los insecticidas y herbicidas y causar el desencadenamiento de una serie de condiciones negativas que pueden conducir a un deterioro total de la ecología del río. No es fortuito de que la disminución de esta fauna ocurriera primero en los ríos del norte y el centro de la República, donde se desarrolló la agricultura con las irrigaciones modernas, antes que en el sur. En el departamento de Arequipa, los valles de Vítor y Sihuas fueron los primeros en experimentar el desarrollo de los proyectos de irrigación. La primera bocatoma para el proyecto de La Joya fue construída en 1936 (*Correo*, 15 de setiembre de 1986). Se construyeron otras represas posteriormente. El resultado es que el agua del río Chili desapareció antes de llegar al valle de Vítor (Informantes Nº 35 y Nº 37). Hasta mediados de la década de los sesenta, los camarones desaparecieron del río Vítor, lo que precipitó al gobierno a declarar una veda total en este valle, entre agosto de 1966 y julio de 1967 (Viacana et al. 1978: 221).

En el valle de Sihuas, la primera bocatoma para el proyecto de Santa Rita de Sihuas fue construida a mediados de la década de los cincuenta y la segunda a mediados de la próxima década. Según habitantes del valle, los camarones desaparecieron después de la construcción de estas bocatomas (Informantes Nº 23 y Nº 24). Hoy ya no existe el comercio de camarones en los valles de Vítor y de Sihuas.

Tercero, aunque el gobierno continuó declarando cada año la veda de tres a seis meses, los reglamentos gubernamentales han sido insuficientes para la protección de los camarones de río. Como se mencionó anteriormente, la técnica del buceo condujo a una pesca indiscriminada. Se observa una especie de círculo vicioso en cuanto a la pesca por buceo, en el sentido que la disminución de la fauna provocada por esta técnica fuerza a la vez una mayor pesca de camarones individuales a través del buceo a fin de satisfacer la creciente demanda; causando con esto una depredación de la especie.

Recientemente, aumentó el uso de los insecticidas en la pesca de camarones. Esta técnica consiste en echar sustancias tóxicas en las zonas de remanso de los ríos, obligando a los camarones a salir a la orilla, de donde son recogidos fácilmente. En el proceso, matan miles de camarones pequeños. El gobierno no tiene la suficiente capacidad para controlar esta técnica, pues cada río tiene orillas abiertas de más de 100 kilómetros de extensión. La falta de capacidad del gobierno también se aprecia en el uso tenaz de las izangas. El Comité de Pescadores y Defensa de la Fauna del Río Camaná fue organizado en abril de 1986 como un mecanismo para la autodisciplina de los camaroneros (Informante Nº 6).

Como resultado de la disminución de la pesca de camarones, el precio de esta fauna aumentó drásticamente. En el valle de Camaná, el precio de compra de camarones a la orilla del río era sólo de medio sol por lata (unos 12 kilogramos) a principios de la década de los cuarenta (Informante Nº 45). A fines de la década, una lata de camarones costaba un sol (Informante Nº 10 y Nº 11). El precio era de 6 soles por kilo en 1957; precio que aumentó a 120 soles en 1970; 11,000 a 12,000 soles en 1984 y 120,000 a 150,000 soles en 1986 (Morante 1965: 609; Elías Hernández 1974: 43; Tsunekawa 1986: 213). El costo de vida en general aumentó hasta 540 veces entre 1959 y 1984 (Tsunekawa 1986: 200). En el mismo tiempo, el precio de camarones de río aumentó en 1,000 veces; resultando en platos de lujo las comidas preparadas a base de camarones. Se debe recordar que hasta hace no más de 40 años era la base alimenticia de las familias sin recursos.

La disminución de los camarones creó un neuvo tipo de transportistas. Se llaman comúnmente polongueros quienes transportan personalmente de 60 a 70 kilogramos de camarones en ómnibuses hasta Lima y otras grandes ciudades (Tsunakawa 1986: 213). Los polongueros ya existían a mediados de la década pasada (Viacana et al. 1978: 213–214). Sin embargo, su relativa importancia ha aumentado con la disminución de la fauna, pues los camioneteros ahora sienten la dificultad de acumular tanta cantidad de camarones como lo hicieron anteriormente. El número de camioneteros ha disminuido y hoy se encuentran menos de cinco en cada valle, mientras que existen casi 30 polongueros en Camaná y otros 20 en Majes. (Informantes Nº 7, Nº 10, Nº 11 y Nº 51). El hecho de que muchos de los polongueros viven en las aldeas camaroneras indica que su origen es camaronero.

Explotación y consumo de camarones en Chile moderno

Como se señaló anteriormente, los ríos del norte de Chile como el río Camarones, eran ricos en camarones hasta fines del siglo pasado. Sin embargo, esta fauna disminuyó tan rápidamente que el gobierno chileno se vió obligado a emitir un reglamento a través del Ministerio de Agricultura en marzo de 1931, veinte años antes que en el Perú. Se considera que la causa principal de esta disminución es la construcción de embalses en la zona alta de estos ríos.

De acuerdo con el reglamento mencionado, el gobierno prohibió la pesca de camarones durante el período entre el 1º de octubre y el 28 de febrero. También se prohibió la pesca de hembras ovígeras y los ejemplares cuya longitud cefalotorácica medía menos de los 4 centímetros, norma más rígida que la peruana. Aparentemente, estas estipulaciones no tuvieron el éxito esperado, pues el gobierno chileno declaró una veda total en marzo de 1941 (Ministerio de Agricultura, s/f). Esta veda se mantuvo hasta marzo de 1981 (Informante Nº 59).

Sin embargo, estas medidas no han contribuido a la protección de los camarones. Además de la reducción del agua causada por el aumento del consumo humano y agrícola, el gobierno realizó en el Departamento de Arica una campaña antimalárica durante la década de los cuarenta. Con este propósito, se echaron DDT y petróleo para impedir la proliferación de mosquitos en los ríos, pero en el proceso, también se exterminaron los camarones de río (Niemeyer y Schiappacasse 1963: 105–106; Bahamonde y Vila: 41).

Se sabe que no se encuentran camaroneros especializados en el río Camarones. Sólo los trabajadores de las Haciendas Camarones y Cuya pescan de vez en cuando para su consumo local (Crignola Riccardi 1970: 42). En el río Loa sólo existen cuatro camaroneros profesionales que viven en Quillagua y se movilizan en motocicletas para pescar a lo largo de la orilla entre Tranque Santa Fé y la Caleta (Informante N.º 59). No hay información sobre la comercialización de los camarones capturados.

También, se sabe que viven por lo menos dos o tres núcleos de familias camaroneras en Vallenar. Ellos no sólo pescan sino también acopian los crustáceos para despacharlos a Santiago por ómnibus (Informante N.º 60).

En cuanto a los métodos de pesca, los biólogos chilenos observaron los siguientes instrumentos en los ríos norteños de Chile, durante las décadas de los cincuenta y los sesenta (Castro 1958: 64–65; Bahamonde y Vila 1971: 35–39).

(1) Vara con un pequeño arpón en el extremo;
(2) Nasa cilíndrica;
(3) Nasa cónica;
(4) Agüina;
(5) Chinguillo, una caña con un aro de alambre que va atado en su extremo al cual va cosida una bolsa de malla;
(6) Atarraya;
(7) Lienza, equivalente al anzuelo con carnada del Perú.

No se usan (1), (2) y (5) en los ríos arequipeños. Un informante atestiguó que también se observan la isigua y el buceo con linterna en el río Huasco (Informante N.º 60). En general, los instrumentos chilenos, que son básicamente semejantes a los peruanos en su apariencia, son más modernos en el sentido que emplean el alambre en lugar de la caña o el carrizo. Además, no se ven motocicletas en la orilla de los ríos arequipeños como en el norte de Chile.

En Chile, no se observan los camaroneros migratorios ni las aldeas camaroneras. Tampco existe la división de labores entre pescadores, copiadores y transportistas.

6. CONCLUSION

Antiguamente, los camarones de río, *Cryphiops caementarius*, abundaban en los ríos del sur del Perú y el noıte de Chile. La carne de este crustáceo es tan sabrosa y nutritiva que, desde la época prehispánica, la gente lo ha considerado como un alimento importante.

Hasta la década de los treinta de nuestro siglo, los que explotaron este recurso natural fueron mayormente los habitantes de los valles camaroneros. También hubieron ocasiones en que los pastores de la sierra, quienes bajaban a la costa para pastar sus animales en las lomas costeñas o para hacer trueques con los costeños, pescaban o compraban los camarones para llevarlos secos a sus tierras natales. Los trabajadores migratorios quienes descendían a los valles costeños para trabajar en las haciendas también pescaban camarones para llevárselos secos de retorno a sus pueblos natales.

Las técnicas más antiguas de pesca son la izanga y las secas. Ambas siguen siendo utilizadas hasta hoy en día aunque están legalmente prohibidas desde 1953 en el Perú. Especialmente con el empleo de las izangas, se capturan todavía hasta un cuarto del total de los camarones pescados en los ríos del sur del Perú (Viacana et al. 1978: Tabla Nº 38).

Los camarones fueron consumidos por los habitantes de los valles, especialmente por aquellos con pocos recursos, como una dieta importante. Ellos también enviaban los camarones secos a Arequipa, Cuzco, Puno y hasta Bolivia, pues tenían gran valor comercial en las grandes ciudades de los quechuas y del Altiplano. Encomendaron a los arrieros el transporte de la mercadería. Después de 1871, una parte del transporte fue reemplazado por el ferrocarril. Sin embargo, la dirección del movimiento de camarones hacia la sierra no varió con la introducción de esta moderna tecnología.

Los camarones secos también llegaron a la sierra a través de los pastores y los trabajadores migratorios. Todo el movimiento de los camarones en esta parte del Perú era vertical.

Sorprendentemente, sólo desde hace unos 40 años empezó la aparición de importantes cambios en los métodos tradicionales de explotación y comercialización de camarones de río. Con el desarrollo de las carreteras y el aumento de la demanda de camarones frescos en Lima, se incrementó muy rápidamente la pesca de este crustáceo. En consecuencia, las nuevas técnicas de pesca fueron introducidas en los valles. Una de ellas es el empleo de la luz artifical con lámparas de carburo o linternas a pilas; y otra, es el buceo con máscaras acuáticas. Con ambas técnicas se pesca hoy casi la mitad de los camarones.

Además, en el proceso de desarrollo de la pesca de camarones, los pescadores foráneos reemplazaron a los nativos de los valles. Los primeros camaroneros migratorios fueron omateños, seguidos luego por los habitantes de los departamentos de Puno y Cuzco. Algunos de ellos han llegado a formar aldeas camaroneras en los valles arequipeños.

El desarrollo del comercio con Lima condujo a la aparición de dos nuevos personajes: los transportistas y los acopiadores. Los transportistas, especialmente los camioneteros, son empresarios capitalistas, quienes en la práctica dominan la industria camaronera a través de su influencia sobre los copiadores y balseros. A diferencia de los arrieros tradicionales, los transportistas modernos llevan la mayor parte de los camarones no a la sierra sino horizontalmente, hacia Lima.

Las comidas preparadas a base de camarones son, hoy en día, platos de lujo. Las personas con pocos recursos ya no pueden comer camarones. En cuanto a las recetas, además de las tradicionales tales como el chupe, la ocopa, el picante y tal vez la capisca (o sancochado), actualmente en los restaurantes se sirven los camarones en muchas comidas criollas como el ceviche, la tortilla y el chicharrón.

Lamentablemente, este recurso natural que se suponía inagotable hasta hace sólo 40 años, ha disminuído hasta un nivel tal que pone en peligro la continuidad de la especie y esto debido a una excesiva explotación, al empleo del agua de los ríos para usos agrícolas y a la falta de un control eficiente por parte del gobierno.

Falta información suficiente en cuanto a la explotación y el uso de camarones en el norte de Chile. Los datos disponibles señalan que los camarones eran abundantes hasta fines del siglo pasado y fueron usados para el consumo local y para su venta en las zonas salitreras. Señalan también que la pesca disminuyó drásticamente en los siguientes 40 ó 50 años y que el comercio en sí y el consumo de los camarones son muy limitados actualmente. También se conoce que no existen camaroneros migratorios y que las técnicas de pesca son bastante similares a las peruanas, con excepción de algunos instrumentos.

BIBLIOGRAFIA

Acosta, Joseph de
[1590] 1894 *Historia Natural y Moral de las Indias*, Tomo I. Madrid: Ramón Anglés.

AGN Archivo General de la Nación, Perú, C-16 (Documentos de cargo del ramo de alcabalas que comprueban las partidas en el Libro Mayor de la Administración de Arequipa, 1790), Legajos 48 y 50.

Alberto Sanchez, Luis
1973 *El Perú: retrato de un país adolescente.* 3ª edición. Lima: Ediciones PEISA.

Alcedo, Antonio de
[1786–1789] 1967 *Diccionario geográfico histórico de las Indias Occidentales o América.* Madrid: Ediciones Atlas.

Amaya de Guerra, Julia y Guerra Martinez, Antenor
1976 *Especies de camarones de los ríos norteños del Perú y su distribución.* Lima: Ministerio de Pesquería.

Anesi, Carlos P.
1938 *La Carretera Panamericana: su inauguración en el 9º cincuentenario del Descubrimiento de América 1492—12 de octubre—1942.* Buenos Aires.

Anonimo
1960 Nueva estación experimental del camarón de río en Camaná. *Pesca y Caza* 10: 167–169.

Antunez de Mayolo R., Santiago E.
1981 *La nutrición en el Antiguo Perú.* Lima: Banco Central de Reserva del Perú.

Baez R., Pedro
1985 Fenómeno El Niño, elemento importante en la evolución del camarón de río (*Cryphiops caementarius*). *Investigación Pesquera* 32: 235–242.

Baez R., Pedro y Sanzana Diaz, Juan
1983 Desarrollo larvario de *Cryphiops caementarius* (Molina, 1782) en condiciones de laboratorio (Crustacea: Decapoda: Palaemonidae). *Memoria de Asociación Latinoamericana de Acuicultura* 5-2: 347–353.

BAEZ R., Pedro, SANZANA DIAZ, Juan y WEINBORN DEL V., Jorge
1983 Contribución al conocimiento de la morfología larvaria de *Cryphiops caementarius*, camarón de río del norte de Chile. *Boletín de Museo Nacional de Historia Natural* 40: 153–172.

BAHAMONDE, Nibaldo
1951 Nuevos datos sobre el *Parastacus spinifrons* (Philippi), 1882. *Boletín del Museo Nacional de Historia Natural* 25: 85–96.
1958 Sobre la validez taxonómica de *Parastacus nicoleti* (Philippi), 1882, y algunos aspectos de su biología. *Investigación Zoológica Chilena* 4: 183–195.

BAHAMONDE, Nibaldo y VILA, Irma
1971 Sinopsis sobre la biología del camarón de río del norte. *Biología Pesquera de Chile* 5: 3–60.

BANCO POPULAR DEL PERU
1940 *Homenaje del Banco Popular del Perú a la Ciudad de Arequipa en el IV Centenario de su fundación* 1540–1940. Lima.

BARRIGA, Víctor M.
1946 *Memoria para la Historia de Arequipa*, tomo II. Arequipa: Editorial La Colmena.
1952 *Memoria para la Historia de Arequipa*, tomo IV. Arequipa: Imprenta Portugal.

BELAUNDE, Víctor Andrés
1960 *Arequipa de mi infancia: Memorias*. Lima.

BOWMAN, Isaiah
1938 *Los andes del sur del Perú: reconocimiento geográfico a lo largo del meridiano setenta y tres*. Arequipa: Editorial La Colmena.

BUENO, Cosme
[1763-1778] 1951 *Geografía del Perú virreinal, publicado por D. Valcárcel*. Lima.

CAPLAN, M.
1859 *Geografía descriptiva del Perú*. Lima: Miguel Marisca.

CASTRO, Celestino
1958 Investigaciones carcinológicas del río Loa. Santiago: Centro Universitario del Norte, Universidad de Chile: 61–70.

COBO, Bernabé
[1653] 1964 *Historia del Nuevo Mundo*, tomo I. Madrid: Ediciones Atlas.
Correo Diario local de la Cindad de Arequipa.

CRIGNOLA RICCADI, Pedro
1970 *Proyecto de instalación de un criadero de camarón de río en el Departamento de Arica*. Antofagasta: Universidad del Norte.

DAGNINO, Vicente

1909 *El corregimiento de Arica 1535–1784.* Arica.

DIRECCION NACIONAL DE ESTADISTICA

1947 *Censo Nacional de Población de 1940*, Volumen VII. Lima.

DIRECCION NACIONAL DE ESTADISTICA Y CENSOR

1966 *Sexto Censo Nacional de Población, Primer Censo Nacional de Vivienda, 2 de julio de 1961, Centros Poblados*, Tomo I. Lima.

ELIAS HERNANDEZ, José

1960 Contribución al conocimiento del camarón de río. *Pesca y Caza* 10: 84–106.

1972 La crianza del camarón de río, *Cryphiops caementarius* (Molina). *Documenta* 23/24: 42–49.

1974 El camarón de río *Cryphiops caementarius* (Molina). *Documenta* 47/48: 36–45 y 127.

FERNANDEZ DE OVIEDO, Gonzalo

(1549) 1944 *Historia general y natural de las Indias*, tomo III. Asunción del Paraguay: Editorial Guarania.

FLORES GALINDO, Alberto

1977 *Arequipa y el sur andino: ensayo de historia regional (siglo XVIII–XX).* Lima: Editorial Horizonte.

FREZIER, Amédée François

1716 *Relation du voyage de la mer du sud aux côtes du Chily et du Perou, Fait pendant les années 1712, 1713* et *1714.* Paris: Chez Jean-Geoffroy Nyon Etienne Ganeau et Jacque Quillan.

GERBI, Antonello

s/f *Caminos del Perú: historia y actualidad de las comunicaciones viales.* Lima: Banco de Crédito del Perú.

GRANDIDIER, M. Ernest

1861 *Voyage dans L'Amérique du Sud.* Paris: Michel Lévy Frères.

HAIGH, Samuel

1967 Bosquejos del Perú (1825–1827). En *Viajeros en el Perú republicano.* Alberto Tauro, ed. Lima: Universidad Nacional Mayor de San Marcos.

HARTMANN, Gred

1958 Apuntes sobre la biología del camarón de río, *Cryphiops caementarius* (Molina) Palaemonidae, Decapoda. *Pesca y Caza* 8: 16–28.

HORKHEIMER, Hans

1973 *Alimentación y obtención de alimentos en el Perú prehispánico.* Lima: Universidad Nacional Mayor de San Marcos.

INSTITUTO NACIONAL DE ESTADISTICA

1984 *Censos Nacionales VIII de Población, III de Vivienda 1981, Dpto. de Arequipa.* Lima.

LIZARRAGA, Reginaldo de

(1605) 1928 *Descripción Colonial.* Buenos Aires: Librería "La Facultad".

MALAGA MEDINA, Alejandro
1975 Visita de Camaná. *Historia*, Universidad de San Agustín, Departamento Académico de Historia, Geografía y Antropología, 1: 123–225.

MANGIN, Charles Emmanuel
1925? *En el Perú: en torno al continente latino con el "Jules Michelet".* Paris: Librería Pierre Roger.

MASUDA, Shozo, ed.
1981 *Estudios etnográficos del Perú meridional.* Tokio: Universidad de Tokio.
1986 *Etnografía e historia del mundo andino: continuidad y cambio.* Tokio: Universidad de Tokio.

MEJIA XESSPE, Toribio
[1931] 1978 Kausay. El alimento de los indios. En *Tecnología andina*, Rogger Ravines, ed. Lima: Instituto de Estudios Peruanos. Pp. 207–225.

MENDEZ G., Matilde
1981 Claves de identificación y distribución de los langostinos y camarones (Crustacea: Decapoda) del mar y ríos de la costa del Perú. *Boletín del Instituto del Mar del Perú* 5: 10–95.

MIDDENDORF, Ernst W.
[1894] 1973 *Perú: observaciones y estudios del país y sus habitantes durante una permanencia de 25 años*, tomo II. Lima: Universidad Nacional Mayor de San Marcos.

MINISTERO DE AGRICULTURA
s/f *Decretos sobre pesca.* Santiago.

MOLINA, Juan Ignacio
1788 *Compendio de la historia geográfica, natural y civil del Reyno de Chile*, Tomo I. Madrid: Imprenta de Sancha.

MORANTE, José María
1965 *Monografía de la Provincia de Camaná.* Arequipa: Editorial Universitaria de Arequipa.

MUNAYLLA ALARCON, Ulises
1977 Desarrollo larval del "camarón de río" *Cryphiops caementarius* (Molina 1832): determinación y descripción de sus estadios larvarios. *Documenta* 62: 12–16.

NIEMEYER FERNANDEZ, Hans y CERECEDA TRONCOSO, Pilar
1984 *Geografía de Chile*, Tomo VIII (Hidrografía). Santiago: Instituto Geográfico Militar.

NIEMEYER FERNANDEZ, Hans y SCHIAPPACASSE F., Virgilio
1963 Investigaciones arqueológicas en las tierrazas de Conanoxa, valle de Camarones (Provincia de Tarapacá). *Revista Universitaria*, Anales de la Academia Chilena de Ciencias Naturales, Universidad Católica de Chile,

26: 101–153.

NORAMBUENA C., Raúl

1977 Antecedentes biológicos de *Cryphiops caementarius* (Mol, 1782) en el Estero "El Culebron" (Crustacea, Decapoda, Palaemonidae). *Biología Pesquera de Chile* 9: 7–19.

OFICINA NACIONAL DE ESTADISTICA Y CENSOS

1974 *Censos Nacionales VII de Población, II de Vivienda 1972, Dpto. de Arequipa.* Lima.

ONERN (Oficina Nacional de Evaluación de Recursos Naturales)

1985 *Los recursos naturales del Perú.* Lima.

OVALLE, Alonso de

1646 *Histórica Relación del Reyno de Chile.* Roma: Francisco Caballo.

PAZ SOLDAN, Mateo

1862 *Geografía del Perú.* Paris: Librería de Fermin Didot Hermanos, Hijos y Cª.

PEREZ BONANY, Alfonso et al.

s/f *La pesca en el Perú prehispánico.* Lima: PESCA PERU.

POMA DE AYALA, Felipe Guamán

(1613–1615?) 1980 *El Primer Nueva Corónica y Buen Gobierno,* Edición Crítica de John V. Murra y Rolena Adorno, Tomo III. México: Siglo Veintiuno.

PONCE V., Juan Elías

1980 *La vida y la preservación del camarón.* Arequipa: Universidad Nacional de San Agustín de Arequipa.

PONCE V., Juan Elías et al.

1982 *Efectos de las comunidades epipetrales sobre el camarón de río Cryphiops caementarius* (*Molina,* 1872). Arequipa: Universidad Nacional de San Agustín de Arequipa.

PONCE V., Juan Elías y JIMENEZ MILON, Percy

1979 *Diversidad biótica de los ríos camaroneros de Arequipa.* Arequipa: Universidad Nacional de San Agustín de Arequipa.

PORRAS BARRENECHEA, Raúl.

1986 *Los cronistas del Perú* (1528–1650) *y otros ensayos.* Lima: Banco de Crédito del Perú.

PROCTOR, Roberto

1920 *Narraciones del viaje por la Cordillera de los Andes y residencia en Lima y otras partes del Perú en los años 1823 y 1824.* Buenos Aires: VACCARO.

RAIMONDI, Antonio

[1874] 1983 *El Perú,* Tomo I (II edición facsimilar publicada con el auspicio moral e intelectual del Colegio de Ingenieros del Perú). Lima: Editores Técnicos Asociados, S.A.

1929 *El Perú: Itinerarios de viajes.* Lima: Banco Italiano de Lima.

RISO PATRON, Francisco

1890 *Diccionario geográfico de las Provincias de Tacna y Tarapacá.* Iquique: Imprenta de "La Industria".

RIVERA, M., SCHMIEDE, P. y MERUANE, J.

1983 Desarrollo larval del camarón de río del norte *Cryphiops caementarius* (Molina, 1782) (Crustacea: Palaemonidae), en condiciones de laboratorio. *Symposium internacional de acuacultura*, Coquimbo, Chile: 315–334.

RIVERO, Alberto de

1940 *Arequipa en su IV Centenario: guía monográfica e histórica.* Arequipa.

ROEL, Virgilio.

1986 *Historia social y económica del Perú en el siglo XIX.* Lima: LDEA.

ROMERO SOTOMAYOR, Carlos

1978 Caminos de Ayer y de Hoy. En *Tecnología andina*, Rogger Ravines, ed. Lima: Instituto de Estudios Peruanos. Pp. 627–640.

ROSTWOROWSKI, María

1977 *Etnía y sociedad: Costa peruana prehispánica.* Lima: Instituto de Estudios Peruanos.

1981 *Recursos naturales renovables y pesca, siglo XVI y XVII.* Lima: Instituto de Estudios Peruanos.

RUIZ, Hipólito

[1788?] 1952 *Relación histórica del viaje que hizo a los Reynos del Perú y Chile.* Madrid: Real Academia de Ciencias Exactas, Físicas y Naturales.

RUIZ RIOS, Leoncio, ed.

1981 *Segundo symposium sobre desarrollo de la acuicultura en el Perú.* Lima: Universidad Nacional Agraria.

SANZANA DIAZ, Juan.

1978 *Contribución al conocimiento del camarón de río de la zona norte de Chile, Cryphiops caementarius (Molina,* 1782) *(Crustacea, Decapoda, Palaemonidae).* Antofagasta: Universidad del Norte.

SARTIGES, E. de y BOTMILIAU, A. de

1947 *Dos viajeros franceses en el Perú republicano.* Lima: Editorial Cultura Antártica, S.A.

SEGUNDO OSORIO, José

1905 *Informe del visitador municipal presentado al Sr. Prefecto del Departamento.* Arequipa: Imprenta de "La Bolsa".

STEVENSON, W. B.

1829 *Historical and descriptive narrative of twenty years' residence in South America*, Volumen I. London: Longman, Rees.

TRISTAN, Flora

1971 *Peregrinaciones de una paria.* Lima: Moncloa-Campodónico.

TSUNEKAWA, Keiichi
1986 Interacción entre los serranos y los costeños en la vida económica y política del valle de Camaná. En *Etnografía e historia del mundo andino*, S. Masuda, ed. Tokio: Universidad de Tokio. Pp. 191-222.

UNIVERSIDAD DEL CUZCO
s/f *Catálogo razonado del Museo de Arqueología.* Cuzco.

VAZQUEZ DE ESPINOSA, Antonio
[1623] 1969 *Compendio y descripción de las Indias Occidentales.* Madrid: Ediciones Atlas.

VIACANA, Moises, AITKEN S., Ricardo y LLANOS U., Jorge
1978 Estudio del camarón en el Perú 1975-1976. *Boletín del Instituto del Mar del Perú* 3-5: 161-230.

WIBORG, Frank
1905 *A commercial traveller in South America.* New York: McClure, Phillips & Co.

ZUÑIGA, Edmundo
s/f *Monografía de Castilla.* Aplao.

Anexo Lista de Informantes

Número de Informante	Fecha de Entrevista (1986)	Lugar de Entrevista	Sexo[1]	Edad[2]	Lugar de Nacimiento	Ocupación
1	10 Agosto; 17 Set.	Arequipa	H	(45)	n.d.	Profesor
2	10 Agosto	Arequipa	M	(40)	Punta de Bombón	Ama de Casa
3	12 Agosto	Arequipa	H	54	Punta de Bombón	Agrónomo
4	12 Agosto	Arequipa	H	(45)	Punta de Bombón	Profesor
5	14 Agosto	Camaná	H	(35)	Prov. Chuquito	Camaronero
6	14 Agosto	Camaná	H	41	Omate	Camaronero
7	14, 17 Ago.; 9 Set.	Camaná	H	(45)	n.d.	Administrador Público
8	14 Agosto	Camaná	H	68	Barranco, Lima	Ex-camaronero
9	14 Agosto	Camaná	H	58	n.d.	Contador Público
10	14 Agosto; 11 Set.	Camaná	H	(65)	n.d.	Ex-transportista
11	14 Agosto; 11 Set.	Camaná	H	(65)	n.d.	Transportista
12	14 Agosto	Camaná	H	(55)	Piuca	Ex-transportista
13	16, 19 Ago.; 6 Set.	Camaná	H	77	Camaná	Ex-camaronero
14	17 Agosto	Camaná	H	varios	varios	Camaroneros
15	18 Agosto	Ocoña	H	46	Ocoña	Balsero
16	18 Agosto	Ocoña	H	(65)	Lima	Transportista
17	18 Agosto	Ocoña	H	(50)	Omate	Balsero
18	18 Agosto	Ocoña	H	58	Ica	Ex-transportista
19	18 Agosto	Ocoña	H	(70)	Arequipa	Ex-transportista
20	20 Agosto	Camaná	H	72	Camaná	Camionero
21	20 Agosto	Camaná	H	64	Majes	Ex-administrador Público
22	22 Agosto	Sihuas	M	(60)	n.d.	Ama de Casa
23	22 Agosto	Sihuas	H	(50)	Siguas	Agricultor

24	22 Agosto	Sihuas	H	(55)	Sihuas	Agricultor
25	22 Agosto	Sihuas	H	(70)	Sihuas	Ex-camaronero
26	22 Agosto	Sihuas	H	(65)	n.d.	Agricultor
27	23 Agosto	Punta de Bombón	H	74	Punta de Bombón	Agricultor
28	23 Agosto	Punta de Bombón	H	72	Punta de Bombón	Agricultor
29	23 Agosto	Punta de Bombón	H	57	Punta de Bombón	Agricultor
30	23 Agosto	El Fiscal	M	(50)	Arequipa	Copiadora
31	24, 28 Ago.; 17 Set.	Arequipa	H	(40)	Arequipa	Profesor
32	24 Agosto	Arequipa	M	(60)	Arequipa	Comerciante
33	24 Agosto	Huaranquillo	H	62	Huaranquillo	Ex-empleado ferrocarrilero
34	23 Agosto	Arequipa	H	64	n.d.	Ex-oficial de Guardia Civil
35	30 Agosto	Vítor	M	55	Vítor	Ama de Casa
36	30 Agosto	Vítor	H	81	Vítor	Agricultor
37	30 Agosto	Vítor	H	68	Arequipa	Agricultor
38	31 Agosto	Arequipa	H	63	Chucarapi	Agricultor
39	4 Setiembre	Aplao	H	58	Aplao	Copiador
40	4 Setiembre	Aplao	H	66	Aplao	Camaronero
41	4 Setiembre	Aplao	H	(45)	Aplao	Camaronero
42	4 Setiembre	Aplao	M	(35)	n.d.	Copiadora
43	4 Setiembre	Corire	M	(60)	Majes	Ama de Casa
44	4, 14 Set.	Corire	H	65	Corire	Agricultor
45	6 Setiembre	Chule	H	86	Camaná	Ex-copiador
46	7 Setiembre	Sonay	M	(40)	Omate	Ama de Casa
47	11 Setiembre	Quilca	H	74	Quilca	Agricultor
48	11 Setiembre	Quilca	M	(55)	n.d.	Comerciante

Continua . . .

Anexo

Número de Informante	Fecha de Entrevista (1986)	Lugar de Entrevista	Sexo[1]	Edad[2]	Lugar de Nacimiento	Ocupación
49	11 Setiembre	Camaná	H	(55)	n.d.	Ex-transportista
50	11 Setiembre	Quilca	H	(65)	Vítor	Agricultor
51	14 Setiembre	Corire	H	48	Corire	Transportista
52	14 Setiembre	Punta Colorada	M	65	Coso, Majes	Ama de Casa
53	2 Octubre	Arica	H	(65)	n.d.	Profesor
54	3 Octubre	Calama	H	(45)	n.d.	Profesor
55	5 Octubre	Antofagasta	H	(50)	n.d.	Profesor
56	6 Octubre	Antofagasta	H	(50)	n.d.	Profesor
57	7 Octubre	Copiapó	H	(50)	n.d.	Profesor
58	7 Octubre	Copiapó	H	40	n.d.	Profesor
59	7 Octubre	Copiapó	H	35	n.d.	Administrador Público
60	8 Octubre	Vallenar	H	(60)	n.d.	Negociante
61	10 Octubre	Santiago	H	(65)	n.d.	Profesor
62	10 Octubre	Santiago	H	(45)	n.d.	Profesor
63	12 Octubre	Chiloé	H	(45)	n.d.	Biólogo

Notas: 1) H=Hombre, M=Mujer.
2) Las cifras entre paréntesis son las estimadas.

Algunos datos sobre la utilización de los recursos naturales en la costa de Arequipa: época colonial

Hitoshi Takahashi
Universidad de Tokio

Esta monografía intenta ofrecer algunos datos sobre los diversos modos de utilización de los recursos naturales en las regiones costeras del departamento de Arequipa, Perú. Los datos que aquí averiguaremos fueron obtenidos durante las investigaciones que realicé en el Archivo Departmental de Arequipa y en otros fondos documentales del Perú.

Aunque los valles angostos que han erosionado los ríos a lo largo de la costa de Arequipa son de dimensiones muy limitadas en comparación con los valles de Ica y Nazca y los que se ubican más al norte, fueron importantes en la época colonial. Ya en los primeros decenios de la fundación de la ciudad de Arequipa, aquellos valles costeros estaban dedicados a la viticultura, entonces un ramo próspero de la industria de la región. Las chácaras en el mismo valle de Arequipa tenían que dedicarse al cultivo de maíz y trigo para el abasto de la población de la misma ciudad, y además los indígenas, tanto los caciques como los comunes, ocupaban con tanto empeño una proporción considerable de la superficie del valle, que los empresarios españoles no podían cultivar allí sus viñas ni construir sus bodegas. La despoblación rápida que sufrieron los calurosos valles costeros les ofreció una zona alternativa de explotación, sobre todo los valles más cercanos a la ciudad, Vítor y Majes. Los españoles les compraron a los caciques y a las comundades indígenas casi todas las tierras que encajan los precipicios de ambos lados de los valles, hasta los mismos bordos de los ríos, y allí fundaron sus empresas vitícolas. La mayor parte de los documentos que registraron los escribanos (notarios) en aquella época hacen referencia, tanto a las compraventas de los productos europeos importados y los esclavos negros, como a las compraventas de vino entre los terratenientes y los comerciantes locales, lo cual demuestra la importancia de dicha industria.

Aquí no nos dedicaremos a este ramo principal de la industria local, sino a las actividades económicas relativamente menudas, pero que nos parecen importantes para aclarar algo sobre la explotación de los recursos naturales en aquellos valles antes de la llegada de los españoles y introducción de la viticultura, es decir: la pesquería, ganadería estacional en las lomas, etc.

ALGUNAS ACLARACIONES SOBRE LOS TOPONIMOS

A causa de la despoblación, muchos pueblos fueron desapareciendo a lo largo del siglo XVI, lo que en gran medida dificulta la localización de los topónimos que salen en los documentos de aquella época, algunos de los cuales se desconoce aún su ubicación exacta. Algunas aclaraciones que se presentan aquí creo que pueden ser útiles para futuras investigaciones.

A. EL VALLE DEL RIO SIGUAS

La parte más septentrional de este valle se llamaba "valle de Pitay", y un pueblo con este nombre todavía existe hoy. Hacia más abajo tomaba el nombre de "valle de Lucana", nombre que hoy no figura en los mapas. El nombre de Siguas (Çiguas) se aplicaba sobre todo al tambo que estaba en aquella valle. El pueblo de Pampamico, hoy no existente, probablemente se ubicara en este valle.

Pitay, Lluclla y Pachaqui: En una carta de obligación, que figura en los protocolos del escribano Antonio de Herrera (10 de abril de 1577), se incluyen algunas informaciones. Pedro Sánchez de Alva, residente de Arequipa, se encargó de cobrar el diezmo de 200 pesos en "el valle de Vítor y Pitay",

que se entiende el valle de Vítor desde Mocoro hasta las chácaras

abajo junto a la de Francisco Vargas; y el valle de Pitay desde Llucu-
lla hasta las chácaras de Pachaqui . . .

La suma de 200 pesos arriba referida es la correspondiente a los años de 1576 y 1577 de los productos excepto el vino, esto es, trigo, maíz, ají, pollos, gallinas, algodón, etc. Lluclla sí existe hoy arriba de Pitay. Algunas referencias al "valle de Pachaqui" se encuentran en otros documentos, el del contrato de un mayordomo de viña (Diego Navarro, 15 de diciembre de 1580), y el de la compraventa de vino de la viña de Francisco Retamosso (Hernando Hortiz, 5 de julio de 1589). Hernando de la Torre, encomendero de Cavanaconde que había heredado de su padre Juan de la Torre, poseía una *heredad* de viña en Pitay. (Diego Navarro, 22 de enero de 1583, 28 de abril de 1584; Antonio de Herrera, 13 de agosto de 1587, 22 de enero de 1588, 27 de mayo de 1588, 17 de febrero de 1589, 3 de marzo de 1589, *et passim*)

Muy probablemente el valle de Pitay fue, de alguna manera, una parte integrante de la encomienda de Cavana del mismo Hernando de la Torre. En una carta de compañia se refirió a sus "estancias de Guacucharra, *término de Pitay y Cauana*": una expresión que sugiere que las dos zonas fueron partes integrantes de una unidad de carácter algo oficial. (Antonio de Herrera, 5 de noviembre de 1588) No era raro que los repartimientos de la sierra incluyeran algunos enclaves en los valles más meridionales. El ejemplo más notable es la colonia de los indios collaguas en el mismo valle de Arequipa (Tasa de Francisco de Toledo, pp. 218–224), pero éste no fue el único caso. El pueblo de Yura fue incluído en el repartimiento de la otra mitad de Cavana, encomienda de Diego Hernández de la Cuba; esto lo sabemos por una carta de servicio de una india que se identificó así, "Elena Cani, india natural del pueblo de Yura, de la encomienda de Diego Hernández de la Cuba." (Antonio de Herrera, 8 de agosto de 1587) Otro ejemplo: "don Cristóbal de Pocolco, cacique principal del pueblo de Chuquibamba de la encomienda de Luis de Luque", poseía una viña y heredad en el valle de Majes "que linda con tierras y heredad de . . . Francisco Zamorano y de Gonzalo de Luque." (Hernando Hortiz, 17 de noviembre de 1589)

Lucana: Una carta de poder y otra de censo ofrecen una evidencia de que "el valle de Lucana" formaba parte del valle de Siguas, situado más abajo y más cerca del valle del rió Quilca que del de Pitay.

En noviembre de 1587, Domingo Bosso, vecino de Arequipa, dio poderes al escribano Diego Navarro para que siguiese pleito sobre algunas tierras del valle de Lucana. Domingo Bosso estaba casado con Magdalena Gualmi, india natural del valle de Quilca, e hija de don Francisco Tumiri, cacique principal de este valle. Del matrimonio nació un hijo, Francisco Bosso. Las referidas tierras de Lucana habían pertenecido a don Francisco Tumiri como herencia de sus antepasados, y don Francisco las había cedido a su hija Magdalena, probablemente como dote. En esta época algunos españoles, Gonzalo Mexía, Juan de Montemayor y Juan de Quiros Veles habían invadido aquellas tierras y allí habían asentado sus *heredades*, razón por la cual Domingo Bosso quiso hacer pleito en nombre de su mujer y de su hijo. (Antonio de Herrera, 2 de noviembre de 1587) En julio de 1588, Juan de Montemayor vendió un censo de 700 pesos (que brindaría en adelante 50 pesos cada año) sobre una *heredad* que tenía "en el valle de Çiguas" y más específicamente "sobre la viña que tengo, bodega, vasija y los demás a ella perteneciente, tierras y otras cosas en el valle de Lucana, linde con tierras de Gonzalo Mexía y de Andrés Hernández". (Antonio de Herrera, 30 de julio de 1588) Estos datos aclaran algo sobre el valle de Lucana: que el valle de Lucana constituía una parte del de Siguas, y que estaba estrechamente vinculado con el cacicazgo de Quilca, lo cual que sugiere que se encontraba más abajo de la parte llamada valle de Pitay.

Pampamico: Es curioso que el valle de Siguas no figura en ningún lado en la tasa de la visita de Toledo. Aquí se presenta la hipótesis de que se ubicaba en aquel valle el pueblo desaparecido de Pampamico, el cual en la visita de Toledo fue encomendado a Antonio Gómez de Buitron junto con Camaná y Majes. Posiblemente se ubicara entre Pitay, para arriba, y Lucana, para abajo. Veamos algunas evidencias que hemos sacado principalmente de los protocolos notariales.

En 1589, Juan de Salazar, vecino de Arequipa y arriero que poseía una recua de llamas, fletó con Gregoero de Vargas cien botijas de vino, que por contrato se decidió a llevar "desde la heredad que don Juan Dávila tiene en el valle de Siguas que llaman Pampamico a la villa imperial de Potosí." (Hernando Hortiz, hoja suelta en el vol. 53)

En un testamento fechado en 1585 de un indio principal de Pampamico leemos: "don Francisco Pamohallo, principal hurinsaya de Pampamico, hijo de don Carlos Hallo y de Valmicha, su mujer, naturales del pueblo de Pampamico de la provincia de la ciudad de Arequipa". Su esposa fue "Ysabel Poco, yndia natural de Pitay, hija de don Diego Ycocha, cacique principal que era de Pitay, ya difunto . . . " Él era propietario de 2 solares, 2 viñas, otros 12 topos y medio de tierra, y una cantidad considerable de ganado. Una viña de las dos que dejó se llamaba "Taellasca, también más hacia el pueblo [de Pampamico], camino a Lucana, y tiene 2 topos de tierras, y están plantadas de viña que serán 2,000 cepas y parral." (Antonio de Herrera, 21 de abril de 1585) Tanto su casamiento con una hija del cacique de Pitay, como la ubicación de la viña en relación al asiento de Lucana, sugiere que el pueblo de Pampamico se ubicaba dentro del valle del río Siguas.

Además, don Francisco Pamohallo dejaba otro documento junto con el testamento: una aclaración para sus sucesores acerca de un conflicto sobre las tierras del pueblo con los invasores españoles. "Declaraba que la viña de don Juan de Ávila, vecino de Arequipa, y tierras que allí tiene, son tierras de los indios de Pampamico, y parte de ellas las tienen empadronadas y visitadas", y luego siguió aclarando como se había establecido hasta entonces un compormiso entre don Juan de Ávila y el pueblo. (Antonio de Herrera, la misma fecha) En cuanto a la ubicación de la viña de don Juan de Ávila, tenemos información en otro documento. Junto a esta "heredad de don Juan de Ávila cerca del pueblo de Pampamico", Hernando de la Torre poseía "las tierras llamadas Quirque, . . . que son desde la cabeza de la heredad y viña de don Juan de Ávila hasta al cabo de arriba que linda con unos parrales de Juan Hallo, indio, natural del dicho pueblo de Pampamico" y dió instrucción a su compañero en el negocio que cuidase que no "entren indios del pueblo de Pampamico a la labor de la dicha viña por causas que a ella les mueben." (Antonio de Herrera, 19 de agosto de 1587) Por estos documentos sabemos que no solo don Juan de Ávila sino también Hernando de la Torre tenían problemas sobre tierras con el pueblo de Pampamico. Teniendo en cuenta que el núcleo de la empresa vitícola de Hernando de la Torre estaba en el valle de Pitay, resulta muy probable que tanto la viña de Quirque como el pueblo de Pampamico a ella colindante se ubicara en el valle del río Siguas.

También el itinerario del escribano Antonio de Herrera en los meses de abril y mayo de 1585, a quien don Francisco Pamohallo dictó su testamento arriba referido en esta misma occación, aclara algo sobre la ubicación de Pampamico. Herrera estuvo por lo menos durante un mes en la zona de Pitay, probablemente para arreglar los pequeñas asuntos legales de los negocios de Hernando de la Torre que se habían acumulado por la ausencia del escribano real allí. El itinerario fue el siguiente:

Hasta el 18 de abril, en Arequipa		12 de mayo	Pampamico
21 de abril	Pampamico	14 de mayo	Pitay
22 de abril	Pampamico	16 de mayo	Pitay
25 de abril	Lluclla	16 de mayo	Lluclla
26 de abril	Lluclla	21 de mayo	Vítor
6 de mayo	Pitay	26 de mayo	Pitay

Esta serie de fechas y lugares sugiere que los tres lugares, Pampamico, Pitay y Lluclla estaban ubicados bastante cerca el uno del otro. (Antonio de Herrera, fechas indicadas, ff. 98v-111v del volúmen del año 1585)

Una carta de servicio y soldada ofrece más evidencia sobre la supuesta relación estrecha entre Pitay y Pampamico. Un indio, Francisco Hallo, entró en servicio con Bautista Álvarez y Diego Álvarez para trabajar "en su chacara que tiene en el valle de Pachaqui". Este indio se identificó en la carta que fue "natural del valle de Pampamico, de la encomienda de Fernando de la Torre." (Hernando Hortiz, 10 de julio de 1589) Si no fue un error, esto sugiere que algunos indios residentes en el valle de Pampamico no estaban encomendados a Gómez de Buitrón, sino a Hernando de la Torre: un hecho que prueba la relación estrecha que tenía el valle de Pampamico con la zona de Pitay-Cavana bajo el dominio del encomendero Hernando de la Torre.

En el valle de Siguas había un tambo del mismo nombre, del que se encargó en junio de 1586 un tal Francisco García. (Antonio de Herrera, 25 de junio de 1586).

B. EL REPARTIMEINTO DE ATEQUIPA (ATIQUIPA)

En la tasa de Toledo, este repartimiento de 203 tributarios estaba encomendado a Fernando de Castro Figueroa. (Tasa de Francisco de Toledo, p. 251) A su vez, alrededor del año 1629, Vázquez de Espinosa se refiere a dos repartimientos en esta zona, uno de Atequipa con 46 tributarios de Castro Figueroa y otro de Chaparra con 58 tributarios de la real corona (Vázquez de Espinosa, p. 463). Nuestros datos confirman la existencia del repartimiento de Chaparra ya en 1588: una carta de censo menciona a "don Juan Guamani, cacique principal del repartimiento de Chaparra de la Corona Real . . . " (Diego Navarro, 4 de enero de 1588). No existía ningún repartimiento con el nombre de Chala. El protocolo notarial de Diego Navarro, escribano itinerante que viajaba muchas veces por esta zona, aclara muchas cosas sobre la misma. (Fuentes Rueda, s.f. *passim*)

Chaparra es un topónimo que se aplicaba tanto al pueblo como al valle: "en el pueblo de Sant Florencio de Chaparra" (Diego Navarro, 8 de junio de 1588). Al contrario, aunque aparecen algunas referencias del "pueblo de Atequipa" (Diego Navarro, 31 de mayo de 1588), en la mayoría de los casos se refiere a este topónimo como "lomas de Atequipa": por ejemplo, "Cristobal Hernández, . . . residentes en las lomas de Atequipa" (Diego Navarro, 6 de mayo de 1583), "en las lomas de Atequipa, en la estancia de Alonso García", "pueblo de Chalaques en las lomas de Atequipa" (Diego Navarro, 4 de enero de 1588), "en las lomas de Atiquipa, en el asiento y estancia que llaman Chacacha" (Diego Navarro, 6 de junio de 1588). Tampoco los indios naturales de esta zona se llaman a sí mismos solo "naturales de Atequipa" y no mencionan al pueblo (Antonio de Herrera, 3 de junio de 1577 y 22 de enero de 1588), algo que denota la peculiaridad de esta zona costera. Según la descripción de Vázquez de Espinosa, "hay en estas lomas algunas *caserías y estancias*"

(Vázquez de Espinosa, p. 335). Estas dos últimas palabras son más correctas que "pueblo" para describir el padrón más disperso de población en aquel repartimiento. A pesar de esto, el indio Alonso Guarmillo se refirió a sí mismo como "alcalde de Atiquipa", lo que sugiere que una organización regular de una comunidad indígena se aplicaba también a este repartimiento (Diego Navarro, 4 de enero de 1588).

El valle de Chala se ubicaba "de estas lomas cerca de tres leguas el valle arriba" (Vázquez de Espinosa, p. 335), ubicación más o menos exacta del Chala Viejo de hoy. Probablemente el puerto que hoy día lleva este nombre no fuera el centro de esta zona en el siglo XVI. Hay una mención a "Martín Alonso, morador en el valle de Chala en las lomas de Atiquipa", por lo que se sugiere que el valle se consideraba parte de las lomas (Diego Navarro, 3 de enero de 1588). También hay una mención a "el puerto de Changalla" de aquella zona (*Ibid.*).

El repartimiento de Mollehuaca, encomendado a Fernando Álvarez de Carmona junto con el de Caravelí y Atico, el pueblo con este nombre ahora desaparecido, muy probablemente se ubicara en esta zona de Atiquipa-Chala. Francisco Xavier Echeverría y Morales menciona a este pueblo, no en la sección de la doctrina de Atico, sino en la de la doctrina de Chala en su "Memoria de la Santa Iglesia de Arequipa" (Barriga (1952), IV: 123): "El pueblo formal estuvo en Mollehuaca, y allí se hizo la cabeza y el templo dedicado a San Jacinto", implicando que el pueblo había desaparecido no mucho antes del año de 1804. No hemos encontrado ningún dato sobre este repartimiento.

Utilización de las lomas

Hasta ahora no hemos encontrado ninguna información detallada sobre la utilización de las lomas de Atequipa, "que son las mejores y mayores de todo el Reino" (Vázquez de Espinosa, p. 334). Aquí se presentan algunos datos sobre las empresas ganaderas de Hernando de la Torre y de Juan Martín en las zonas costeras cerca del valle del Río Tambo.

Hernando de la Torre, encomendero de Cavana, poseía una gran empresa ganadera aparte de la vitícola. En enero de 1587, contrató a

Blas González como mayoral para cuidar su ganado "en las *punas* de Guacuchara y Guanbo [Huambo de hoy] y distrito de Cavanaconde". Puesto que le ordenó que cuidara el ganado "dandoles pastores e indios necesarios para ellos, y hacerlos rodeos y hacerlos trasquilar", debió tratarse de una explotación considerablemente grande. (Antonio de Herrera, 12 de enero de 1587) En diciembre del mismo año contrató a otra persona, Pedro Benítez, mestizo, para que cuidara del ganado en las estancias de "Poroto y Guacucharra y demás estancias". Del contrato de enero se sabe que la estancia de Guacucharra estaba en las punas cerca de Cavanaconde. (*Vid.* Antonio de Herrera, 5 de noviembre de 1588) La estancia de Poroto todavía hoy se encuentra en la mapa, entre Pocosí y Puquina a lo largo de la carretera que va de Arequipa a Moquegua. La explotación consistía de ganado vacuno, ovejuno, caballar, cabras, burros, y "carneros de Castilla y de la tierra". La instrucción siguiente nos interesa: "... y dandoles pastores para todos los dichos ganados y hierros y tijeras, tendrá cuidados de mudarlos a los pastos necesarios de unos en otros y *de sierra a lomas*". (Antonio de Herrera, 9 de diciembre de 1587) El hecho de que aparezca en el texto de un contrato mudar el ganado estacionalmente de los pastos de la sierra [las punas] a las lomas de la costa, nos sugiere que se trataba ya de una costumbre bien establecida entre los españoles.

Hernando de la Torre compró la estancia de Poroto a Alonso Picado, encomendero de Laricollagua, que era la mitad de la estancia original de Picado, con bohíos, canchas, corrales, cabañas, chiqueros y abrebaderos y con "pastores, yanaconas y servicio". (Antonio de Herrera, 17 de diciembre de 1587) Los dos encomenderos intentaron manejar este negocio formando una compañía, pero un poco más de un mes después, Picado vendió su parte a Torre, cancelando la compañía. En esta escritura de venta sale entre otras cosas "la estancia de las lomas del puerto de Hilayaci". Estas lomas de Hilayaci deben haber sido las mismas lomas que se habían referido en la instrucción del año anterior. (Antonio de Herrera, 17 de enero de 1588, 12 de abril de 1588 [22 de febrero de 1588])

En julio de 1588, Hernando de la Torre hizo otra compañía con un Diego Martínez de la Ribera para explotar las lomas de Hilayaci (Según este documento se dice "la estancia de Hilay [después "Hilaya"] que es las lomas"). Diego Martínez se comprometió a "plantar olivos y arboleadas, frutales, todo aquello que se pudiere regar, y ansimismo hacer casa . . . , y procurar yanaconas que residen en la dicha estancias . . . " (Antonio de Herrera, 1 de julio de 1588) Estas instrucciones nos sugieren que Hernando de la Torre quiso intentar un modo de explotación ya desarrollado en las lomas de Atequipa, de las cuales Vázquez de Espinosa nos dejó la siguiente información: "hay en estas lomas algunas caserías y estancias, con huertas y arboledas de frutales de España y de la tierra, higuerales, olivares muy buenos; cógese en ellas mucho trigo, maíz y las demás semillas . . . " (Vázquez de Espinosa, p. 335) Generalmente, los españoles plantaron viñas en el valle superior, y olivares, higuerales y parrales para producir pasas cerca del mar. Las familias españoles tenían al mismo tiempo viñas en Caravelí y olivares en Atico, o viñas en Vítor y higueras, parrales e ingenios de azúcar en Camaná.

Otra zona de las lomas llamada Yñan todavía figura hoy día en los mapas cerca de la boca del Río Tambo. En mayo de 1587, un mercader arequipeño, Juan Martín, contrató a un tal Pedro de Lezcano por 6 años para que desarrollase una estancia suya "en la Yerba Buena que es en las lomas de la costa de Yñán, entre el puerto de Hilo y Chule, término de esta dicha ciudad [de Arequipa]". Las instrucciones fueron: "y tenga allí ganados, los que él tuviere; y en las tierras pertenecientes a la dicha estancia siembre, plante y cultive todo lo que él quisiere . . . " Se estipuló que entre ambos debían costear los gastos de la operación y de dividir los frutos en partes iguales y, después de 6 años, Pedro de Lezcano tendría la mitad de la estancia como suya propia. (Antonio de Herrera, 16 de mayo de 1587)

Por otro documento se sabe que habían dos personas que se llamaban Juan Martín: el viejo y el mozo. Pedro de Lezcano fue el marido de Inés Martín, hija de Juan Martín el viejo y hermana de el mozo. El Juan Martín del concierto de arriba parece que fue el mozo. Cuatro años después, tanto Juan Martín el mozo como su cuñado Pedro de Lezcano murieron e Inés Martín se casó por segunda vez con un tal Pedro de Villalobos. Cuando Inés Martín se casó con Pedro de Lezcano, Juan

Martín el viejo le dió en dote la mitad de la estancia. En marzo de 1591, Juan Martín el viejo e Inés Martín con poderes de Pedro de Villalobos vendieron la mitad superior de la estancia referida a un tal Pedro de Guevara por 550 pesos que se pagarían en el plazo de 6 meses. Esta mitad de la estancia fue descrito de esta manera: "unas tierras y estancia que tenemos en las lomas de Yñán, que se llama la Quebrada de Garcí Pérez, e por otro nombre Amoquinto, las cuales dichas tierras y estancia hubimos y compramos de Gaspar Hernández Marino, montañez, que lindan con estancia de Juan Martín el mozo difunto, y con estancia de Antonio de Mendoza y Francisco Madueño." En otro lugar leemos que "una estancia de ganados y tierras de pan sembrar que es en las lomas de la Yerba Buena, jurisdicción de esta ciudad que llaman la Quebrada de Amoquento y por otro nombre la Quebrada de Garcí Pérez." (García Muños, 2 y 5 de marzo de 1591) Los dos topónimos Yerba Buena y Amoquinto figuran en la Hoja 35-T [Clemesí, Depto. de Moquegua], Carta Nacional de escala 1:100,000 del Instituto Geográfico Militar, Perú. A Juan Martín el mozo se refiere otra vez en la discusión sobre la pesquería.

En la misma zona, en abril de 1589, don Luis de Peralta Cabeza de Vaca contrató a un tal Lorenzo Núñez para que tarabajase "en la estancia que tenéis en las lomas que llaman Yñan, y tener a mi cargo los ganados mayores y menores que en él tenéis". Un detalle nos interesa: "e de hordinario de cada 8 días haré rodeo de todo el dicho ganado . . . *excepto los rodeos no tengo de hacer en tiempo de nieblas.*" (Diego de Aguilar, 5 de abril de 1589)

Figuran referencias a las lomas que estaban ubicadas en otras zonas. Un Juan Velázquez el viejo tenía "en las lomas de Camaná cierto ganado cimarrón de yeguas y potros," y lo cedió a Antonio Gómez de Buitrón, encomendero de Camaná, por 175 pesos. (Antonio de Herrera, sin fecha, f. 90v del año 1577) En agosto de 1589, Juan de Quirós Bosmediano y don Álvaro de Bedoya y Mogrovejo hicieron compañía por un período de 12 años para plantar olivos en "una estancia que . . . Quirós tengo y poseo en las lomas de Chule, jurisdicción de esta ciudad, que se llama Challasca." El modo de explotación fue típico. En los primeros 4 años se había de plantar "hasta en cantidad de 4,000 olivos, 500 más o menos, y se había de hacer una huerta de camuezos, duraznos y otros árboles frutales." La estancia se valoró en 600 pesos, y para alcanzar la equivalencia de esta suma, se estableció que en los primeros años don Álvaro de Bedoya "ha de gastar así en indios, comida y sustento de ellos como en todo lo demás que conviniere." (Hernando Hortiz, 14 de agosto de 1589)

Se puede concluir que ya en los años 80 del siglo XVI la utilización de los pastos de las lomas costeras era una costumbre común y arraigada entre los dueños de estancias en la costa de Arequipa, y las empresas ganaderas fueron complementados por las plantaciones de olivares, higueras y otros árboles frutales.

Pesca de camarones en el río Majes

Se han conseguido algunos datos, aunque escasos, sobre la pesca de camarones en el río Majes durante la época colonial.

En la ciudad de Arequipa, el 22 de febrero de 1580, dos caciques de los Majes se comprometieron a entregar 51 cestos de camarones a Juan de Miño, a precio de un peso corriente por cesto. Los caciques se llamaban "don Pedro Llactamentay y don Francisco Ancasvilca, caciques de los Majes de la encomienda de Antonio Gómez de Buitron." Del comprador Juan de Miño sólo se sabe su nombre. La mercancía debía ser de "51 cestos de camarón secos, los 10 cestos de ellos asados, del tamaño y medida y peso que acostumbrados a dar y pagar a nuestro encomendero de tasa". Los caciques se comprometieron a entregarlos "en esta dicha ciudad [de Arequipa] a nuestra costa [el transporte], en todo el mes de julio primero venidero de este año en que estamos". (García Muños, 22 de febrero de 1580 [Esta información se la debemos a la cortesía del Sr. Lic. Helard Fuentes])

En la tasa de Francisco de Toledo [c. 1571] se especifica el tributo de los 139 tributarios de los Majes: 517 pesos y medio de plata ensayada y marcada [en efectivo], 50 cestos de ají a 6 tomines cada uno [37 ps. 4ts.], 50 cestos de coca a un peso cada cesto [50 ps.], 60 piezas de ropa de algodón de hombre y mujer por mitad, a 2 pesos cada pieza [120 ps.]. A pesar de que se menciona la tasa en camarones en el documento arriba referido, no hay ninguna referencia a los camarones, y tampoco en la tasa de la otra mitad de los Majes que pagaba su tributo al rey. (Tasa de Francisco de Toledo, p. 220, 249) La tasa debió modificarse entre los años 1571 y 1580.

El envío del camarón al mercado estaba bajo el control de los caciques. El cacique don Francisco Ancasvilca sale de nuevo en otro lugar. Un indio llamado Rodrigo Curo, natural de Yucay, provincia de Cuzco, firmó su testamento en Arequipa, en marzo de 1588. Sus padres Francisco y Madalena Tocto se mudaron a la ciudad de Arequipa y se establecieron en la "ranchería de San Francisco", donde murieron. Rodrigo se casó con María Pia, hija de Gonzalo Yuca y de Leonor Coca, los cuales le habían dado el solar donde vivía. Rodrigo dejó, además de las ropas y los utensilios de la casa, dos pedazos de tierras y "cinco caballos con sus aparejos de harria", por lo que podemos deducir que era arriero. Entre las deudas que le debían destaca una:

> Declaro que en los Majes me deban indios 40 pesos; y don Francisco Ancasvilca 30 pesos que el don Francisco dirá los indios que deben; los 40 pesos, que uno se llama Francisco Sulcaputo y debe un cesto de camarones, y el otro se llama Pedro Yache otro cesto de camarones, y otro Varcayllacta otro cesto, y Alonso Llacta otro cesto, don Francisco Concha Guamán otro cesto; y no fue plata sino estos cestos de camarones . . .

Se puede inferir que el arriero cuzqueño Rodrigo Curo había comprado camarones pagando de antemano a los pescadores del valle de Majes y que don Francisco Ancasvilca seguía organizando por lo menos una parte del envío al mercado. El precio se calcula en 8 pesos por cesto. (Antonio de Herrera, 21 de marzo de 1588)

Tenemos otra prueba del comercio de camarones. En marzo de 1588, el mercader Miguel de Armora se asoció con los mercaderes Martín de Ureta y Cristóbal de Cervera. Con la escritura está adjunta una memoria de los puestos de los tres. Los puestos de Armora incluían una deuda "de los 15 cestos de camarones fiados y 3 cestos de ají y 3 cestos de algodón, que son 78 pesos" (Antonio de Herrera, 29 de marzo de 1588).

Ají y algodón eran productos típicos de los indios de la costa, y probablemente Armora había recibido los tres productos de los indios del valle de Majes. Lo interesante es que el precio no pudo haber sido 8 pesos por cesto como en el caso de Rodrigo Curo. 15 cestos a 8 pesos por cesto resultan 120 pesos y rebasan el total de 78 pesos. Por otra parte, tampoco pudo haber sido a un peso por cesto como era en el caso de 1580. El precio de un cesto de aji era de 6 tomines en plata ensayada acorde con la tasa de Toledo y el de un cesto de algodón no debe haber sido mucho más, por lo que, en caso de que el camarón hubiera costado sólo un peso por cesto, la suma total no habría alcanzado 78 pesos. Probablemente el precio variase mucho, o estuviese subiendo, o tal vez sólo variase el tamaño del cesto.

Aunque hasta ahora estos son los únicos datos que tenemos sobre el comercio de camarones en el siglo XVI, éste era bastante activo en las postrimerías de la época colonial. En los documentos del ramo de alcabalas del Archivo General de la Nación, Perú, hay registradas muchas cargas de camarones que entraron en la ciudad de Arequipa. El precio oficial era de 2 pesos por arroba, y les cobraban una alcabala equivalente al 6 por ciento del precio. Un tal Alberto Castro partió del valle de Tambo llevando 5 arrobas de camarón y 7 arrobas de algodón y llegó a la ciudad de Arequipa por el camino de Characato el 5 de febrero de 1790. Antonio Hernani partió de la villa de Camaná el 8 de marzo llevando 2 cargas de camarón de 20 arrobas y llegó a Arequipa por el camino de Uchumayo el día 15 del mismo mes. Julián Retamoso también de Camaná, llevó 10 arrobas y llegó el día 15. Diego Pinto de Tambo, llevó 4 arrobas y llegó el 22 de marzo. Melchor Rivera de Tambo partió el 25 de marzo llevando 8 arrobas y llegó el día 30. Caytano Quicaño de Tambo partió el 27 de marzo llevando 3 arrobas de "chuychos" y 2 arrobas de camarón seco y llegó el día 31. (AGNP. C-16, Legajo 48, Cuaderno 235 y 236, No. 207, 317, 318, 354, 409, 414) Francisco Nabis partió del valle de Ocoña el 19 de octubre de 1790 llevando 9 cargas de camarones sumando un total de 65 arrobas y llegó a Arequipa el día 26 por el camino de Uchumayo. Pedro Nabis partió del mismo valle el 24 de noviembre del mismo año llevando 36 arrobas y llegó a Arequipa el

2 de diciembre. Pedro Adame partió de Ocoña el 25 de noviembre llevando 21 arrobas y llegó el 2 de diciembre. Grabiel Guamani partió de Ocoña el 15 de diciembre llevando 62 arrobas y llegó el día 22. Pablo Linares partió del valle de Tambo llevando 4 petaquillas de alfeñiques con 4 arrobas, una arroba de camarón y una carga de miel y llegó por el camino de Characato el 23 de diciembre, etc. (AGNP. C-16, Legajo 50, Cuaderno 243, 244 y 245, No. 244, 329, 310, 333, 540)

Como producto de la zona costera, quizá el camarón no fuera tan importante como el ají, algodón o coca, pero sí tenía cierta importancia como mercancía ya en el primer siglo de la época colonial, y figuraba como un ítem de los tributos. En el caso de los Majes, la pesca parece haber sido una actividad comunal de los indios bajo la dirección de los caciques.

Maderas en el valle de Majes

En el 7 de julio de 1586, el arriero español Juan de Santo Domingo otorgó su testamento. Nació en Segovia, y sus padres también fueron naturales de la misma ciudad. Se estableció en Arequipa, y vivió durante varios años con la india Isabel Pomacarua, de quien tuvo dos hijos, María y Juan. Luego Isabel se casó con el indio Bartolomé Cochecaranqui, encargado de la recua de Juan de Santo Domingo, que consistía en aquel momento de 18 mulas y machos. Siendo solterón como muchos otros empresarios españoles de la colonia, al matrimonio de Isabel y Bartolomé confió el cuidado de sus hijos después de su muerte, bajo el albaceazgo de un español. Una típica historia de familia en la Arequipa de aquella época.

Juzgando a la luz de los créditos y deudas que figuran en el testamento, su negocio concentrado en el valle de Majes era de vino y madera. Un tal Francisco de Carvajal le debía 20 botijas de vino que fueron producto de su heredad en los Majes. Debía al capitán Alarcón 80 pesos corrientes, porque "me dieron sus negros para traer madera". Mandó que su propia recua le llevase a este capitán lo que montaren de madera. También debía 40 pesos de madera al convento de San Agustín de la ciudad de Arequipa. Mandó que, cortada la madera en los Majes, se la trajese su recua. Otra deuda: debía a Pedro Gonzáles, boticario, 80 varas de "paxacobolo", a precio de medio peso cada vara, y tenía hecha cédula de ellas. Mandó que, cortada la madera en los Majes, se las llevase su recua.

Dada la condición climatológica del valle de Arequipa, es muy comprensible que hacía falta madera para la construcción de la ciudad de Arequipa. Aunque no sabemos mucho sobre la flora de los Andes antes de la introducción del eucalipto en el siglo XIX, estos datos sugieren que los valles ofrecía a la ciudad de Arequipa ciertos recursos forestales además del vino. Las recuas de los arrieros arequipeños trajeron las maderas junto con las botijas.

Pesquería en el mar

Aunque escasos comparado con, digamos, los datos sobre la viticultura, los protocolos notariales contienen algunos datos sobre la pesquería en el mar y las compraventas de la pesca.

A lo largo de la costa se dispersaban algunos pueblos de pescadores. En 1576, Leoner Méndez, viuda de Miguel Cornejo y madre de Luis Corenjo, encomendero de Quilca, Vitor, Socavaya, Porongoche y Quispillata, vendió una estancia a un tal Esteban Corrales por 50 pesos. La estancia se llamaba el Lucumo, y se ubicaba "en las lomas de Quilca . . . que tiene por linderos un pueblo que se dice Sanga que es de pescadores del dicho Luis Cornejo." (Antonio de Herrera, 27 de junio de 1576)

Come se ve en la tasa de Toledo, en algunos repartimientos de la costa de Arequipa fueron tasados una parte del tributo en pescado seco y/o salado. Por ejemplo, los 25 indios tributarios encomendados a Hernando de la Torre como sujetos al repartimiento de Cavanaconde, pero que vivían en el valle de Camaná, pagaban cada año "12 pesos [de plata ensayada y marcada] en 16 arrobas de pescado seco de la mar". (Es decir, el pescado seco tenía un precio oficial, de cada arroba 6 tomines de plata ensayada.) El repartimiento con 35 tributarios de Pampamico y Majes, encomendado como se ha visto a Gómez de Buitrón, pagaba "9 arrobas de pescado seco y salado que montan 7 pesos [*sic*]." Tarapaca, con 761 tributarios, "278 arrobas de pescado seco de la mar, 4 tomines . . . cada fanega [*sic*].'' Pica y Loa con 160 tributarios, 40 arrobas de pescado salado y seco 4 a tomines arroba. Lluta y Arica con 186 tributarios, 80 arrobas de pescado seco al mismo precio. Ylo y Yte con 50 tributarios, 70 arrobas. Tacna con 660 tributarios, 80 arrobas. Chule y Tambo con 25 tributarios, 24 arrobas. (Tasa de Francisco de Toledo, *passim.*) La tasa correspondiente a los indios de Quilca no fue en pescado. Quizá los pescadores del pueblo de Sanga vendían su pesca y pagaban el tributo en dinero.

El pueblo de Pescadores que hoy existe en la costa al oeste de Ocoña ya se menciona en un documento del 1588. En julio de 1586, Juan Sánchez Villarejo, hijo de Martín Alonso, vecino y residente en el valle de Atequipa, mató a Pedro Díaz Coronado, hijo de Constanza Rodríguez Maza, vecina de la ciudad de Arequipa. La causa de este homicidio fue, según Constanza Rodríguez, ''las palabras y cuestión que [Pedro Díaz Coronado] tuvo en el dicho valle de Ocoña la noche antes con el dicho Juan Sánchez Villarejo''. Díaz Coronado murió ''de una herida que le dió a la pasada del camino que va del valle de Ocoña a los Pescadores''. (Diego Navarro, 21 de mayo de 1588; Antonio de Herrera, 1 de diciembre de 1588)

Las compañías se organizaban para pescar en el mar. En junio de 1589, Juan Martín el mozo y Luis de Cantalapiedra, analfabeto, hicieron ''compañía y hermandad'' durante 6 meses para pescar en el asiento de Tingo y costa de Chule. Juan Martín puso de su parte en la compañía:

> 50 libras de hilo y 2 saulas [''sagulas'' en otro documento] y 2 arrobas de plomo, con lo cual se ha de hacer una red con que se ha de pescar . . .

mientras que Luis de Cantalapiedra pone ''su persona, industria y trabajo, la cual ha de ocupar personalmente en pescar pescados''. Todo el pescado que se pescare se había de partir ''igual y hermanablemente'' entre los dos. ''Si . . . Cantalapiedra quisiere la dicha red para sí, acabada esta compañía, vendiéndola el dicho Juan Martín, sea preferido en ella el dicho Cantalapiedra por lo que otro diere por ella.'' (Hernando Hortiz, 26 de junio de 1589) Juan Martín hizo una compañía de casi idénticas condiciones con otra persona "Juan Trujillano, indio ladino," con la única diferencia de que en este caso la compañía duraría dos años. (Hernando Hortiz, 27 de julio de 1589)

Juan Martín conseguía el pescado no sólo de la compañía sino también comrándolo a los pescadores independientes. En julio de 1588 compró a "Antonio Ortiz, tratante, residente en el puerto de Tingo . . . 50 arrobas de pescado, corvina y liza por mitad, salado con sal blanca y bien acondicionado de dar y recibir, por todo el mes de septiembre deste presente año, en su poder en el dicho puerto de Tingo, y si antes se pescare y hubiere matanza de pesquería, antes." El precio fue de 8 reales por cada arroba. (Antonio de Herrera, 4 de julio de 1588)

Como hemos visto antes Juan Martín fue la persona que quiso desarrollar las lomas de Yñán. Era un mercader de modestos recursos: desde 1586 hasta el año siguiente formaba con Miguel de Armora y otro mercader una compañía, siendo la participación de Armora, cajero de la compañía, de 18,500 pesos mientras que la de Juan Martín fue 1,500 pesos. Armora se encargaba de la tienda de la compañía en la ciudad de Arequipa, empleando a un criado a un sueldo anual de 200 pesos, mientras que Juan Martín "han de tener dos caballos y un yanacona", y viajar llevando mercaderías, y "han de dar cuenta por menudo de lo que gastaren". (Antonio de Herrera, 19 de mayo de 1587, 27 de julio de 1587) Probablemente la compraventa de pescado era una actividad comercial para los mercaderes de modestos recursos como Juan Martín.

Otra compañía para pescar se firmó en el 20 de julio de 1588 en la villa de Ribera [Camaná] entre Bernabé de Vega, morador en la misma villa, y Cristóbal Rangel. Vega poseía "un barco de pescar en la caleta de Ocoña [en otra parte del mismo documento, "en la caleta de Quilca"] con sus velas, remos y timón, y asimismo . . . 9 redes: las 8 de hilo de Castilla [esto es, de lino] y la una de algodón que es ya vieja", con "las herramientas y pertrechos del dicho barco". La mitad del barco, redes y herramientos se lo vendió a Rangel por 300 pesos, cantidad que había de pagar hasta la navidad del mismo año. Luego ambas partes formaron la compañía, cada uno contribuyendo su parte del barco, redes y herramientos, "en trato de pesquería en la costa de Ocoña, Camaná y Quilca,'' la compañía que duraría hasta el fin de enero de 1589. Vega había de pescar "poniendo la industria y trabajo de mi persona", mientras que Rangel había de "poner un hombre español a vuestra costa que me ayude en la dicha pesquería". Tanto los gastos de la compañía (la paga de los indios etc.) como la pesca debían dividirse en partes iguales entre ambos. (Diego Navarro, 20 de julio de 1588) La suma total de los equipos de pesquería con un barco de 600 pesos da una idea general del capital necesario mínimo para esta clase de negocio.

En una compraventa de una estancia costeña figuran barco y redes de pescar como bienes de la estancia. Pedro Pastor fue un mercader arequipeño que con sus recuas de mulas y llamas hacía un negocio bastante grande tanto en la costa como en la sierra. El 23 de abril de 1587, Pedro Pastor y Ana de Esquibel, su mujer, vendieron una estancia en el valle de Ilo por 6,000 pesos de plata ensayada. La estancia tenía muchos bienes adjuntos: una estancia "con sus casas y corrales y ejidos, servicios y pertenencias", 80 yeguas de vientre y muchas otras cabezas de ganado, una viña junto a la estancia, 4 negros, otra viña de 6,000 cepas, una huerta, un pedazo de alfalfa, otra viña de 2,000 cepas, una "loma quemada", un molino de pan moler, unas tierras de pan llevar de 20 fanegas de sembradura, casas de morada del mismo Pedro Pastor con una bodega, y entre muchas cosas menudas "un barco de pescar y 9 redes". (Antonio de Herrera, 28 de abril de 1588)

El mercado del pescado no se limitó en la ciudad de Arequipa sino que se extendió por la zona del Cuzco. En 1586, un tal Marco Antonio Genovés compró sardina salada a un tal García de Paredes, mercader, en Arequipa. Paredes recibió 156 pesos y 6 reales y se comprometió a llevarle a la ciudad del Cuzco "14 caballos que lleven la cuantía [de sardina] que montaren los dichos pesos, a 5 pesos cada millar, buena de dar y recibir, y salada con sal blanca, que no sean quebradas, ranciosas, ni podridas, lo cual le pondré por todo el mes de agosto y septiembre". (Antonio de Herrera, 17 de junio de 1586) Resulta que se requería un caballo de carga para llevar 2,240 sardinas con sal y demás.

Perspectivas

Ganadería en las lomas, pesca de camarón en el río Majes, trajín de madera del mismo valle y pesquería en el mar, todas estas actividades económicas en la costa de Arequipa son marginales a la economía mercantil de los vecinos españoles de Arequipa. Estos se concentraban en el tráfico de las "ropas", esclavos negros y otras mercancías traídas del otro lado del Atlántico, y vitivinicultura, la industria local principal. Sin embargo, aunque se les asignaban posiciones marginales, estas actividades sí atraía la atención de muchos españoles como a los que nos hemos referido antes. En algunas de ellas participaban activamente los indios sobrevivientes de la despoblación rápida de los valles costeros: pesca de camarón y pesquería en el mar, por ejemplo.

Estudiar aquellas actividades en los protocolos notariales no es fácil. En primer lugar, las informaciones son fragmentarias como se habrá podido notar. Los datos que están dispersados en los registros del fondo documental deben ser excavados pedazo por pedazo. En segundo lugar, la despoblación de los valles costeros oscreció bastante los hechos elementales, razón por la que tuvimos que empezar a aclarar los topónimos hoy olvidados de los pueblos que desaparecieron y de los valles que se despoblaron hace muchos siglos. Para superar estas dificultades parece mejor estudiar esta época en todas sus variantes, tanto la española como la indígena, tanto la sierra como la costa, que centrarse en un tema determinado en el curso del tiempo. Esperar hasta que se acumulen los suficientes datos es la única manera para comprender el sentido de los datos fragmentarios sobre aquellas actividades. Los protocolos notariales parecen ofrecer solamente información sobre el mundo urbano y español, pero si uno busca con paciencia, sí brindan también algo sobre el substrato andino.

BIBLIOGRAFIA

AGNP.

Archivo General de la Nación, Perú.

Antonio de Herrera

Archivo Departamental de Arequipa, Sección Notarial, Vol. 48 y 49,

1575–1578, 1585–1589.

Barriga, Víctor M.

1952 *Memorias para la Historia de Arequipa.* Arequipa: Imprenta Portugal.

Diego de Aguilar

Archivo Departamental de Arequipa, Sección Notarial, Vol. 19, 1589.

Diego Navarro

Archivo Departamental de Arequipa, Sección Notarial, Vol. 81, 1578–1588.

Fuentes Rueda, Helard Lutgardo

s. f. *Diego Navarro, escribano real en Arequipa, Ica, Lima, Cusco y Puno. Catálogo de Escrituras Notariales* (1578–1588). Tesis de bachillerato, Universidad Nacional de San Agustín de Arequipa, Programa Académico de Historia y Ciencias Sociales.

Garcia Muñoz

Archivo Departamental de Arequipa, Sección Notarial, Vol. 73, 1590–1591.

Hernando Hortiz

Archivo Departamental de Arequipa, Sección Notarial, Vol. 53, 1589.

Tasa de Francisco de Toledo

1975 *Tasa de la Visita General de Francisco de Toledo*, versión paleográfica de Noble David Cook. Lima: Universidad Nacional Mayor de San Marcos.

Vazquez de Espinosa, Antonio

[1629] 1969 *Compendio y descripción de las Indias Occidentales.* Madrid: Editorial Atlas.

Ají: Recurso e intercambio en el Sur Peruano

Franklin Pease G.Y.
Pontificia Universidad Católica del Perú

La búsqueda del Nuevo Mundo estuvo matizada por la ruta de las especias. Por ello la canela inspiró una mitología paralela a El Dorado y Gonzalo Pizarro salió del Cuzco en su búsqueda. Orellana llegaría al Amazonas, bautizando el río con otro tópico de la mitología europea de sus tiempos. Mientras ello ocurría, los españoles tomaban conocimiento de la pimienta andina, como también llamaron al *uchu*, ají, término éste más difundido. Botánicamente ingresa en el género *Capsicum*. En los primeros tiempos debieron comerlo (los españoles) aunque los cronistas iniciales lo mencionan poco o nada. No es extraño, Mena o Jerez (ambos cronistas publicaron en 1534) estaban más impresionados por el oro y la plata que los conquistadores hallaban o saqueaban que por las plantas que encontraban a su paso. Sin embargo, las últimas ingresaron al léxico de los cronistas iniciales, y se registraron las más importantes plantas de la dieta andina, entre ellas el maíz, aunque en su caso se generalizó rápidamente el nombre norteño que venía caminando con los Españoles desde México y la Améerica Central. Igual cosa ocurrió con el ají, término de probable origen Arawak, que reemplazó rápidamente a otros términos andinos; provenía del Caribe sudamericano y en el sur tuvo mayor éxito que el *chile* empleado en Mesoamérica (Cf. Sauer 1950: 521)[1].

En los orígenes relatados por los mitos andinos se encuentra cotidianamente al ají. Planta americana, el gran sazonador del continente, se estudió más para los ámbitos mesoamericanos o andinos, no siéndolo en otras regiones como el Brasil o el ambiente presuntamente originario de su nombre: el propio Caribe sudamericano (la Guayana). Su presencia mítica en los Andes es clara en los mitos cuzqueños, donde *Uchu* es uno de los "hermanos" del ciclo de los Ayar. Ayar Uchu es allí un personaje importante, uno de los dos "hermanos" que nunca llegaron al Cuzco (¿les asigna ello una condición ecológica diferenciada?), y a los cuales todas las versiones conocidas nombran *antes* que a los dos restantes que sí llegaron al Cuzco y lo fundaron: Ayar Auca y Auar Manco. Ello fue precisado años atrás por María Rostworowski (1972: 62). Como en otros contextos, *Uchu* está asociado en el mito de los Ayar con *Cachi* (sal). Más adelante se verá que ambos elementos figuran juntos en múltiples rituales andinos. En la versión de los cronistas cuzqueños, Ayar Cachi es quien retornó a la cueva de Pacari Tampu (regresó a la tierra), mientras que Ayar Uchu quedó en Guanacaure, convertido en piedra después de haber volado al cielo para hablar con el sol; de esta manera, Ayar Uchu quedó asocíado a la vez con el rito iniciático del *huarachicu* cuzqueño (Cf., por ejemplo, Betanzos [1551] 1987: 18–19; Ramírez 1971)[2].

Pronto los cronistas y redactores de informes españoles comenzaron a dar majores nociones de las plantas, aunque pasaría mucho tiempo antes que un curioso naturalista, como el jesuita Bernabé Cobo, las describiera cuidadosamente. Hace años, John V. Murra llamó la atención acerca de aquellos productos andinos que alcanzaron más rápidamente la condición de "convertibles" a las categorías monetarias europeas; los más importantes fueron sin duda el tejido, el maíz y la coca; y así ingresaron velozmente a la condición de "categorías tributarias". Muy posiblemente estuvo dentro de las anteriores el *mullu* (*Spondylus*), que se obtiene en las aguas calientes de la península de Santa Elena, en el Ecuador; no más al Sur. Pero aparentemente la "convertibilidad" del *mullu* duró muy poco tiempo, habiéndose argumentado la posibilidad de que ello se debiera a su valor unicamente ritual. A inicios del siglo XVII, Francisco de Avila registraba que cuando los dioses andinos se reunían, oíase "cap cap" cuando mascaban el mullu que les era entregado genéricamente como ofrenda (Avila [¿1608?] 1987: 346–347, No 38). Pero ello no lo explica todo, pues la coca era igualmente un codiciado objeto ritual, como es sabido. Podría argumentarse, en cambio, que los españoles no hicieron ingresar al mullu al comercio por ellos inaugurado, a la par que la gente andina no podía continuar o restablecer el sistema redistributivo que había permitido buena parte de su uso en tiempos del *Inka.* A fin de cuentas, el mullu no tuvo nunca la vigencia de la coca durante la colonia.

El ají, en cambio, apareció relacionado con contextos rituales coloniales, siempre referidos al tiempo anterior; pues son muchos los textos que mencionan que durante los ayunos (generalmente durante rituales de purificación, que los españoles calificaron siempre como tales ayunos) los hombres y mujeres participantes se abstenían del consumo del ají, así como del de la sal o del comercio carnal. No fue determinante el ají en ningún ritual conocido (ni siquiera en el *huarachicu* cuzqueño, donde Ayar Uchu era personaje principal), y más bien podría verse que ingresó marginalmente entre los bienes "convertibles", pues se registró al menos en forma secundaria entre los bienes entregados como tributo antes del afinazamiento del régimen monetario.

Larga es la historia del ají. En esta oportunidad debe recordarse la multiplicidad de sus asociaciones y representaciones arqueológicas, algunas de las cuales han sido documentadas (por ejemplo Yacovleff y Herrera 1934–35); no me ocuparé de sus múltiples asociaciones arqueológicas, que permitirían una aproximación asociativa a los tiempos más antiguos de su cultivo. Me interesa, antes bien, la forma como fue asimilado al uso incaico, registrado documentalmenmte en los tiempos españoles, así como mencionas la continuidad de su empleo.

A nadie sorprenderá un dato, casi un hecho obvio: en la primera época del siglo XX el ají era empleado para dar vuelto menudo en lugar de usar moneda de poco valor; ello ha colaborado a una discutible imagen del ají como una "moneda" andina. Su uso moderno en los mercados urbanos no la justifica. La evidencia más cercana al uso del ají como moneda fraccionaria se halla en el siguiente pasaje de las *Memorias* de Luis E. Valcárcel:

> "En el mercado [del Cuzco] era corriente el uso del ají como moneda o 'ranti', que quiere decir cambiar o contar. Con cinco centavos podían comparrse seis ajíes con los que, a su vez, podían adquirirse cosas distintas de poco valor. El ají hacía las veces de moneda fraccionaria, la gente humilde lo utilizaba mucho porque sus ingresos

eran ínfimos y manejaban en consecuencia muy poco dinero que, generalmente, traducían al 'ranti'. Para ellos el comercio se efectuaba con objetos de poca monta, a los personajes de la sociedad cuzqueña les correspondía el gran comercio y la compra de objetos de mayor valor. Eran quienes usaban la moneda, el metálico, como se le llamaba entonces. Antes que moneda, los indígenas preferían utilizar el 'ranti', ya que podían obtener un valor excedente, con seis ajíes podían adquirirse seis cosas de seis centavos y seis ajíes costaban cuatro centavos . . . " (Valcárcel 1981: 53).

La versión interesa, no solo porque documenta un uso urbano, no privativo del Cuzco por cierto, sino porque hace referencia a un "trueque", forma moderna de viejas relaciones recíprocas. Informaciones más modernas hacen llegar hasta la década de 1940, en Lima el uso del ají como "yapa" (regalo adicionado a la compra) en el mercado urbano. Ciertamente, puede hablarse de similar cosa en cualquier ciudad de la región andina. En un reciente estudio, T. Platt menciona un interesante ejemplo boliviano del siglo pasado (1862), donde el ají no es el único bien que sirve como "moneda":

> "Se ha imaginado una subdivisión del medio [real] en 24 fracciones llamadas *chalas*, que equivalen a medio centavo de peso. Mas como al mismo tiempo era preciso que estas fracciones fuesen representadas por un objeto que tuviese valor, i que en alguna manera reuniese las condiciones de la moneda, se ha recurrido al pan, la sal, el ají seco, que siendo artículos, i pudiendo conservarse por más o menos tiempo, llenan los oficios de moneda. Un pan se reputa en 4 *chalas*, una cierta cantidad de sal, cierto número de bainas de ají, equivalen a un cierto número de *chalas*. El pobre que necesita una pequeña cantidad de ciertas especies, como legumbres, carne, papas, leña etc., principia por comprar pan o cualesquiera de las otras especies monetarias" (Santibáñez 1862, citado en Platt 1986: 38–39).

Las crónicas del siglo XVI documentaron su empleo; también lo hicieron los documentos diversos, de allí adelante, dando fe de la vastedad de su consumo. El ají aparece en las crónicas y en los documentos coloniales que se refieren al Tawantinsuyu en diferentes formas; su empleo se relaciona con la alimentación, por cierto, con los rituales de purificación, anotados tanto por los cronistas que específicamente se dedicaron a hablar de los incas, como también por otros autores que escribieron sobre las "idolatrías"; se registró así el ají en los testimonios de la extirpación de las mismas. De estos últimos provienen, asimismo, interesantes referencias al ají como elemento para curaciones o ingrediente de pócimas diversas.

El ají crece prioritariamente en tierras hajas y cálidas—chaupi yunga —, tanto costeras como en las ubicadas en las vertientes orientales de los Andes. Lo hallamos también en los valles interandinos, distribuido en una amplia zona que se extiende desde las regiones ecuatoriales hasta el Chile central. Ciertamente, esta difusión se refiere en forma genérica a las variedades del ají conocidas en los Andes (Cf. Apéndice). Los documentos reunidos por Marcos Jiménez de la Espada en sus *Relaciones geográficas de Indias*, nos informaron de la abundancia del ají en la región de Cuenca (la antigua Tumipampa de los incas, zona del Cañar), donde "Dase mucho maíz y frisoles y papas y muchas verduras de la tierra, y mucho agí, ques pimienta desta tierra" (Relación del pueblo de San Francisco Pueleusi del Azogue [1582], en Jiménez de la Espada 1965, II: 277). Datos similares fueron registrados para las cercanías de Quito: " . . . y tienen por buena especia, de que se aprovechan en sus guisados, el ají. *Todas estas cosas las cojen al rededor de sus casas* . . . " (Jiménez de la Espada 1965, II: 226; también 263, 272). La anotación referente a que se coge en las vecindades de los hogares da idea del clima templado, seco y bajo donde se produce el ají. Informaciones similares dan fe de la difusión en la región de Esmeraldas (Jiménez de la Espada 1965, III: 88), y datos posteriores lo confirman. Hacia el sur de los Andes, se afirma en documentos coloniales que se cultivaba en zonas vecinas a la ciudad de Santiago de Chile—quizás su límite meridional—donde sus sembríos eran objeto de pleitos entre los curacas de Lampa y Colina (Oswaldo Silva, comunicación personal). Su distribución en ambas vertientes andinas es suficientemente amplia y conocida como para requerir de registros específicos que la ejemplifiquen.

Fácilmente se encuentra un estereotipo tributario vinculado al ají durante el Tawantinsuyu. Dentro de la actual discusión acerca de la existencia y condiciones del tributo incaico, debe recordarse que las informaciones iniciales de los cronistas incidían en que el tributo consistía en la engrega de especies. Observadores perspicaces señalaron desde el propio siglo XVI las pautas de la reciprocidad y de la redistribución que obviaban el tributo —lo sustituían. Modernamente, Murra centró el debate sobre el tema (1972, 1975, 1983a). Ya no se discute la validez de los criterios redistributivos, ni la calidad de las prestaciones a ellos vinculadas, si bien el léxico de los investigadores sigue empleando muchas veces el término "tributo", olvidando que la redistribución suponía la entrega no de una parte de la renta sino la prestación de parte de la mano de obra disponible.

Dos textos de Damián de la Bandera dan una buena explicación:

> "El tributo que daban al Inga en todo el reino [era que] en todos los pueblos le hacían chácaras conforme a la calidad del pueblo y cantidad de indios, y de lo que dellas cogían lo encerraban en sus depósitos [del *Inka*] y a su tiempo lo llevaban a poner en los tambos de los caminos reales, para cuando pasaba la gente de guerra".

Más adelante, especificaba:

> "Todas las chácaras de coca de todo el reino eran suyas [del *Inka*], y en ellas tenían puestas de su mano indios que la beneficiaban como cosa muy preciada: y en los mismos valles [de los Antis] tenían chácaras de ají e de algodón, las cuales beneficiaban los indios de la tal provincia, y lo que cogían ponían en depósito en las partes donde les era mandado . . . " (Bandera [1557] 1965: 179).

La imagen que el último texto registra es clara con relación a la coca; no lo es con respecto al ají. Bandera afirma que *todas* las chacras de coca eran del *Inka*, cuestión que no voy a discutir aquí en detalle; sólo recordaré el constante interés de la administración española inicial de señalar como "del *Inka*" determinados bienes considerados fuente de riqueza. Lo que interesa es que las tierras productoras de ají parecieran caer dentro de la misma denominación, y ser "del *Inka*". El propio Bandera se ocupó de relativizar, sin embargo, su afirmación inicial: "Estas chácaras en que sembraban *para el Inga*—escribió—son las que agora los indios y los españoles llaman del Inga; pero en realidad de verdad, no lo eran, sino de los mismos pueblos, las cuales tenían y tienen como propias de tal pueblo desde su fundación, para aquel mismo efecto de sembrar en ellas para el tributo y así lo hacen agora . . . " (*Ibidem*: 179). Es posible, entonces, que determinadas tierras productoras de ají fueran señaladas como "del Inga", aunque las mismas sirvieran en realidad para el cumplimiento de una *mitta* destinada a llenar los depósitos del Cuzco, empleados en la redistribución.

De particular interés resulta aquí la temprana aseveración de los curacas de Guánuco, quienes informaron en 1549 a Juan de Mori y Hernando Alonso Malpartida (visitadores del tiempo del Presidente Gasca), que los Chupaychu daban " . . . cuarenta indios para sembrar ají al (*sic* por el) cual llevaban al Cuzco" (Mori y Malpartida [1549] 1967: 307). Se estaba indicando claramente lo que ocurría durante el Tawantinsuyu: los pobladores entregaban al poder unicamente mano de obra, jamás productos manufacturados. La mano de obra así empeñada constituía la prestación única al poder. De allí la importancia del registro del ají entre aquellos bienes que el Cuzco producía con la mano de obra así entregada. Años después, cuando Iñigo Ortiz de Zúñiga visitaba la misma región, hacía notar la permanencia de los criterios anotados en 1549.

De un lado, don Martín Carcay, principal de Uchec, "Dijo que en tiempo del ynga tributaban en muchas cosas que eran en hacer ropa de cumbi de la que llevaba el Ynga y en coca y en plumas y oxotas y maíz y ají . . . y ponían la coca y el maíz y el ají en un asiento que se llamaba Unamaray donde hacían depósitos dello como mandaba el Ynga . . . " (Ortiz de Zúñiga [1562] 1967: 237). El ají ingresaba así a los depósitos del *Inka*, es decir a la redistribución, como los demás bienes "tributados"; eso indica que era producidos—incluso el ají—por medio de una *mitta*. Murra destacó que en uno de los pueblos visitados por Ortiz de Zúñiga, la mitad de los cien varones adultos de una pachaca trabajaban en las mitas "para todos los oficios . . . en hacer ropa de cumbi . . . y en coca y plumas y maíz y ají . . . " (Murra 1967: 405; citando a Ortiz de Zúñiga [1562] 1967: 239–40).

De otro lado, la declaración de Juan Chuchuyauri, principal de los Yachas, volvía a precisar la vecindad entre la coca y el ají:

> "... dijo que daban al ynga de tributo ropa de cumbi y les daba el dicho ynga [lana] para hacer / [la] y lo mismo les daba [lana] para la abasca y le daban guardas para el ganado porque todo era suyo sino (*sic*: si no) eran los caciques que tenían alguno y les daban indios para sacar oro y plata y en el Cuzco tenían puestos para el servicio del ynga mucho[s] indios que sacaban para este de los pueblos de cada cien indios tres y les daban indios plumeros y que hacían oxotas y olleros y tintoreros que hacían bixa y otros que hacían lazos y chichicamayos del pescado seco y carpinteros y otros que hacían el betún para comer coca que se llaman llipticamayos e indios para la coca e indios para el beneficio del ají..." (Ortiz de Zúñiga [1562] 1972: 55).

allí se acercan dos cosas, primeramente, la vecindad entre la coca y el ají hace pensar en dos cuerdas continuas de un quipu (Murra 1983); en segundo orden es clara en el texto anterior la presencia de los *mittani* del *Inka*, destinados al beneficio del ají en las tierras calientes de la ceja de selva huanuqueña. Allí iban no solamente los habitantes de la región de Guánuco afectados a la *mitta* del *Inka*, sino también otros *mittani* pertenecientes a diversos grupos étnicos. En 1582, por ejemplo, Francisco Guacra Páucar y Carlos Lima Illa, curacas del valle de Jauja[3)], afirmaron que obtenían el ají en un ámbito fácilmente relacionable con el anteriormente mencionado para los Chupaychu:

> "... a los treinta capítulos dicen que se proveen de sal por rescate de maíz que le rescatan de los indios de *Tarma* y *Chinchaycocha*, questán hacia Guánuco, diez y seis leguas deste valle [de Jauja]; y que se proveen de ají de los pueblos questá dicho de los *Andes*, sujetos a este valle, donde se dan plátanos, naranjas, limas, piñas, *guayabas*, higos, uvas... y allí se da la coca..." (Jiménez de la Espada 1965, I: 171).

Ciertamente, el alto ámbito de Chinchaycocha (cerca de la actual frontera entre los departamentos de Junín y Pasco), siendo zona de *puna*, no era apropiado para la siembra del ají, y la visita realizada en 1549 a esta zona no lo menciona, registrándose en cambio la presencia de las actividades relacionades con la extracción de la sal (Rostworowski 1975). Los documentos publicados sobre esta región no son muy ricos en su información sobre recursos naturales (Cf., por ejemplo, Espinoza 1975)[4]

De otro lado, el ají ingresaba en las relaciones de reciprocidad; don Francisco Nina Páucar, principal de Auquimarca, informaba al visitador Iñigo Ortiz de Zúñiga en 1562 que "sus sujetos" habían construido las casas en las cuales vivía, y le hacían sus chacras y sementeras, " . . . y que por ello no les da otra cosa sino comida de (?) coca y ají y alguna carne en el tiempo que en ello trabajan . . . " (Ortiz de Zúñiga [1562] 1967: 75). Esta figura es claramente correspondiente a la obligación del señor étnico de alimentar a quienes colaboraban en una *mitta*, destinada a cubrir las obligaciones de la reciprocidad y la redistribución.

La imagen del ají obtenido por la vía de la *mitta* por los grupos étnicos, aun en los tiempos de los incas, es validada en numerosos casos. Las *Ralaciones geográficas de Indias* proporcionan abundante información que sirve de ejemplo. Poblaciones ubicadas en el área de Guamanga se aprovisionaban de ají " . . . género de especia, de los Yungas, ques tierra caliente, de los más cercanos, que será a veinte y cinco leguas desta provincia . . . " (Atunsoras; Jiménez de la Espada 1965, I: 224; Cf. también Stern 1986: 26n). El control ecológico aparece aquí tambien, aunque es visible que testimonios similares, aun de regiones vecinas, dan fe de que las distancias variaban. Del vecino repartimiento colonial de Atunrucanas iban a buscar el ají a " . . . tierra caliente que se dicen Llanos y los indios llaman Yungas, que están a quince y a siete leguas de este repartimiento . . . " (*Ibidem*: 234); los Rucanas Antamarcas lo tenían a 25 leguas (*Ibidem*: 247). Las distancias eran variables, claro está, y si se desea disponer de ejemplos más extremos, se hallarán en el altiplano del lago Titicaca. Los Lupaqa disponían de ají en los valles cálidos de la costa, Sama y Moquegua por ejemplo, y es visible que durante la colonia Sama continuó siendo un proveedor de ají; de lo último hablaré más adelante.

Textos anteriores han relacionado la coca con el ají. Es posible que las chacras de uno y otra no tuvieran la misma condición. Un observador cuidadoso, como Damián de la Bandera, había indicado que la producción de coca podía ingresar en una suerte de monopolio incaico. "Todas las chácaras de coca de todo el reino eran suyas—del *Inka*—, y en ellas tenían puestos de su mano indios que la beneficiaban como cosa muy preciada" (eran *mittani*, claro). Añadía: "... en los mismos valles tenían chácaras de ají e algodón, las cuales beneficiaban los indios de la tal provincia, y lo que cojían ponían en depósito en las partes donde les era mandado" (Bandera [1557] 1965: 179). El texto sugiere una diferencia entre el trabajo de la coca, el del ají y el del algodón. ¿Habrá querido precisar Bandera alguna distinción entre la mano de obra que trabajaba la coca y la que obtenía productos como el ají?

A pesar de las informaciones anteriormente mencionadas el ají no ingresó (o lo hizo muy marginalmente) en las pautas tributarias de la época del Presidente Gasca. Por ello en la visita de Huánuco de 1549 se precisa lacónicamente "Dijeron que algunas veces le darán algún ají" (Mori y Malpartida [1549] 1967: 307), cuando los curacas de la región declararon lo que daban a su encomendero (Gómez Arias). La tasa de Gasca, recientemente publicada, no proporciona mayor información (Rostworowski 1984). La posterior tasa de 1552, para la anteriormente citada zona de los Chupaychu, precisa cantidades de miel y sal, no de ají (en Ortiz de Zúñiga 1967: 314).

El ají figura entre los bienes que los Lupaqa obtenían de las vertientes orientales y occidentales de los Andes del sur del Perú, si bien la producción de la costa se halla más documentada. Los declarantes de la visita de Garci Diez de San Miguel hacían notar que los pobladores Lupaqa participaban activamente en los nuevos intercambios establecidos en la colonia, quejándose de que los españoles de los años 60 del siglo XVI ocupaban los recursos andinos en el tráfico, pero destacando que en ese mismo tiempo los propios Lupaqa "rescataban" en los valles costeños; llevaban allí charqui y lana, recogiendo de los valles ají y maíz especialmente. Ello es, sin duda alguna, muestra de la permanencia de antiguos intercambios regidos por otras pautas, no comerciales. "Rescate" es aquí identificable con intercambio étnico, siempre regido por pautas parentales y no por vinculaciones de mercado (Cf. Diez de San Miguel

[1567] 1964: 44, 47, *passim*).

Por analogía con lo que ocurre con la ropa entre los mismos pobladores andinos, podría pensarse que la provisión del ají se obtenía unicamente mediante la energía propia o los intercambios étnicos (dentro de la propia unidad étnica). Los principales de la parcialidad Hanansaya de Acora declararon al visitador: "... que nunca hacen ropa ellos para vender sino es para vestirse ellos y la que les dan a hacer los caciques por fuerza para españoles que no les pagan a ellos nada por la hechura..." (Diez de San Miguel [1567] 1964: 91). El texto permite, nuevamente, una defensa de la autosuficiencia. Puede extenderse el criterio a todos aquellos bienes producidos en las colonias de la vertiente occidental; allí se encontraban en funcionamiento relaciones de parentesco que hacían factible un intercambio no comercial. Los pobladores Lupaqa de Sama destacaban particularmente por sus cultivos de ají, y así lo declararon aquellos informantes de Garci Diez que a dicho valle se refirieron (Cf., por ejemplo, Diez de San Miguel [1567] 1964: 124–129; 208, 247). Los españoles del tiempo aludido de la visita, señalaban constantemente que los pobladores del valle de Sama bien podían ayudar al pago del tributo con la comercialización del ají (*Ibidem*: 249, 268), comparándose de alguna manera su rendimiento con el de otros productos andinos. La rentabilidad del ají parecería ser demostrable por el hecho de que algunos españoles se interesaron en su cultivo (*Ibidem*: 251).

Sin embargo, la realidad es que su cultivo no parece haber sido muy rentable. A menos no lo suficiente como para considerarlo entre aquellos bienes que ingresaron a las listas tributarias toledanas. En los tiempos del virrey Toledo, cuando se hizo la visita general, se registró que el ají formaba parte del "servicio" que los pobladores Lupaqa daban a los españoles; Gómez Guanca, principal de Chucuito hanansaya, enumeró pagos de tasa y "servicios", entre estos (extras) había una cantidad indeterminada de ají. Este compartía la indeterminación con la sal (Ramírez Zegarra 1575: 4v; otros casos, 8v, *passim*). Al lado, la tasa toledana de 1575 no registraba al ají entre las cosas que debía pagar el propio poblador de Sama (zona predominantemente productora), indicándole unicamente el pago de cantidad de maíz (Toledo [1575] 1579: 241v).

En otros casos el ají formó parte de los tributos de una manera más clara. Ciertamente que ello se registra más claramente en el tiempo que transcurre entre las visitas de Gasca y Toledo; no lo he ubicado en normas generales o tasas, sí en situaciones específicas, que remiten al cobro efectivo de los tributos indógenas. La presencia del ají entre los sembríos de la población sur costera peruana estaba registrada cuando menos desde fechas tempranas como 1540. Cuando Francisco Pizarro encomendó pobladores de la región en Lucas Martínez Vegazo, se precisó: "... en la cabeza del valle de Azapa los indios de los dichos valles, que tienen estancias de coca, e agí, grana e otras cosas..." (Cuzco, 22, I-1540, en Barriga 1939–55, II: 85).

En el primer caso se trata de tributos correspondientes a la encomienda de Ginesa Guillén, célebre personaje arequipeño de los revueltos tiempos de las guerras civiles entre los españoles del XVI; corresponden a 1560.[5] Su cobrador, Alvaro de Cieza registra por escritura pública los cobros realizados desde la nominal tasación de 400 pesos ensayados, a la efectiva entrega de bienes al encomendero o su cobrador. Entre ellos se menciona la ropa, pesos corrientes, coca, pescado, trigo y ají; Este último se registra:

> "... e ansi mismo confeso aver resçibido de Hernando Luruma treinta e siete pesos e quatro tomines corrientes e fueron por veinte e ocho cestos de coca quel por su parçialidad da cada medio [año] los quales pagó a peso y medio cada çesto de plata corriente e en su mano resçibio otros diez e seis pesos y siete tomines que montaron diez e ocho çestos de agí e se vendieron en almoneda del tributo del dicho Hernando Luruma..." (Archivo Departamental de Arequipa, García Muñoz, Protocolo N° 60, 16-X-1561, f. 707).

Los productos que ingresaban al tributo y con cuya venta se cubría el mismo, eran muchos, sin embargo vuelve a registrarse la vecindad entre la coca y el ají. Como anteriormente se ha dicho, esta vecindad es constante. Recuérdese, por ejemplo, la visita de Guánuco de 1549, donde tres asientos consecutivos se refirieron al ají, la sal y la coca. Aceptando el criterio de Murra de que dicha enumeración corresponde a cuerdas consecutivas de un quipu, es visible que se trataba de etnocategorías vecinas (Cf. Murra 1983; Mori y Malpartida [1549] 1967: 305–307). Del conjunto de tributos que pagaban los hombres de Ocoña destacan las fanegas de trigo que se abonaban cada medio año (100); se precisa en los cómputos de Alvaro de Cieza que el trigo se pagaba en especie o su equivalente en dinero, lo cual hace pensar en una producción aleatoria o en que el precio real era distinto al pactado en una "conmutación" establecida previamente.

Otro instrumento notarial de Arequipa precisa los tributos que percibía Juan de Castro, entonces encomendero de Cochuna (Moquegua), quien había obtenido derecho a dicha encomienda por permuta con Lucas Martínez Vegazo en 1559 (Barriga 1939–55, I: 287).[6] Ciertas deudas contraídas por Castro, que alcanzaban la suma de 1,477 pesos, 765 de ellos en pesos ensayados y 812 en plata corriente, hicieron que, al no poder pagarlas, enajenaran las rentas de los tributos de Cochuna para cubrir su obligación. Los montos anuales allí registrados eran:

30 cabezas de ganado (sin especificación sobre si eran de Castilla o de la tierra)
100 hanegas de maíz
100 hanegas de trigo
20 piezas de algodón
1 toldo
2 tablas de manteles
20 "panyzuelos"
60 cestos de ají
2 arrobas de sebo
(ADA, García Muñoz, Protocolo N° 62, 29-V-1563, ff. 266–269).

Si se piensa que en el caso anterior el precio del ají era menor de un peso por cesto, se apreciará que también en este caso la proporción del ají en el monto tributario que correspondía al encomendero era pequeña, aunque presente en la enumeración.

Los dos casos mencionados se refieren así a los valles sureños, tradicionalmente productores de ají, y representan la continuidad de cultivo en la zona, a la vez de una importancia económica reducida. Distinta era la situación en los términos de la economía andina, por cierto, donde la importancia del ají no estaba dada por el monto que podía rendir en los cultivos, sino por la participación, nunca discutida, del mismo en la alimentación cotidiana de la población; evidenciada además por la importancia que la ausencia del ají tenía en muchos rituales andinos.

En épocas posteriores, pleno siglo XVII, se verá al ají íntegrando el tráfico que curacas andinos del altiplano realizaban entre los valles de la costa y la zona minera de Potosí. El ají acompañaba allí a otros bienes andinos y también a aquellos bienes que alcanzaron particular importancia económica después de la invasión, siendo importados. En el primer caso se trata de la coca (en pequeñas cantidades proveniente de la producción costera), en el segundo del maíz, más ampliamente obtenido en la misma región. Pero donde el ají acompaña a bienes de gran circulación es cuando se trata del vino, cuyo trajín alcanzó grandes volúmenes conforme crecía el centro minero de Potosí.

El ají debió figurar rápidamente entre los bienes que transitaban por las rutas del comercio inaugurado por los españoles en los Andes. A nadie sorprenderá hallar rastros en variados testimonios que mencionan la ineludible presencia del ají en la dieta andina. Cuando se habló de los tributos, se indicó que en muchos casos el ají ingresaba entre los "servicios" menudos, que no llegaban a ser considerados en muchos casos en las propias tasas tributarias. Por ello, un jesuita observador de lo que ocurría con los habitantes de Chucuito, incluidos por cierto los que viajaban como mitayos a Potosí, podía destacar que tanto en la indicada provincia colonial como en la villa minera:

> "Algunos corregidores y otras muchas personas (. . .) hacen un concierto con los hilacatas y Marcacamayos que son los mandones que ay entre los yndios para lo que toca al servicio ordinario de su casa acudan con lo que ellos usan dar (. . .) mitayos para la cocina [y otros servicios] (. . .) agua y leña (. . .) hierva necessaria para sus cabalgaduras y dos reales de huebos y dos de pescado para todos los viernes y sabados (. . .) y manteca de puerco (. . .) y también traen la sal y aji y ollas . . . " (Ayans [1596] 1951: 48).

Pero a pesar de la inclusión del ají entre los servicios, es muy probable que el mismo ingresara en mucha mayor cantidad al intercambio realizado por la propia población andina afincada en la villa imperial potosina. Es difícil medir su consumo porque generalmente se trata de comercio al menudeo, donde intervenían (en Potosí) las conocidas "gateras que vendían el producto al por menor, si bien se remataba muchas veces en almoneda cantidades de cestos del producto (una búsqueda específica en los libros de las Cajas Reales de Potosí debe aportar, sin duda mayores datos). Al comentar los gastos de un mitayo en Potosí, el mismo jesuita Ayans precisaba:

> "Come cada mes [un mitayo de Chucuito en Potosí] de carne una alpaca y aun es poco que siempre vale cuatro pesos, de pescado y sal gastara siempre dos pesos, de leña y estiercol y de paja que llaman hichu para guisar de comer gasta cada semana un peso que esto cuesta mucho alla al cabo del mes son cuatro pesos y medio . . ." (Ayans [1596] 1951: 40).

No extrañe, pues que los curacas del altiplano, que tan seguidamente trajinaban en los valles costeños (Cf. Pease 1982, por ejemplo), incluyeran el ají entre los productos que llevaban a las alturas. Es conocido que en los tiempos del virrey Toledo, los visitadores encargados de la inspección general del virreinato por aquél ordenada, encausaran a los señores étnicos por mantener en funcionamiento tareas que ingresaban dentro de la redistribución, entre las mismas destacaban los frecuentes viajes llevados a cabo por *mittani* para mover cargas entre los valles costeros, la región del lago y Potosí (Ramírez Zegarra 1575, *passim*). Dichas cargas debían incluir el ají en alguna proporción.

Tiempo después de la visita toledana, al testar el curaca Diego Caqui —de Tacna— enumeraba diversos puntos en su testamento, vinculados a la producción del ají que controlaba: ordena, por ejemplo, que se paguen algunas deudas en ají o en pesos "Yten declaro que debo a Pedro Chapi, natural de Calacoto, de la encomienda de Cristóbal Ramírez, mil pesos corrientes, son por cien carneros de la tierra, que me vendió (. . .) mando se le paguen luego de mis bienes, *en reales de a ocho el peso, o en agí, a como valiese en el valle* [*o en el* (*entre líneas*)] *de Sama* . . ." (Caqui [1588] 1981: 211). Allí se menciona ya la relación con el altiplano. Otro caso se refiere a la deuda que tenía con Alonso Muñoz Cansino, residente en Tacna, relativo a un contrato de fletamiento de vino producido por el curaca en su propia bodega y remitido a Potosí "... y es mi voluntad se averigue cuenta con el dicho Alonso Muñoz Cansino y se le pague de mis bienes, lo que le estare debiendo, *y esto ha de ser en ají, puesto en mi chacra de Amopaya*, a razón de a como valiese cada cesto en el dicho valle ..." (*Ibidem*). Añade casos casi tam importantes como el primero indicado: "... y yo he de pagar a Juan Viscaíno cierta partida de ají que le debo que son quinientos cestos ..." (*Ibidem*). Las deudas vinculadas al ají se multiplican en el testamento de Diego Caqui, lo cual indica no sólo su propio movimiento—productor y comerciante—, sino también su reiterada relación con las regiones altiplanicas (refuerza: "Yten declaro que yo he tenido cuentas con Valerio de Jijón, residente en Potosí, de partidas de vino y ají, y otras cosas ..."; *Ibidem*: 212). Parte del ají que Diego Caqui negociaba procedía de la mencionada chacra en Amopaya, aunque también había otros lugares, como por ejemplo cerca a Capanique: "... declaro por mis bienes una cuadra de tierra, digo media cuadra que está junto al aillo Capanique sembrada de algunos sauces y que ha sido sembrada de ají ..." (*Ibidem*: 212). Si bien el testamento deja en claro que los bienes más preciados del curaca tacneño eran sus más de cien mil cepas de vid, su bodega y el vino que ésta producía, no deja de ser igualmente visible el conjunto de relaciones económicas que giraban en torno al ají.

La continuidad del trajín del ají se encuentra en el siglo XVII documentada en el rico expediente del pleito de Diego Chambilla, curaca de Pomata, con los herederos del español Pedro Mateos, escribano que había sido de Potosí, a la vez que apoderado del citado Chambilla. El voluminoso expediente que lo contiene se encuentra en el Archivo Nacional de Bolivia, Sucre (Minas 730), y fue estudiado inicialmente por John V. Murra, quien publicó un interesante artículo sobre las actividades de este curaca de Chucuito (Murra 1978). Espero poder editar próximamente el expediente completo, pues contiene una riquísima información sobre la vida de los Lupaqa en la primera mitad del XVII. En síntesis, Chambilla, que era curaca de Pomata, administraba múltiples negocios en Potosí, donde tenía casas y pulperías arrendadas a vecinos españoles. A través de la Capitanía General de la Mita, que le correspondía periódicamente, Chambilla tenía presencia en la poblada Villa Imperial; la correspondencia y otros documentos que constan en el expediente, permiten apreciar a lo largo de la segunda década de la mencionada centuria la activa vida económica del curaca y su relación con la mita y la densa población andina allí localizada con motivo de las labores mineras forzadas. Su apoderado, el escribano Pedro Mateos le rendía periódicas cuentas. Sin embargo, al fallecer el último, debía entre 19,000 y 23,000 pesos en números redondos al curaca. Por ello se inició la demanda y quedó constancia de este tipo de actividades de los curacas.

Se aprecia que Diego Chambilla era uno de los señores étnicos que alcanzaron a manejar grandes sumas de dinero en el siglo XVII; si bien muchos de sus colegas conocidos vivían en el altiplano del lago Titicaca, otros señores étnicos anteriores, contemporáneos o posteriores, han sido registrados como poseedores de riqueza en diferentes zonas andinas, tal es el caso de los Guacra Páucar de Jauja, de los Limaylla de la misma región, así como de otros de la costa (Cf. Espinoza 1961 y Pease *en prensa*). Los Chambilla fueron curacas importantes por varias generaciones y sus huellas se encuentran no sólo en la región lacustre sino en la costa sur peruana; muestras de su actividad han sido mencionadas por Cúneo Vidal (1977) y por Espinoza (1982), sus informaciones son útiles. En líneas generales, puede afirmarse que Diego Chambilla administraba un amplio conjunto de recursos, que iban desde el maíz, el ají, los tubérculos y el *chuñu*, hasta la ropa de lana y, por cierto, el ganado andino; otros de menor importancia alimentaban sus actividades mercantiles en Potosí. Parte de sus recursos (específicamente la energía humana) provenía de la propia zona altiplánica, puesto que su sede en Pomata era una de las importantes parcialidades del antiguo "reino" Lupaqa y de la provincia colonial de Chucuito; otra, no menos importante, provenía de los valles costeños que anteriormente habían sido colonias lupaqa bajo régimen de redistribución y donde los lupaqa coloniales mantenían mucha presencia, acrecentada siempre por nuevas informaciones: las más documentadas de estas colonias se encontraban en Sama, Moquegua, Lluta e Inchura, todas ellas zonas productoras de ají. De esta manera, Diego Chambilla mantenía criterios ancestrales de los Lupaqa, clarificados en los estudios de Murra (por ejemplo, 1975).

Entresacando parte de la información hallada en el expediente de Sucre, debe resaltarse que al iniciarse el pleito para cobrar los adeudos de la sucesión de Pedro Mateos, se precisó:

> "Primeramente. Un mil y çiento y quarenta y dos cestos de axi bueno de Sama que embio el dicho mi parte [Diego Chambilla] al dicho Pedro Mateos como pareçe por la dicha quenta en las partidas nueve doze catorze y seis (?) que bendidos en la sazon que se truxieron fue su comun preçio y valor a ocho pesos cada uno que es el mas moderado valor del dicho axi y a como los vendio el dicho Pedro Mateos en aquellos tiempos que montan nueve mill çiento y treinta y seis pesos . . ." (Demanda presentada por el Protector de Naturales, Antonio Cerón, en nombre de Chambilla; Potosí, 30-IX-1628; AGB, Sucre, Minas 730: 150).

Interesa no solo el volumen del ají no pagado, sino también la procedencia (Sama) y el precio. Los precios de Potosí eran, por cierto, mucho más altos que los pagables en el lugar de origen; no sólo ingresaba a tallar el valor agregado del transporte, sino también la oferta y demanda, pues la lejanía y lenta transportación colocaban al mercado potosino en condiciones de carencia del producto, lo cual elevaba su precio. Muchas de las anotaciones en las cartas de Pedro Mateos dejan entrever este problema, pues relataba a Chambilla sus dificultades para obtener buenos precios cuando abundaba el producto. Otros curacas era, sin duda, competidores. Pero hay también información que precisa distintas calidades del ají; en marzo de 1624, Mateos informaba que los precios estaban bajos y el ají bueno sólo podía venderse a 6 pesos (*Ibidem*: 138–138v). Cuatro años antes hubo una situación similar (*Ibidem*: 124), aunque aun era posible obtener 8 pesos o 9 por cesto, cuando el producto era de calidad comprobada (*Ibidem*: 126–127). Mateos menciona repetidas veces en su correspondencia la dificultad para recuperar el dinero de la venta del ají, pues en muchos casos Mateos parece haber funcionado como un mayorista urbano, que vendía el producto a "gateras", vendedoras ambulantes en las plazas y calles; en algún caso, una carta de Mateos indicaba que las "gateras" habían ido a vender el ají fuera del radio urbano de Potosí, en zonas aledañas o asentamientos mineros más alejados. Sin embargo, otras cartas del apoderado permiten comprobar que en ocasiones el ají era vendido a rematistas o compradores en gran escala (por ejemplo, f. 140–142).

La suma indicada en la demanda pareciera dar una mayor importancia al ají en los negocios de Chambilla. Al estado actual de la investigación no puedo precisar si ello era una constante, o un caso particular originado por la afluencia del producto enviado por Chambilla en tiempos cercanos al fallecimiento de su apoderado en Potosí. De todas formas, la información aludida da buenos indicios acerca del volumen de las transacciones del ají en el siglo XVII.

En los tiempos de Diego Chambilla finalizaba la escritura de la obra del carmelita Antonio Vázquez de Espinosa. En sus dilatados viajes por el territorio del virreinato del Perú dejó testimonio de la importancia del cultivo del ají en los valles costeños surperuanos, especialmente en los primeros tiempos del siglo XVII. Aunque Vázquez de Espinosa finalizó la redacción de su *Compendio y Descripción* hacia 1628, es sabido que la información que recogió provino muchas veces de fuentes locales más antiguas; sin embargo, esto no es tan importante en el caso de productos como el ají—cuya siembra y consumo andinos eran constantes—como lo es en el caso de los cómputos demográficos.

Hablando de las comidas suministradas en el hospital de naturales de Lima (Santa Ana), informa:

> "... y como los indios están acostumbrados a sus comidas de mais y yerbezuelas saçonadas con agi o pimiento, se les adereça a su modo ..." (Vázquez de Espinosa [1628] 1948: 413)

Registra la presencia del ají en Ica ("Ay todo el año en esta villa [de Ica] abundancia de frutas assi de España como de la tierra [entre ellas] agies o pimientos ..." (*Ibidem*: 450); más adelante hace lo propio con Moquegua (*Ibidem*: 476), aunque resalta el valor de la producción vinícola del valle. Conforme viaja hacia el sur por la costa, se incrementan los volúmenes; así puede precisar:

> "En este valle y en el pasado [Sama y Locumba respectivamente] se siembra mucho pimiento que alla llaman agi, y se cogen en los dos cerca de docientos mil cestos que sacan en carneros para Potosí, Oruro, y toda la sierra ques gran riqueza. Ay en este valle [de Sama] mas de 50 españoles avezindados que viven en sus haziendas . . ." (*Ibidem*: 478).

En esos tiempos las cosechas de Sama debían ser abundantes. El 21 de octubre de 1643, Juan Guerra Escudero vendia 2,000 cestos de ají de la cosecha del año sigueinte a 19 pesos cada cesto (Archivo Departamental de Moquegua, Mesa Montalve, 309 y ss). Ello da indicios de la dedicación del valle al cultivo del ají.

Reconociendo la pobrcza hidráulica del valle tacneño, vasquez de Espinosa recordó sus muchas tierras sembradas, entre otros productos con ají (*Ibidem*: 479). Igual cosa hace al mencionar el de Azapa (*Ibidem*: 481).

Pasando a la otra vertiente—oriental—de los Andes, vuelve a destacar la presencia del ají en Pocona (*Ibidem*: 596), precisando que, al igual que lo que ocurría con la producción de los valles occidentales, era llevada a la mina de potosi, el gran mercado de sus tiempos. A continuación de sus noticias sobre Chuquisaca o La Plata—capital de la Audiencia de Charcas—hay finalmente un capítulo donde describe diversos recursos, tanto nativos como importados, medicinales y alimenticios; tampoco allí olvida consignar: " . . . y otras muchas diferencias de frutas . . . pimientos y tomates de muchas suertes que los españoles llaman agí, y los indios *Ucho*." (*Ibidem*: 611–612).

Los datos más visibles para el siglo XVIII señalan la importancia aparentemente creciente del ají en la región sur peruana; las rutas del comercio colonial así lo demostrarán en una nueva investigación que revise más detalladamente cuentas y otros instrumentos contables. Al escribir Jorge Juan y Antonio de Ulloa su *Relación histórica del viaje a la América Meridional* (1748) señalaban la cuantiosa producción de ají comercializada en Arica, indicando que su monto alcanzaría a sobrepasar los 600,000 pesos (1748, III: 180 ss., cit. en Zavala 1980: 45). La imagen obtenida por Juan y Ulloa no necesariamente refleja la producción de Arica, Azapa o Tacna, y bien puede referirse a la de otros valles vecinos, comercializados en Arica posiblemente como punto de partida de numerosas caravanas de arrieros que lo vendían en las zonas altas del sur del virreinato peruano.

Confirma dicha tendencia la información proporcionada por la visita realizada a mediados de dicha centuria por el Intendente de Arequipa don Antonio Alvarez y Jiménez, quien destacó la producción de ají en los valles de Acarí, Tambo, Sama y Tacna. Acerca del primero señala:

> "El valle de Acarí produce iguales frutos que el de Camaná, pero su principl cosecha es la del famoso ají que se lleva a todos los lugares de la sierra" (Alvarez y Jiménez [1752] 1942–46, I: 62)

Acerca de los otros valles indica cosas similares, destacando el de Tacna, altamente elogiado por su producción. (Diversos acápites lo confirman, en los sucesivos documentos de la visita, recopilados en la misma edición de 1942–46, volúmenes II y III). Relieva Alvarez y Jiménez la ruta comercial del ají hacia la sierra, donde se encontraba su mayor mercado. Nada dice en cambio del valle de Uchumayo, cuyo nombre resulta altamente ilustrativo, refiriéndose sin duda a cultivos ancestrales (Uchumayo=río del ají, como me lo hizo notar el Dr. Guillermo Galdos). Tampoco añade información particular sobre Ilo, si bien hay datos el desde siglo XVI que permiten apreciar que parte de los diezmos eclesiásticos de dicho valle costeño incluían los correspondientes al ají (1594, Pease y Guíbovich 1984: 316).

La importancia del ají entre las actividades de los curacas sureños del siglo XVIII se registra en la lista de los bienes dejados por Santiago Ara, curaca de Tacna. Fallecido en 1793, su viuda y albacea Ana Sánchez, pidió se llevara a cabo el correspondiente inventario de sus pertenencias. Al realizarlo se enumeraron los bienes hallados en su residencia y en la hacienda Para—propiedad familiar de los Ara—. Allí sobresalió su importante biblioteca personal, pues Santiago Ara era abogado de las

Audiencias de Lima y Chaccas; pero se indicó específicamente diversos productos agrarios que tenía depositados (como el maíz), otros bienes, como la lana, y:

> "Item treinta cestos de agí blanquillo podrido
> Item doscientos ochenta y seis cestos de idem blanquillo bueno
> Iten setenta y uno idem bueno, todo del año pasado" (Ara, 1793: 35).

Más adelante, al realizarse la respectiva tasación de los bienes, se dio a los bienes enumerados los siguientes precios: 22p. 4r, 352p. 4r, y 79p. 7r. (*Ibidem*: 48). Los curacas Ara habían mantenido el curacazgo de Tacna con vicisitudes superadas mucho antes, desde el siglo XVI e inicios del XVII (Cf. Cúneo Vidal 1977). Anteriormente se pudo ver cómo al fallecer su más remoto predecesor documentado, Diego Caqui (fallecido en 1588), disponía de cultivos de ají, cuyo producto servía para cancelar deudas y seguramente para el tráfico hacia la región minera de Potosí y sus puntos intermedios.

Cuando se realizaron las campañas contra las idolatrías andinas, especialmente en el Arzobispado de Lima durante la primera mitad del siglo XVII, se reunieron diversas informaciones relativas al ají. Algunas de ellas se refieren al uso medicinal de la planta. Se menciona el uso del "ají de Chile" (*Capsicum annum L*) empleado como remedio para las picaduras de arañas en Chancay y otros lugares andinos. Allí y en Pilas (Yauyos) se recomendaba "... moler y untar con las hierbas Chinchilla y Umpu lluau, ají de Chile y ajos como emplasto..." (Basto Girón 1977: 89). En el mismo Chancay, otra información proporcionada por Alonso Martín señalaba que se curaban las picaduras de arañas "... con ají de Chile quemado que unta la picadura y le pone encima un emplasto de ajos..." (*Ibidem*: 69).

Casos más complicados fueron indicados por Hernando Campos Cóndor (Ticllos):

> "Hernando Champos Cóndor declara que 'cuando enferma algún indio suelen llamar a este testigo y darle ofrendas de cuyes y coca y los ha ofrecido a los ídolos y malquis y los cuyes los degollaba con

las uñas y les sacaba los hígados y los miraba, si los tenía molidos y negros era señal que moriría el enfermo; y si los tenía blancos era señal que no moriría. I cuando arreciaba la enfermedad iba este testigo a casa del enfermo y le hacía una fricción con el cuye en todo su cuerpo *y con agí de Chile que llaman Cara Uchu* u con maíz molido y el cuye y el *agí* le echaban en el cuerpo, *y si el ají olía mal y daba tos* era señal que el enfermo moriría y si no causaba tos era señal que no moriría porque decía este testigo *se le pegaba la enfermedad al ají* y esto lo hizo con su mujey y con otras personas que no se acuerda . . ." (Basto Girón 1977: 109).

Otros casos incluían el ayuno de sal y ají para poner fin a los dolores de estómago, pero siempre en un más amplio contexto ritual (*Ibidem*: 65). Los ayunos rituales aparecen frecuentemente mencionados en las crónicas y, por cierto, en los expedientes de idolatrías, como parte de rituales de purificación.

En un contexto distinto—Charcas, siglo XVIII—se registra una interesante información sobre los usos medicinales del ají:

"*Uchu, en aymara Guayca.* Estos dos nombres dan los Naturales a su pimienta y asi los Españoles llaman Pimienta de los Indios; aunque los Indios aimaraes los llaman Guaycas; su temperamento es caliente en el tercer grado y seco cerca de él; tiene partes laxativas y con su mordacidad irrita la facultad espultria del vientre ablandado y hace purgar la colera y asi a los estreñidos hace mucho provecho aunque comido con moderacion y templanza, auyda a la digestion y segun los Naturales provoca el acto venéreo; de mas de esto, ha mostrado la experiencia que esta robusto y fuerte causa el cocimiento en el estomago, ardores, dolores de Tripas y desabrimientos; Tambien se nota, que comiendo el ají en abundancia calienta la orina de tal suerte que no se puede detener, y por donde pasa escuece y calienta y hace llagas, escoriaciones, mordica y hace doler, de que suele resultar confirmarse una extrangurria; su polvo mezchado con el Chichi levanta apetito y dá ganas de comer; y el polvo hervido con vino y de ello echado gotas en el oido quita el dolor causado por la intemperie fria, o ventosidad; y asimismo hervido con vinegra quita los dolores de muelas si se enjuaga con el tostado los ajies; y muy calientes refregada la nuca, pescurzo y espinazo, sana la paralecia y el pasmo; cocidos en agua de modo que no revienten, y de éste echadas ayudas con azúcar vale /f. 29 f/ para lo mismo y para las camaras de sangre; y si de la dicha agua se hace lamedor con bastante azúcar vale contra el asma, Tos antigua y Catarro que proviene de frio y pegajosa de humores crudos y viciosos.'' (Losa [¿1780?] 1983: 129–130).

NOTAS:

1) La distribución de términos antillanos y mesoamericanos hacia el sur ha sido estudiada, particularmen / te desde los tiempos iniciales de la invasión española; véase Morínigo 1968 y otros estudios del mismo autor. Hace años, Henríquez Ureña precisó el origen del término en Santo Domingo, registrado desde las cartas de Colón (Henríquez Ureña 1938: 109).
2) La presencia del ají en tierras del *Inka* en la propia región del Cuzco está registrada, por ejemplo: ''El yanacón Salvador Llacta, que se dedicaba a su labranza, declaró que su abuelo fue encargado de guardar y beneficiar la parcela del Inca y sembrarla de ají'', se trataba de tierras que en 1578 pertenecíans a Beatriz Manco Cápac Colla, hija de Guayna Cápac (Rostworowski 1962: 136, Cf. también 148, 151).
3) Estos dos curacas están ampliamente documentados, véase Espinoza 1971, por ejemplo.
4) Datos interesantes sobre las primeras entradas españolas a las zonas bajas de Huánuco se encuentran en Jiménez de la Espada 1895.
5) La encomienda de Ginesa Guillén tuvo vida tormentosa, como su titular, viuda de Lope de Alarcón, ejecutado en los tiempos de las guerras civiles entre los españoles por los partidarios de Gonzalo PIzarro. Informaciones levantadas en medio de los pleitos de la encomienda dan amplias noticias acerca de los conflictos suscitados a lo largo de su personal lucha por conservarla. Allí se incluyen declaraciones de testigos andinos que denunciaban malos tratamiento, vejaciones y torturas. Don Hernando, curaca de los Arones (posiblemente el mismo que declara en el documento reproducido en el Apéndice), afirmó: ''A la setima pregunta dixo que en tiempo que estuvieron encomendados este testigo y sus sujetos yndios Arones y de Ocoña al dicho Lope de Alarcón sabe este testigo y vio que la dicha Ginesa Guillen en vida del dicho su marido les hazia muchos malos tratamientos y especialmente sabe este testigo y vio que a su cacique nombrado Guachinarco yunga de Ocoña la dicha Ginesa Guillen lo azotó y colgó de los pies y trayéndolo colgado le dio *con axi* humo a narices . . . '' porque no le entregaba oro, plata y otros bienes (Barriga 1939–55, III: 290; allí se encuentran otras declara-

ciones similares). EL documento es de 1556; el dato del paago de los tributos, posterior, indica que la Guillén mantuvo su encomienda. Sobre Lucas Martínez Vegazo y sus encomiendas, donde figura, ciertamente, el ají, véase Trelles 1983.

BIBLIOGRAFIA

ALVAREZ Y JIMENEZ, Antonio

[1792] 1941 "Memoria legalizada de la visita . . . ", en Barriga 1941–48, I.

ARA, Toribio

1793 "Testimonio de los bienes que quedaron por fin y muerte del Dr. . . . Abogado . . . y cacique principal de este pueblo . . . " Tacna: Archivo Nacional de Chile, Santiago, Judicial de Arica, Legajo 4, No 1.

AYANS S. J., Antonio de

[1596] 1951 "Breve relación de los agravios que reciven los indios que hay desde cerca del Cuzco hasta Potosí . . . ", en Vargas Ugarte 1951.

AVILA, Francisco de

[?1608?] 1987 *Ritos y tradiciones de Huarochirí*, versón paleográfica y traducción castellana de G. Taylor, estudio sobre Avila de A. Acosta, Instituto de Estudios Peruanos, Lima.

BANDERA, Damián de la

[1557] 1965 "Relación general de la disposición y calidad de la provincia de Guamanga, llamada San Joan de la Frontera . . . ", en Jiménez de la Espada 1965, I.

BARRIGA, Víctor M.

1939–45 *Documentos para la historia de Arequipa*, Arequipa.

1941–48 *Memorias para la historia de Arequipa*, Arequipa.

BETANZOS, Juan Diez de

[1551] 1987 *Suma y narración de los incas*, versión, notas y prólogo de María del Carmen Martín Rubio; estudios de la misma, Horacio Villanueva U. y Demetrio Ramos P., Ediciones Atlas, Madrid.

CAQUI, Diego

1588 "Testamento", en Pease 1981.

CUNEO VIDAL, Rómulo

1977 *Obras completas*, Ediciones I. Prado Pastor, Lima.

DIEZ DE SAN MIGUEL, Garci

[1567] 1964 *Visita hecha a la provioncia de Chucuito*, Casa de la Cultura del Perú, Lima.

ESPINOZA SORIANO, Waldemar

1971 "Los Huancas aliados de la conquista . . . " *Anales Científicos*, I, Universidad Nacional del Centro del Perú, Huancayo.

1975 "Ichoc Guánuco y el señorío del curaca Guanca en el reino de Huánuco . . . ", *Anales Científicos* III, Universidad Nacional del Centro del Peru Iluancayo.

1982 "Los Chambillas y mitmas incas y chinchaysuyos en territorio Lupaca . . . ", *Revista del Museo Nacional*, XLVI, Lima.

Henriquez Ureña, Pedro

1938 *Para la historia de los indigenismos*, Instituto de Filología, Universidad de Buenos Aires.

Jimenez de La Espada, Marcos

1895 "La jornada del Capitán Alonso Mercadillo a los indios Chupachos e Iscaicingas", *Boletin de la Sociedad Geográfica*, XXXVII, Madrid.

1965 *Relaciones geográficas de Indias*, 2da. edición, Biblioteca de Autores Españoles Madrid.

Losa Avila y Palomares, Gregorio de

[?1780?] 1983 *De los arboles, frutos, plantas, aves y de otras cosas medicinales* . . . ed. y prólogo de Gregorio Loza-Balsa, La Paz.

Masuda, Shozo, ed.

1981 *Estudios etnográficos del sur del Perú*, Universidad de Tokio, Tokio.

1984 *Contribuciones a los estudios de los Andes Centrales*, Universidad de Tokio, Tokio.

Mori, Juan de y Malpartida, Hernando Alonso

[1549] 1967 "La visitación de los pueblos de indios . . . ", en Ortiz de Zúñiga 1967, I.

Morinigo, Marcos A.

1968 Gutiérrez de Santa Clasa y los quichuismos de su Historia. *Revista Hispánica Moderna*, XXXIV, 3-4.

Murra, John V.

1967 "La visita de los Chupaychu como fuente etnográfica", en Ortiz de Zúñiga 1967, I.

1975 *Formaciones económicas y políticas del mundo andino*, Instituto de Estudios Peruanos, Lima.

1978 "La correspondencia entre un "capitán de la mita" y su apoderado en Potosí", *Historia y Cultura*, 3, La Paz.

1983 "La mit'a al Tawantinsuyu: prestaciones de los grupos étnicos", *Chungará*, 10, Arica.

1983a Mss. Presentado al Simposio sobre Mercado Interno, Sucre.

Ortiz de Zuniga, Iñigo

[1562] 1967–72 *Visita de la provincia de LeOn de Huánuco*, 2 vols, Universidad Nacional Hermilio Valdizan, Huánuco-Lima.

Pease G. Y., Franklin

1981 "Las relaciones entre las tierras altas y la costa sur del Perú: Fuentes documentales", en Masuda ed. 1981.

mss. "Curacas coloniales: riqueza y actitudes" en prensa.

PEASE G. Y. Franklin y GUÍBOVICH, Pedro

1984 "Indice del primer libro notarial de Moquequa", en Masuda ed. 1984.

PLATT, Tristan

1987 *Estado tributario y librecambio en Potosí (siglo XIX). Mercado indígena, proyecto proteccionista y lucha de ideologías monetarias*, HISROL, La Paz.

RAMIREZ V., María

1971 *El Huarachico: rito de iniciación*, Tesis Facultad de Letras, Pontificia Universidad Católica del Perú, Lima.

RAMIREZ ZEGARRA, Juan

1575 *Informacióon que hizo (. . .) Corregidor de la provincia de Chucuito (. . .) de la tasa que pagavan los indios . . .*", Mss. Archivo General de Indias, Contaduría 1787.

ROSTWOROWSKI DE DTEZ CANSECO, María

1962 "Nuevos datos sobre la tenencia de tierras en el incario", *Revista del Museo Nacional*, XXXI, Lima.

1972 "Los Ayarmaca", *Revista del Museo Nacional*, XXXVI, Lima.

1975 "La visita de Chinchaycocha de 1549", *Anales Científicos*, III, Universidad Nacional del Centro del Perú, Huancayo.

1984 "La Tasa ordenada por el licenciado Pedro de la Gasca (1549)", *Revista Histórica*, XXXIV, Lima.

SAUER, Carl O.

1950 "Cultivated Plants of South and Central America", *Handbook of South American Indians*, VI, Smithsonian Institution, Washington, D.C.

STERN, Steve J.

1986 *Los pueblos indígenas del Perú y el desafio de la conquista española*, trad. de Fernando Santos Fontenla, Alianza América, Madrid.

TOLEDO, Francisco de

1575 "Tasa Nueva de la provincia de Chucuito de la Corona Real", Archivo de la Casa de Moneda, Potosí, Cajas Reales 18.

TRELLES ARESTEGUI, Efraín

1983 *Lucas Martínez Vegazo: funcionamiento de una encomienda peruana inicial*, Pontificia Universidad Católica del Perú-Fondo Editorial, Lima.

VALCARCEL, Luis E.

1981 *Memorias*, Instituto de Estudios Peruanos, Lima.

VARGAS UGARTE S. J. Rubén

1951 "Pareceres jurídicos en asuntos de Indias (primera parte)", *Derecho*, X-XI, Pontificia Universidad Católica del Perú, Lima (La segunda parte apareció en la misma revista, XII, 1952).

VAZQUEZ DE ESPINOSA, Antonio

[1628] 1948 *Compendio y descripción de las Indias Occidentales*, edición de Charles Upson Clark, Smithsonian Institution, Washington, D.C.

YACOVLEFF, E., y HERRERA, Fortunato L.

1934–35 "El mundo vegetal de los antiguos peruanos", *Revista del Museo Nacional*, III, 3, Lima.

ZAVALA, Silvio

1980 *El servicio personal de los indios del Perú* (*extractos del siglo XVIII*), El Colegio de México, México (vol. III).

Documentos

En la çiudad de Arequipa del Pirú diez e seis días del mes de otubre del año del Señor de mill e quinientos e sesenta e un años ante mi el presente escribano e testigos yusoescriptos paresçió el señor Aluaro de Cieça estante en esta ciudad e como persona que cobra y resçive los tributos de los yndios Arones y Ocoña de la encomienda de Ginesa Guillén confesó aver resçevido y tener en su poder de don Martín prinçipal de abaxo del asiento de Ocoña çiento e quarenta e quatro pesos e seis tomines de plata corriente para en quenta de quatroçientos pesos ensayados que por la tasa el balle de Ocoña paga en dinero a la dicha Ginesa Guillén por la dicha tasa y ansimismo confesó auer resçebido del susodicho çinquenta e nuebe pieças de ropa la mitad de hombre e la otra mitad de muger de algodón de la parçialidad de don Francisco Tanyasaco prinçipal del dicho don Martín las quales resçive por quenta de las dosçientas pieças de ropa que el dicho balle de Ocoña paga en cada un año e lo que resçibe del dicho don Martín sale de lo corrido de los tributos que deven de lo corrido dellos y lo da en quenta de lo que deven y an corrido de los dichos tributos y ansimismo confeso aver resçevido de don Hernando Olcona prinçipal de Yquipi del dicho valle de Ocoña en nombre y por Hernando Luruma caçique del dicho valle de Ocoña çien pesos en plata corriente para en quenta de los dichos quatroçientos pesos ensayados que el dicho valle paga en cada un año e ansimismo confesó auer resçibido veinte e nueve vestidos de la dicha ropa de algodón para en quenta de los dichos dosçientos vestidos que el dicho valle paga en cada un año y ello resçive del dicho don Hernando de Olcona por el dicho Luruma los quales paga por la quenta de lo que paga su parçialidad por manera que lo que a resçivido por todo monta dozientos e quarenta y quatro pesos y seis tomines corrientes e ochenta e ocho pieças de ropa como de suso se declara de las dichas parçialidades del dicho valle de Ocoña y estos dichos tributos son e los resçibe para en quenta de lo que los dichos indios quedaron debiendo del año pasado de sesenta e para en quenta de lo deste año de sesenta e un años e ansimismo confesó auer resçevido de Hernando Luruma treinta e siete pesos e quatro tomines corrientes e fueron por veinte e ocho çestos de coca quel por su parçialidad da cada medio [año] los quales pagó a peso y medio cada cesto de plata corriente e en su mano resçiuió otros diez e seis pesos y siete tomines que montaron diez e ocho çestos de agí e se vendieron en almoneda del tributo del dicho Hernando Luruma e ansimismo resçibi[ó] de Gonçalo Socanga prinçipal de los pescadores honze arrobas de pescado que se vendieron en quinze pesos en almoneda e con esto se resçibio del dicho Hernando Luruma çiento y çinquenta pesos en plata corriente para en cuenta de los dozientos pesos / ensayados que por el tributo del valle de Ocoña hera obligado a dalle cada medio año y del medio año de la paga del año de sesenta E ansimismo resçiuió del dicho don Hernando Luruma e de los caçiques del balle de Ocoña noventa e siete bestidos de algodón los quales se vendieron en almoneda a quatro pesos cada bestido e son para la paga del dicho medio año de sesenta para la quenta de los dichos dozientos bestidos que pagan en cada un año todos los yndios del valle e otrosí resçibio del dicho don Hernando Luruma por don Juan treinta e siete pesos y medio en plata corriente que heran por veinte e çinco çestos de coca de peso y medio cada çesto en corrientes y ansimismo treinta e çinco pesos de plata corriente para la quenta de las çien hanegas de trigo que todo el valle es obligado de poner en esta dicha çiudad en cada medio año las quales el dicho don Hernando dixo que pagaua [y] ansimismo resçivio del dicho don Hernando por don Françisco Tanyasaco treinta e nuebe pesos de plata corriente para en quenta de las çien hanegas de trigo que son obligados a poner en esta dicha ciudad o pagallas a peso ensayado conforme a la comutaçión asimismo resçivió de don Luis Anya Vilca caçique de una parçialidad treinta e ocho pesos de plata corriente que fueron en quenta de las çien hanegas de trigo que son obligados a poner en esta dicha çiudad en cada medio año o a apeso de la dicha plata conforme a la dicha comutaçión e ansimismo resçibió del dicho don Alonso (?) otros setenta y seis pesos [de pla (tarjado)] e quatro tomines que son e fueron por la parte que le cupo a su parçialidad de la plata ensayada ques obligado a dar e pagar cada medio año e por ser verdad todo lo susodicho el dicho Alvaro de Cieça ha resçiuido las dichas cosas para en quenta de los tributos que los dichos yndios son obligados a pagar desde que los tiene a cargo hasta oy dia que otorga su carta de pago en la manera que dicho es e devido ello se dio por contento e pagado de su boluntad e renuncio la ley de la ynumerata pecunia como en las . . . y los dichos don Martín e don Hernando Orcona estando en su confesaron ser verdad todo lo que esta carta de pago hecha por el dicho Alvaro de Cieça e aver rescibido las dichas cosas e pesos de suso declarados lo qual declararon ser ansi verdad por lengua de Gonçalo Gómez de Buitrón que entendía la dicha lengua y el dicho Alvaro de Cieça lo firmó de su nombre y por los dichos yndios Francisco de Castenda al qual dicho Alvaro de Cieça yo el scrivano público doy fee que conosco testigos que fueron presentes a lo que dicho es Fernando de Castenda y Gonçalo Gómez de Buitrón e Bernabé Díaz estantes en esta dicha ciudad . . . .

Archivo Departamental de Arequipa, García Muñoz, Protocolo No 60, ff. 707 r-v.

Ají. s. plan. *Uchu.* Bot. Más conocido con el nombre de ají, palabra traída de Santo Domingo por los primeros españoles, que con el de pimiento, abunda en las más provincias del antiguo imperio de los Incas, dividiéndose en varias especies, flores blancas chicas, hojas verdes lustrosas y frutos en vainilla de distintos tamaños; todos más o menos picantes y cáusticos que se emplean como condimento. El común que lleva el nombre genético, crece hasta 3 pies, en fruto de color naranja, es picante fuerte, y se halla en los valles de la costa y trasandinos. || *Amarillo. s Camparí.* Del tamaño del ají común, redondo, amarillo claro y poco picante; se halla en algunos valles del sur y del norte, teniendo en estos últimos una variedad de tamaño más chico y algo olorosa llamada *Panamitu.* || *Blanco verdoso. s Capchalla.* Es menor que el común, algo redondo, oloroso, poco picante y de buen gusto; se encuentra en las provincias de Huanta y La Mar, donde vulgarmente le llaman *Ainauchu* y en las de Sandia y Carabaya, que le dicen *Quitunquitu.* ||. *Colorado. s. Phanka.* Su mata crece hasta cuatro pies y sus vainillas hasta seis pulgadas, de color aceitunado estando frescas y negro rojo secas; tiene el picante necesario y da buen color a los guisos: hay otro más chico y redondo del mismo gusto y color llamado *Ccahualli* y ambas especies se encuentran en los valles de la costa y algunos trasandinos, siendo la segunda menos común. || *Chico. c. Siruchu.* De mata de poco más de un pie de altura, vainilla de color amarillo rojizo, muy delgada y de una pulgada de largo; es de uso poco común por muy chico y muy picante: hay otro *Chinchuchu* de figura oval y de las mismas condiciones, que se encuentra en los valles de la costa. || *Grande. s. Rokotu.* Mata de siete de altura y ramosa y fruto de tres pulgadas algo redondo, encendido, oloroso, de buen gusto y muy picante; se cultiva en Arequipa, Huanta, y en algunas provincias del norte: hay otro de la misma especie, más encendido y mucho más cáustico llamato *Pituncu,* que se encuentra en los valles ardientes de las montañas trasandinas. || *Rojo. s. Isipa.* De color rojo, delgado, largo y picante; tiene una variedad rojo vivo *s. Mucuri* y otra rojo negro *Achiti,* más chicos y picantes; habitan los valles trasandinos y bosques del Ucayali, Amazonas y sus afluentes. || *Silvestre. s. Maniti.* Chico, oval, rojizo e incomible por ser muy picante y cáustico; hay otro más chico y encendido, como una cuenta de coral, el *Urupi,* de naturaleza tan cáustica que se cree venenoso; y se encuentran en los valles de Santa Cruz de la Sierra, Chacó al (*sic*) Amazonas. *Relac.* del piloto Pedro Corzo, en Oviedo *Hist. Gral y Nat de Inds,* Part. 3a, Lib. 46 y 8°. cap. 17. *Relac.* de Pedro Mártir en Ramusio Tom. 3°, pág. 29. P. Acosta, *Hist. Nat. y mor de Inds.* Lib. 4, cap. 20. Zamora, *Hist. de Nuev. Grand;* Lib. 1°, cap. 9. Azara, *Hist. del Paraguai y del Plata,* cap. 5°. Castelnau, *Expedicion dans les parties centrales de l'Amérique.* Tom. 3°, cap. 33. Carranza, *Expedición al Chacó,* pág. 217.

ANCHORENA, José Dionisio, *Diccionario peruano,* [¿1874?] *mss:* 30–31.

Papa, llama, y chaquitaclla

Una perspectiva etnobotánica de la Cultura Andina

Norio Yamamoto
Museo Nacional de Etnología, Osaka

1. INTRODUCCION

La zona central de los Andes es la más alta y amplia. Allí se observan distintos ambientes naturales dentro de una zona sumamente limitada, debido a que en los Andes Centrales se registran alturas hasta los de 6,000 mts.; pese a que se encuentran en la zona tropical, según su latitud, presentan condiciones naturales peculiares de la zona tropical, y esta diferencia de altura genera variados ambientes naturales.

Tales ambientes naturales ofrecen también diversidad de recursos naturales en dicha región tanto en fauna, como en flora. Los habitantes de los Andes Centrales han venido domesticando muchas clases de vegetales y animales. Por ejemplo, aun limitándose a las partes altas, destaca la domesticación de los camélidos, como la llama (*Lama glama glama*) *y* la alpaca (*L. pacos*), así como el *cuy* (*Cavia porcelus*) y los cereales como la *quinua* (*Chenopodium quinoa*) y la *cañihua* (*Ch. pallidicaule*), *etc.* En cuanto a los tubérculos se tienen domesticadas distintas clases, como varias especies de papa (*Solanum* spp.), *oca* (*Oxalis tuberosa*), *mashua* (*Tropaeolum tuberosum*), *olluco* (*Ullucus tuberosus*), *etc.* (p.ej. Sauer 1950; Franklin 1982). Además, si se incluye las zonas bajas de los Andes Centrales, se puede encontrar gran cantidad de productos agrícolas domesticados; por ello es que los Andes Centrales son considerados como uno de los cinco grandes centros de domesticación en el mundo (Vavilov 1949/50).

Gracias al desarrollo y utilización de esos productos agrícolas y animales, los Andes Centrales fueron transformados en habitables para seres humanos. Entre dichos productos domesticados, la papa especialmente, permitió la residencia de seres humanos en las partes altas andinas, desempeñando un gran papel en el desarrollo posterior de la sociedad de altura. Si no se hubiera conocido el cultivo y utilización de la papa, probablemente no habrían nacido las civilizaciones de altura como Tiahuanaco e Inca (La Barre 1947; Troll 1968). En la actualidad, también los habitantes de las partes altas de los Andes Centrales cultivan y consumen la papa como alimento principal, casi sin excepción.

Se puede pensar que en los Andes Centrales se ha venido desarrollando el cultivo y utilización de los tubérculos, como la papa, en más alto nivel que en ninguna otra región del mundo. Es posible creer que el cultivo y utilización de los tubérculos han desempeñado un gran papel en el estabelcimiento y desarrollo de la sociedad en los Andes Centrales, pese a que existe por otro lado una teoría que afirma que; "cualquiera de las civilizaciones principales del mundo no habría nacido sin contar como base con alguna clase de cereales" (Baker 1970: 8, Heiser 1973: 11–12).

Este trabajo tiene como objeto revisar la base del desarrollo de la utilización de la papa en los Andes Centrales. Tratará como tópicos los medios ambientales, técnicas de procesamiento, sistemas de cultivo, herramientas, etc. que son considerados los más importantes entre los factores que habrían permitido dicho desarrollo, procurando hacer una revisión de la relación entre esos factores y el proceso de la utilización de la papa. Además, se tratará de revisar de las características ecológico-culturales de los Andes Centrales.

2. PUNA Y PAPA

(1) *Puna: Un ambiente no productivo*

Según los estudios botánicos, la zona donde se domesticó la papa fue la región alrededor del Lago Titicaca (p.e. Simmonds 1976, Hawkes 1978). Dicha región se ubica, según la clasificación autóctona de los habitantes andinos, en la zona de *puna*. Esta zona se sitúa en las alturas que abarcan aproximadamente desde los 3,600 mts. hasta los 4,300 mts.

sobre el nivel del mar (Custred 1977); es actualmente también la zona principal de los Andes en que se cultiva la papa. También es una región donde se observa ampliamente el cultivo tradicional de la papa, que se vincula con la crianza de los ganados originarios de los Andes, como la llama y la alpaca. Verémos primeramente las características de los ambientes de la zona de *puna*, ya que se considera que los mismos influyen notablemente no sólo en el cultivo de la papa sino también en la vida cotidiana de los seres humanos, lo que se discribirá más adelante.

En primer lugar, se debe indicar que la *puna* se encuentra cerca del ecuador, es decir, en una región alta dentro de la zona tropical, ésta es la condición que permitió la radicación de seres humanos y cultivos vegetales en la *puna* que se encuentra en una altura que, si se situara en zonas lejanas al ecuador sería absolutamente imposible. Realmente es una zona donde, desde la época remota hasta la actualidad, se han radicado seres humanos, registrando mucha población también en la actualidad (Dollfus 1982). Se observa similares alturas en el Himalaya y los Alpes, pero no se registra mucha población en dichas zonas. Una de las grandes razones de esta diferencia radica en que áquella se encuentra en la zona tropical, mientras que éstas están en la zona templada. Quiere decir que la *puna* se encuentra en la zona tropical donde se registra poca variación de la temperatura durante todo el año, siendo relativamente alta la temperatura a pesar de encontrarse en las alturas. En cambio, el Himalaya y los Alpes se encuentra en las alturas de la zona templada, por lo que se registra marcada fluctuación de la temperatura según las estaciones y, especialmente, el frío de la época de invierno dificulta la radicación de seres humanos (Rhoads and Thompson 1975).

Sin embargo, no todos los Andes tropicales son *punas*. Las regiones que tienen características peculiares de la *puna* se limitan a las partes altas andinas que abarcan desde el Centro y Sur del Perú hasta el Centro de Bolivia. La Figura 1 indica la sección de los Andes tropicales. Como se aprecia en la misma, las alturas de los Andes tropicales bajan notablemente en el Norte del Perú. Según el geógrafo, Troll (1968), se puede dividir los Andes tropicales en "Andes de Paramo" y "Andes de Puna", limitando ambas zonas en cuanto comienza a bajar la altura considerable-

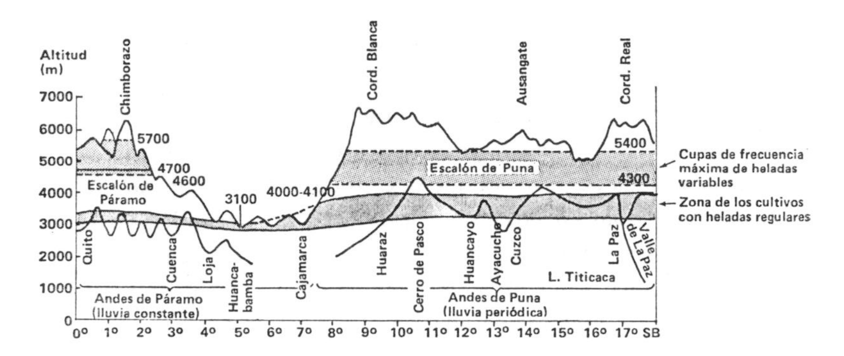

Fig. 1 La distribución de los climas con heladas de los Andes tropicales, en relación con el límite superior de la agricultura y con la región de nieves perpetuas (Troll 1968).

mente. Los Andes de Paramo se encuentran en las regiones andinas a partir del Norte del Ecuador, y no sólo se encuetran situados en zonas bajas en relación a los Andes de Puna, sino también se observan grandes diferencias, por ejemplo, en la temperatura. Como se expresó anteriormente, tanto el *páramo* como la *puna* se encuentran en los Andes tropicales, por lo que se observa poca variación en la temperatura ambiental durante todo el año.

Sin embargo, en la *puna* se registra marcada fluctuación de la temperatura entre el día y la noche, siendo más notable la tendencia en el tiempo seco. En consecuencia, en el tiempo seco, en la mayor parte de la *puna* se registra la caída de escarcha y hasta se observa el conjelamiento de la tierra. En cuanto a la cantidad de precipitación pluvial, en el *páramo* se registran lluvias constantes durante todo el año, por lo que las tierras se convierten en más húmedas en relación a las de la *puna*. En cambio, la *puna* se encuentra cubierta de vegetaciones en el tiempo de lluvia, mientras que en el tiempo seco las vegetaciones se vuelven secas y cambian al color pardo, de tal manera que se observan paisajes diferentes según los tiempos.

Las regiones típicas con estas características de la *puna* se observan más ampliamente en los alrededores del Lago Titicaca. Los Andes tienen mayor altura y anchura en esta zona, formando un gran altiplano cuya altura llega a 4,000 mts. aproximadamente sobre el nivel del mar. Este altiplano comienza a partir del sur del Perú y llega hasta el Norte de Argentina, registrando notable sequedad a partir del Çentro de Bolivia donde cambian las caractrísticas de la *puna*. Hacia el norte de los Andes, la zona de *puna* desaparece en el norte del Perú donde baja la altura, como se meniconó anteriormente.

Es evidente que las condiciones climáticas anteriormente señaladas tienen mucha influencia en los ambientes naturales de la *puna*. En especial, bajas temperaturas, tiemop seco de larga duración, marcada fluctuación de la temperatura de este tiempo seco, que afecta a los recursos naturales como tierras, flora, fauna, etc. Realmente, en la *puna* no hay tierras de alta productividad y es un ambiente sumamente frágil (Guillet 1983, Brooke and Winterhalder 1976), puesto que bajas temperaturas y la fluctuación aguda de la misma durante el día originan malas condiciones biológica y química para la fertilidad y mantenimiento de la tierra. Además, las lluvias que se precipitan durante unos meses seguidos erosionan el suelo, siendo una causa del desprendimiento de tierras en las laderas.

(2) *Papa: Un cultivo de alta productividad*

Lo que contribuyó grandemente a maximizar la posibilidad de la *puna*, cuya productividad no es nada alta, es la domesticación de muchos productos agrícolas y animales, aparte de las técnicas y costumbres sociales. Entre los muchos productos agrícolas que se cultivaban en los Andes Centrales, el que más influyó en la sociedad de las alturas de los Andes fue la papa. Como se indicó anteriormente, se considera que la papa fue un factor básico para la radicación de seres humanos en las alturas de los Andes, y aún más, la papa contribuyó considerablemente a la utilización y desarrollo de los ambientes naturales de la *puna* que ofrecen baja productividad para otros cultivos.

La alta capacidad de adaptación de la papa a ambientes y, en especial, su característica de resistencia a las heladas, así como su alta produc-

Foto 1. La papa es casi el único cultivo que se encuentra en el límite superior de la agricultura en los Andes Centrales (Marcapata, Cuzco).

tividad son los factores que permitieron su cultivo en la *puna*[1]. Primero, su alta capacidad de adaptación a ambientes diferentes es esclarecida si se compara con la del maíz que, es otro producto principal. El maíz requiere abundante luz solar, alta temperatura y agua para su crecimiento, por lo que se le cultiva mayormente en la región relativamente baja de los Andes, zona *quechua* y zonas más bajas. Además, muchas veces se requiere irrigaciones para su cultivo. En cambio, la papa es cultivada en la *puna*, y generalmente sin irrigarse.

Lo que se debe destacar entre estas capacidades de adaptación a ambientes es su excelente resistencia a las heladas, lo que hace que la papa pueda ser cultivada en muchos lugares donde otros productos no pueden ser cultivados por el frío y la escarcha. En efecto, el límite superior de la agricultura en los Andes Centrales que comprenden el Perú y Bolivia asciende en la actualidad a 4,300 mts. sobre el nivel del mar y casi el único producto que se cultiva en esta zona de altura es la papa (Foto 1).

Cuadro 1. Los diez cultivos alimenticios con mayor valor de producción por hectárea en los países en vía de desarrollo (Horton 1987).

Cultivo (Nmobre científico)	Materia seca (t/ha)	Energía utilizable (10 cal/ha)	Proteína digerible (kg/ha)
Papa (*Solanum tuberosum*)	2.3	7.1	196
Maní con cáscara (*Arachis hypogaea*)	0.9	4.1	190
Camote (*Ipomoea batatas*)	4.0	12.6	187
Ñame (*Dioscolea* spp.)	2.6	8.4	175
Repollo (*Brassica* sp.)	1.3	3.2	175
Tomate (*Lycoperisicum esculentum*)	1.1	3.1	157
Arroz (*Oryza sativa*)	2.6	7.1	130
Taro (*Colocasia* spp.)	1.2	3.7	72
Platano (*Musa paradisiaca*)	1.5	3.9	36
Yuca (*Manihot esculenta*)	3.4	7.3	32

Esta excelente capacidad de adaptación al frío es demostrada no sólo en la verticalidad sino también en la horizontalidad. Se puede mencionar, como ejemplo, antes de conquista ya se cultivaba la papa en la parte norte de Chile y en la isla de Chiloé, etc., lugares frígidos lejanos al ecuador (Salaman 1985: 49). Asimismo, se informa que en el norte, ya se cultivaba la papa en el siglo XVI en las partes altas de Santa Marta de las Costas Caribeñas (Hawkes 1967: 219). Se debe indicar que la papa tenía denominaciónes totalmente diferentes según los lugares, lo que permite creer que probablemente su cultivo fue expandido en todas las regiones andinas en epocas antiguas (Hawkes 1978). Es posible considerar que la amplia difusión del cultivo pone en evidencia la capacidad de adaptación de la papa a distintos ambientes.

Sin embargo, esta amplia y temprana difusión del cultivo de la papa no solamente se debe a su excelente capacidad de adaptación a ambientes naturales diferentes, sino también se debería a su alta productividad, puesto que ésta puede ser consideradas una de las más altas entre los productos cultivados actualmente en los países en vía de desarrollo (ver Cuadro 1). Esto indica que la papa es un excelente producto que sirve como fuente de energía. En realidad, la papa es un producto de productividad sumamente alta desde el punto de vista nutritivo. Los tubér-

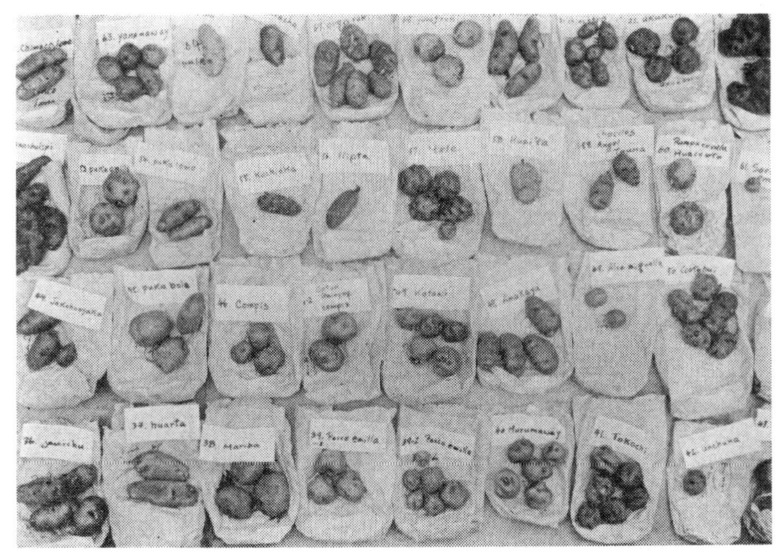

Foto 2. En las partes altas de los Andes Centrales se cultivan muchas variedades de la papa. Esta es una parte de las variedades cultivadas en una comunidadd de Marcapata, Cuzco.

culos son considerados, con frecuencia, menos nutritivos que los cereales, pero si se fija la cantidad de producción de proteína comestible por unidad de área, el valor nutritivo de la papa es más alto que los cereales, como el arroz (Horton 1987). De todos modos, estas características de la papa permitieron que se produjera la papa en la *puna* que es un ambiente no productivo y, sobre todo, su capacidad de soportar el frío se convirtió en un factor importante para elevar en los Andes el tope del límite de agricultura.

No obstante, la papa es una planta de cultivo, las características convenientes a los seres humanos no han sido dadas por la naturaleza, sino por su domesticación y mejoramiento. Por ejemplo, las amplias capacidades de adaptación de la papa a ambientes naturales se deben a la existencia de muchas variedades. En realidad, existen en cada región de los Andes una gran variedad de papas y se estima que dicha cantidad asciende a 2,000–3,000 variedades en total (Brush et al. 1981: 71). No

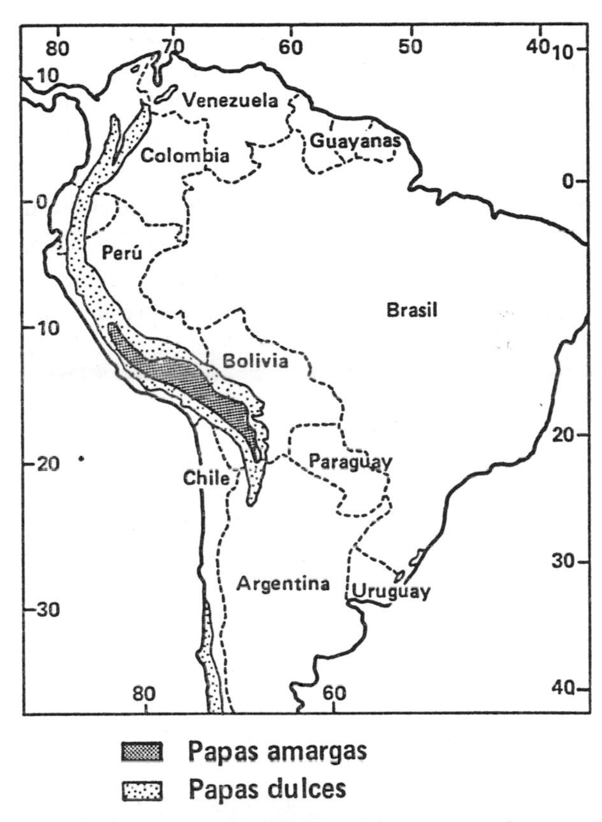

Fig. 2. Distribución del área cultivada de las papas dulces y amargas, en América del Sur (basado en Hawkes, 1978).

es nada raro que aun en regiones limitadas, o algunas comunidades, se cultiven unas cien variedades, y cada una de éstas posee diferentes particularidades ante los ambientes naturales y enfermedades, lo que permite ampliar la posibilidad de area de su cultivo (Foto 2).

La alta variabilidad de papas se debe tambien a la existencia de la poliploidía. Es decir, las papas culitivadas en los Andes comprenden en varios niveles de ploidías desde diploide, hasta triploide, tetraploide, pentaploide. Además, a cada una de esas ploides se le han domesticado varias especies, que son *S. ajanhuiri*, *S. phureja*, *S. goniocalyx*, *S. stenotomum* de diploide, *S. juzepczukii* y *S. chauca* de triploide, *S. tuberosum* de tetrapolide, y *S. curtilobum* de pentapolide, y que consituye en conjunto una gran variedad de cada especie. Las regiones donde más especies, con sus variedades, se concentran son las comprendidas desde el centro del Perú hasta el norte de Bolivia y en esas regiones se cultivan las especies desde la diploide hasta la pentaploide (p.ej. Hawkes 1978, Simmonds 1976). El limite superior de agricultura en dichas regiones es el más alto de los Andes, lo cual se debe a que existen las papas amargas de triploide y pentaploide que poseen la excelente resistencia a las heladas (ver Fig. 1 y 2).

(*3*) *Puna y domesticación de la papa*

La existencia del tiempo de lluvias y el tiempo seco así como la marcada fluctuación de temperaturas entre el día y la noche son los factores que limitan productividad de la *puna*, como se indicó anteriormente. Sin embargo, se considera que estas características que posee la *puna* favorecieron la domesticación de tubérculos tales como la papa, oca, olluco, etc.: La existencia del tiempo seco que dura unos meses es sumamente inconveniente para el crecimiento de plantas bajo condiciones naturales. Las plantas con posibildades de crecer bajo esas condiciones desfavorables son solamente las que tienen, sobre todo, los mecanismos de soportar la sequedad, y el tubérculo puede ser considerado como una modalidad de adaptar la sequedad. Esto se debe a que el tubérculo es un orgáno que mantiene los elementos nutritivos para soportar el tiempo seco que es desfavorable para el crecimiento de la planta. Además, se conocen que la marcada fluctuación de temperatura ambiental entre el día y la noche fomenta también la formación del tubérculo. En efecto, en la *puna* se aprecian muchas plantas de tubérculos y las especies silvestres de la *papa* se concentran justamente allí (Hawkes 1978).

Antes del comienzo de la agricultura, se puede deducir que las plantas que forman tubérculos habrían llamado la atención de los antiguos cazadores-recolectores en los Andes. Es posible estimar que la flora restringuida de la *puna*. Solamente los tubérculos tenían el potencial de convertirse en alimentos pricipales. Además, se puede pensar que los tubérculos, como indica el geógrafo, Sauer (1952), serían plantas muy fáciles de utilizar para los antiguos cazadores-recolectores. En comparación con las plantas cuyo grano se emplea, el período de cosecha de los tubérculos es más extenso y son menos afectados por pajaros y animales, por lo que podrían haber sido una fuente de comestibles de alta estabilidad. En realidad, los arqueólogos indican también la importancia de los tubérculos, especialmente de la papa, como fuente de comestibles para los antiguos cazadores-recolectores en las partes altas de los Andes (Jensen and Kautz 1974; Lynch 1971, 1973).

Así se considera que se inició la domesticación de las especies silvestres de la papa que llamaron la atención como comestibles por la población en aquél tiempo. En torno al primer paso de la domesticación, el botánico, Ugent (1970: 1161–1166) dice lo siguiente:

> "The accidental or deliberate introduction of the tubers of two or more wild species of potato to the campsite of early man may have been the first step toward the development of a primitive cultigens."

Sin embargo, se puede estimar que probablemente existieron otras etapas importantes anteriores a ésa. Se supone que, en forma diferente a los cereales, la domesticación tanto de la papa, como de los tubérculos en general, produjo muchas dificultades en su utilización, porque muchas de las especies silvestres de tubérculos contienen sustantcias amargas o toxicas, y las especies silvestres de la papa no son la excepción. Según Simmonds (1976: 280), todas las especies silvestres de la papa son amargas, por lo que el primer paso para su domesticación era seleccionar las especies que contienen menos sustancias amargas.[2]

Lo amargo de la papa es *glycoalkaloides*, sustancia toxica que puede causar la muerte cuando se come las especies que contienen alta concentración de la misma (Woolf 1987: 163). Además, las especies silvestres de papa cuyos tubérculos contienen bastante cantidad de dicha sustantcia (Gregory 1984). Esta sustancia es soluble en agua, pero estable en el calor (Woolf 1987: 186), por lo que la cocción no actúa en forma efectiva para contrarrestar el efecto del veneno. Es posible pensar, en consecuencia, que para la utilización de las especies silvestres de la papa era necesaria alguna manera de contrarrestar el veneno distinta de la cocción.

En verdad, ¿habría existido alguna manera de contrarrestar el efecto de veneno en los Andes en aquél entonces? No existe ninguna prueba arqueológica que explique este punto. Pero, valdría la pena consideradas que, en realidad, en la *puna* ha sido desarrollada una alta cantidad de técnicas de procesamiento de los tubérculos, la mayoría de las cuales utilizan las condiciones peculiares ambientales y no tienen el proceso de cocción. Se considera que el desarrollo y utilización de estas técnicas de procesamiento desempeñó un papel sumamente importante en el desarrollo y progreso posterior de los Andes Centrales, por lo que en el siguiente capítulo se revisarán dichas técnicas junto con su vinculación con la domesticación de la papa.

3. CHUÑO, MORAYA Y TOQOSH

Desde la época remota existe una técnica especial de procesamiento de la papa en las partes altas de los Andes que comprenden desde el Sur del Perú hacia el Norte de Bolivia. Se puede encontrar, por ejemplo, las descripciones sobre ellas por los cronistas de los siglos XVI y XVII. Entre ellos, el Inca Garcilaso de la Vega (1609) dice lo siguiente:

> "En toda la pronvincia, llamada Colla, en más de ciento y cincuenta leguas de largo, por ser la tierra muy fría, no se da el maíz: cógnese mucha quinua, que es como Arroz y otras semillas y Legumbres, que fructficaban debajo de la tierra y entrellas ay una, que llaman Papa, es redonda, y muy humida, y por su mucha humidad, dispuesta a corromperse presto. Para preservarla de la de la corrupción, la echan en el suelo sobre paja, que la ay en aquellos campos muy buena; déjanla muchas noches al yelo, que en todo el Año yela en aquella Provincia rigurosamente; y después que el yelo la tiene pasada como si la cocieran; la cubren con paja; y la pisan con tiento, y blandura, para que despiche la aquosidad que de suyo tiene la Papa y la que el yelo le ha causado, y después de averla bien exprimido, la ponen al sol y la guardan del Sereno hasta que esté del todo enjunta. Desta manera preparada se conserva la Papa mucho

Foto 3. Las condiciones climáticas de la *puna* hacen que las papas extendidas al aire libre se conviertan en tal estado que al ser apretadas con los dedos emana el agua.

tiempo y trueca su nombre y se llama chuñu: asi pasavan toda la que se cogía en las tierras del Sol y del Inca, y la guardaban en los Positos con las demás Legumbres y Semillas".

La técnica de procesamiento arriba citada se considera casi igual a la que se emplea actualmente en los Andes. En la actualidad también, en los meses de junio y julio, se puede apreciar las papas extendidas al aire libre en varios lugares de la *puna*. Como se mencionó anteriormente, la temperatura ambiental de la *puna* fluctúa muy notablemente entre el día y la noche, y las papas extendidas al aire libre son congeladas durante la noche y descongeladas durante el día. Al repetirse este proceso durante unos días, las papas llegan a ser como si fueran esponjas con agua, de modo que solo al apretarlas con los dedos el agua empieza chorrear (Foto 3). Luego de efectuar el pisado de las papas en tal estado para eliminar el agua contenida, se las deja nuevamente al aire libre para su secado.

En la *puna*, los meses de junio y julio son un tiempo sumamente seco, sin registrarse casi ningugna precipitación pluvial, por lo cual las papas se desecan en unos días, volviendose pequeñas y con poco peso como si fueran corchos. Estas son denominadas *chuños*.

Esta es una técnica de procesamiento en la que se aprovecha bien las condiciones ambientales de la *puna* y no se requiere ningún tipo de combustible ni herramientas. Además, como indicó el Garcilazo de la Vega, la papa es un producto fácil de malograrse por contener mucha agua, lo que dificulta su almacenamiento en su estado original. En cambio, una vez procesada en *chuño*, además de ser posible su almacenamiento durante el largo tiempo, su tamaño pequeño y peso ligero facilita el transporte, lo que hace que sirva como objeto de intercambio.

Tal como se ha visto, la técnica de procesamiento del chuño es sumamente peculiar y, además, tiene la ventaja de ser comestible conservable. Sería por eso que existen varios trabajos posteriores a los de los cronistas en los que los geógrafos, botánicos, antrolopólogos se refieren a este chuño. Además, como dice el geógrafo, Troll (1968: 33), existe la teoría de que si no hubiera sido desarrollado la técnica de almacenamiento de los tubérculos, como es el caso del *chuño*, no habrían nacido las civilizaciones Tiahuanacu e Inca.

Sin embargo, estas informaciones dan tanta importancia a las funciones de almacenamiento por largo tiempo y tienden a dejar pasar inadvertida otra función importante. Es que esta técnica de procesamiento del *chuño* tiene la función de eliminar la sustancia amarga, aparte de la función de almacenamiento en forma desecada (Yamamoto 1976, 1982b). Además, lo que falta en muchas de las informaciones existentes es que existen muchas variedades en la técnica de procesamiento del *chuño* (Mamani 1978, Yamamoto 1982b). La técnica que se indicó anteriormente es la más popular, pero existen las formas más simples y aun más complicadas que aquella.

La Figura 3 señala las formas de procesamiento de la papa observadas en el Perú y Bolivia, así como las regiones principales en las que se aplican dichas técnicas. Entre las técnicas indicadas, solo en la forma de preparar la "papa seca", que es obtenida mediante el secado de la papa después de

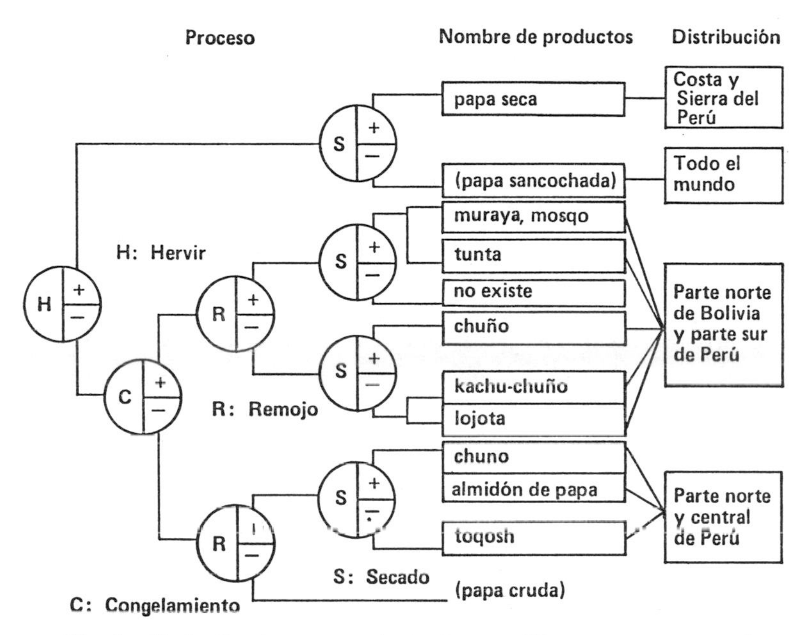

Fig. 3. Variación de procesamiento de papa (Yamamoto; en prenta).

ser sancochada no se reconoce ningún punto en común con las demás. Además, esta forma es casi nunca conocida en las partes del Sur del Perú y Bolivia, lo que hace pensar que posiblemente esa forma de procesamiento no es original de esa región de los Andes (Yamamoto 1982b).

Por otro lado, todos los productos procesados con excepción de la "papa seca" son obtenidos con la utilización de las peculiaridades del ambiente natural y son considerados como variaciones del *chuño*. Esto es, se considera que la forma más simple venía desarrollandose de acuerdo a las clases de la papa y a diferentes ambientes naturales de cada región hasta obtener tales variaciones.

La forma más simple entre todas las formas de procesamiento es la de preparar *lojota* o *kachu-chuño*. Verémos, especialmente, la forma de elaboración del *kachu-chuño* que hay la posibilidad de haber sido usada para contrarrestar el efecto del veneno de las especies silvestres que se indicó anteriormente. Según mis observaciones en Perú y Bolivia, la papa que se emplea para ello es generalmente muy pequeña, siendo utilizada con frecuencia de un tamaño como un dedo pulgar. Primero, se extienden al aire libre las papas con dicha característica, al igual que en el caso del *chuño*. El tiempo del extendido es generalmente solo un día. Las papas extendidas al aire libre se vuelven tan blandas al mediodía del día siguiente que el agua de la papa emana solo al apretarse la papa: la papa usada para ésto es muchuo más chica que para el *chuño* y por ello solo un día es suficiente para su congelación y descongelación. Para consumirlas, se cocinan las papas en este estado luego de exprimirlas.

Lo interesante para mis obervaciones es que a veces se utilizan para ello las papas amargas. Igualmente, según Mamani (1978), las papas amargas son usadas para la preparación del *kachu-chuño* en Bolivia. Como se señaló anteriormente, la sustancia amarga de la papa es estable en el calor, pero es soluble en agua y se estima que puede ser eliminada casi la totalidad de la sustancia venenosa al exprimir la acuosidad. Lo que se debe recordar ahora es que las papas de especies slivestres tienen tubérculos chicos y contienen sustancia amarga. Esto permite pensar que la forma de preparación del *kachu-chuño* posibilita la contrarrestación del efecto del veneno.[3] Además, esta forma no requiere tantas condiciones como el caso del *chuño*. Quiere decir que para preparar el *kachu-chuño* es indispensable contar con la condición de que las temperaturas fluctúen marcadamente en un día y cuya temperatura mínima llegue debajo del punto de congelamiento, pero como se usan las papas de tamaño pequeño, no se requiere la temperatura mínima tan baja como en el caso del *chuño*. Basta que tal condición siga por uno o dos días. Además, no es indispensable la baja humedad porque no cuenta con el proceso de secado.

Por consiguiente, el tiempo disponible para procesar el *kachu-chuño* es más largo en el año que el caso del *chuño*, siendo probablemente desde marzo hasta octubre. Se supone que su preparación es posible en los lugares cuya altura llega a aproximádamente 3,000 mts. sobre el nivel del mar o más, y en tiempo de fuerte frío. Es posible procesar el *kachu-chuño* en cualquier momento del tiempo seco que es la época de cosecha de esos tubérculos.

El *chuño*, se obtienen añadiendo el proceso de secado al de *kachu-chuño;* se considera que su método de procesamiento cumple mejor la función de quitar la sustancia amarga, por seguir el proceso de exprimido por el pisado, etc. Se observan, en verdad, algunos casos en que el método de preparación del *chuño* se aplica con la finalidad de desecar y almacenar la papa, así como de eliminar su sustancaia amarga, porque la papa amarga llamada *ruk'i* es cometible solo después de haberse convertido en *chuño*.

En los Andes Centrales, como se indicó anteriormente, se cultiva la papa amarga que no siendo la especie silvestre, contiene sustancia amarga y no es comestible aun después de ser cocinada. Esta sustancia amarga es *glycoalkaloide*, sustancia toxica anterioremente indicada, la que no puede ser eliminada por la cocción. Pese a ello, se cultiva este tipo de papa porque posee una capacidad excelente de soportar el frío. Esta papa amarga es casi el único producto que se cultiva en los alrededores del limite superior de agricultura como se explicó anteriormente.

Esta papa amarga consiste en dos especies: *S. juzeptczukii* y *S. curtilobum*. La especie, *S. juzepczukii* produce tubérculo relativamente chico, en cambio, la especie *S. curtilobum* tiene su tubérculo un tamaño relativamente grande. En consecuencia, la papa amarga grande no es aplicable como materia del *chuño*, porque el tubérculo grande dificulta seguir los procesos de congelado y descongelado en forma suficiente. Es por eso que se emplea el método en el que se agrega a los procesos de preparación del *chuño* el proceso de sumerción en agua. Quiere decir que luego de haber seguido los procesos de congelado, descongelado y exprimido, se expone las papas al agua corriente durante dos o tres semanas. El producto obtenido por este método es conocido como *moraya* en quechua y como *tunta* en aymara. Como se señaló anteriormente, la sustancia amarga es soluble en agua, y se estima que casi la totalidad de la misma es lavada por el agua corriente. Según Cristiansen (1977), con este proceso es posible reducir la sustancia toxica (30 mg/100 g) de la papa amarga a una cantidad permitible (5 mg/100 g) para ser consumida como alimento.

No obstante, en los alrededores de las partes altas del Centro peruano la papa amarga denominada *siri* es procesada en una forma algo diferente a la arriba mencionada. Es decir; durante un largo tiempo se remoja las papas en agua sin seguir los procesos de congelado y descongelado, para fermentarlas. El producto obtenido de esta forma es denominado *toqosh*, siendo comestible luego de cocinado o hervido a vapor. Es posible considerar que éste es el producto obtenido del método de elaboración de *tunta* abreviandose de éste los procesos de congelado y descongelado. Es por eso que se puede considerar que la forma de procesar el *toqosh* es una variación de *tunta* que fue dasarrollada en las regiones donde el frío no es suficiente para elaborar la *tunta* (Yamamoto 1982b). Tal como se acaba de ver, si se incluye hasta el procesamiento de *toqosh*, el procesamiento de *chuño* no solo se observa en la *puna*. Pese a ello, sin embargo, estas formas de elaboración no son observadas en el Norte del Perú. Igualmente, tampoco se las conoce en las partes altas de Ecuador.

De todos modos, las técnicas de elaboración del *chuño* y sus variaciones tienen también la función de eliminar la sustancia amarga y sin esa función no habría sido posible la utilización de papas amargas cuya capacidad de soportar el frío es excelente.

4. CHQUITACLLA Y AUQUENIDO

(1) *Descanso y auquenido*

La papa domesticada en los alrededores del Lago Titicaca se difundía, como se señaló anteriormente, ampliamente en la época incaica en las regiones de la sierra andina que comprende desde la actual Colombia y hasta el sur de Chile. La razón por la cual su difusión se limitaba a la sierra es que la papa es el cultivo apropiado para lugares frígidos. Actualmente también el cultivo de la papa en la forma tradicional se encuentra concentrado en lugares frígidos. En los Andes Centrales el limite superior del mismo llega hasta los 4,300 mt. sobe el nivel del mar, no bajando su límite bajo a menos de 3,000 mts.

Es dificil cultivar la papa fuera de la zona frígida y/o templada, lo cual se deba a sus peculiaridades fisiológicas y ecológicas así como a las enfermedades que contraen. La papa es una planta muy susceptible a enfermedades, debido a que cuánto más alta sea la temperatura, los peligros aumentan. Las enfermedades de la papa aparecen aun en las alturas, y la más severa en esas zonas es causada por una especie de nematodos. Son plagas tan consistentes en algunas de las principales zonas del cultivo de papa que causan una reducción considerable en el rendimiento.

No obstante, la técnica de cultivo especial es uno de los factores que ha permitido el cultivo de papa hasta la actualidad. Se trata de la técnica en la que se deja descansar la tierra al menos unos años después de la cosecha. Según Hokker (1981: 96), para asegurar la cosecha de la papa, cuando se presenta alta densidad del nematodo, se requiere una rotación de tierra por cada cinco años. Parece que los agricultores de los Andes conocían por experiencia este método de eliminación de plagas.

Se puede observar como un ejemplo típico el distrito de Marcapata del departamento del Cusco que está situado en la vertiente oriental de los Andes (Yamamoto 1981b, 1982a). En dicha zona se observan superficies cultivadas de la papa en forma continua desde la altura de 3,000 mts. hasta 4,200 mts. sobre el nivel del mar; la zona se divide en cuatro chacras comunales, que son de *maway*, *chaupi-maway*, *puna* y *ruk'i* en orden de la más baja hasta la más alta. Cada chacra es dividida por lo menos en cinco y anualmente solo una de esas parcelas es ultilizada exclusivamente para el cultivo de la papa, y a la que después de la cosecha se le deja descansar durante cuatro años.

Igualmente, en otras zonas se observa el cultivo de la papa combinado con otros pruductos como quinua, trigo, tubérculos, etc., pero en casi todos los casos se cultiva la papa en el primer año y se deja descansar la tierra durante unos años posteriores (Mayer 1981, Franco *et al.* 1983 Orlove y Gody 1986).

Se conoce que el efecto del sistema de barbechado no solo limita la eliminación de plagas, sino sirve también para el mantenimiento y recuperación de la fuerza del terreno. Por ejemplo, las malas hierbas que crecen durante el tiempo de barbechado cubren la superficie del terreno, evitando la erosión de la tierra. Asimismo, esas malas hierbas sirven como pasto, por lo que se pastan los ganados en las chacras que se encuentran en descanso, resultando que sus excrementos sirven como fertili-

Cuadro 2. Análisis del suelo de las chacras en descanso en Marcapata, Cusco, Perú.*

Elemento nutritivo del suelo	Nivel promedio de crecimiento de la papa	Parcelas en descanso			
		Año			
		1°	2°	3°	4°
pH	5.0–6.8	4.0	4.0	4.1	4.0
NO_3N (mg/100 g)	9.0	7.0	2.0	2.0	9.0
P_2O_5 (mg/100 g)	17.0	10.0	2.0	2.5	0.5
K_2O (mg/100 g)	12.0	0.0	0.0	0.0	1.5

* El análysis se realizó en cuatro parcelas de la chacra comunal de *puna*.

zantes.

No obstante, el pastoreo de ganados en la chacra en descanso y una prórroga del tiempo de descanso no son suficientes para la recuperación de los elementos nutritivos de la tierra requeridos para el cultivo de la papa luego de su descanso. Por ejemplo, de acuerdo al resultado de mis estudios de la tierra en descanso realizados en el distrito de Marcapata, no se reconoce cambio notable en los elementos nutritivos de la tierra por su descanso. Igualmente los estudios demuestran la falta de todos los elementos fertilizantes necesarios para el cultivo de la papa (ver Cuadro 2). Por lo tanto, se requiere alimentar la tierra con fertilizantes para volver a cultivar la papa aun en un terreno que ha sido dejado en descanso.

Parece, sin embargo, que lo arriba expuesto depende de la altura. Verémos el caso de Marcapata, situado en la vertiente oriental de los Andes, y en las zonas relativamente bajas de altura, se registran alta temperatura y cantidad de precipitación pluvial, lo que hace que crezcan en el terreno en descanso no sólo malas hierbas sino también arbustos o árboles. Normalmente a estos arbustos o árboles se quema para obtener cenizas que se utilizan como único fertilizante para el cultivo de la papa. Por otro lado, en la época seca de larga duración y con temperaturas bajas, la *puna* no facilita el crecimiento de tantos vegetales como para conseguir una alta cantidad de cenizas aun en un terreno que se ha encontrado en descanso durante varios años.

Por lo arriba expuesto, para el cultivo de la papa, especialmente, en la *puna* se requieren el excremento del ganado como fertilizantes agrícolas. En muchos casos se usan las heces de llamas, alpacas y ovejas, y los agricultores de la zona creen que el excremento de ovejas es más efectivo como fertilizante. Pero, generalmente, se emplea combinando toda la clase del aplicando al mismo tiempo o algunas semanas después de la siembra del tubérculo.

Además, en el cultivo rotativo de la papa combinando con otros cultivos, casi siempre se fertilizan solo al primer año del terreno que corresponde al cultivo de la papa.[4] Esto también indicaría que heces de ganados son indispensable para el cultivo de la papa.

(2) *Llama, alpaca y papa*

Winterhalder et al. (1974) esclarecieron la efectividad de los excrementos del ganado como fertilizantes en el cultivo de papa. El análisis efecatuado por ellos de los excrementos comprobó que las heces de ovejas son más efectivas como fertilizantes en relación con las de llamas y alpacas, como creen los agricultores de los Andes. Debe ser uno de los conocimientos adquiridos por experiencia y, a la vez, esto demuestra cuánto interés han tenido los agricultores en la función de los excrementos como fertilizantes agrícolas.

La efectividad de las heces secas de llamas y alpacas como fertilizante es bastante inferior tanto al guano de Isla como a los fertilizantes químicos (Antúnez de Mayolo 1982). Podría ser por eso que en la época incaica se empleaban el guano de Isla para el cultivo del maíz, producto prestigioso de aquella época, mientras que se usaban el estiércol de ganado para el cultivo de la papa, producto que se consumía en las comidas cotidianas. De todos modos, también en Marcapata se necesita una gran cantidad de los excrementos de llama y alpaca mezclados con los de oveja para el cultivo de la papa. Normalmente se dan diez sacos de excremento para abonar un saco de semilla de tubérculo, pero a veces se requiere el doble (Foto 4).

¿Cuándo se habría inicado el cultivo de la papa con la aplicación de las heces secas de llamas y alpacas como fertilizantes? ?En qué zona se efectua este sistema de fertilización? Existen muy pocas informaciones

Foto 4. Las heces de los ganados son empleadas en cantidad para fertilizar el cultivo de la papa.

al respecto, pero se puede hallar este sistema de fertilización en las descripciones de los Cronistas como el Garcilao de la Vega, Morúa, Guaman Poma, etc., pudiéndose considerar que evidentemente el sistema existía en la época incaica. Al respecto, Antúnez de Mayoro (1982: 102), quien efectuó el estudio en torno a los fertilizantes agrícolas en el antiguo Perú, dice lo siguiente:

> "Los cuarenticinco millones de equivalentes [excrementos] a llama (100 kg. c/u) debieron existir en el siglo XVI, proporcionarían como quince millones de toneladas de heces secas por año. Parte de estos elementos coprozoicos debió ser utilizada como combustible, pero la mayor parte fue empleada en la fertilización. Facilitó el empleo el hábito de los camelidos andinos de defecar en lugares conocidos, facilitó su recollección y utilización como combutible o fertilizante."

El hábito de defecar en lugares conocidos, citado arriba, es una particularidad que poseen las llamas y alpacas (Franklin; 1982). Este

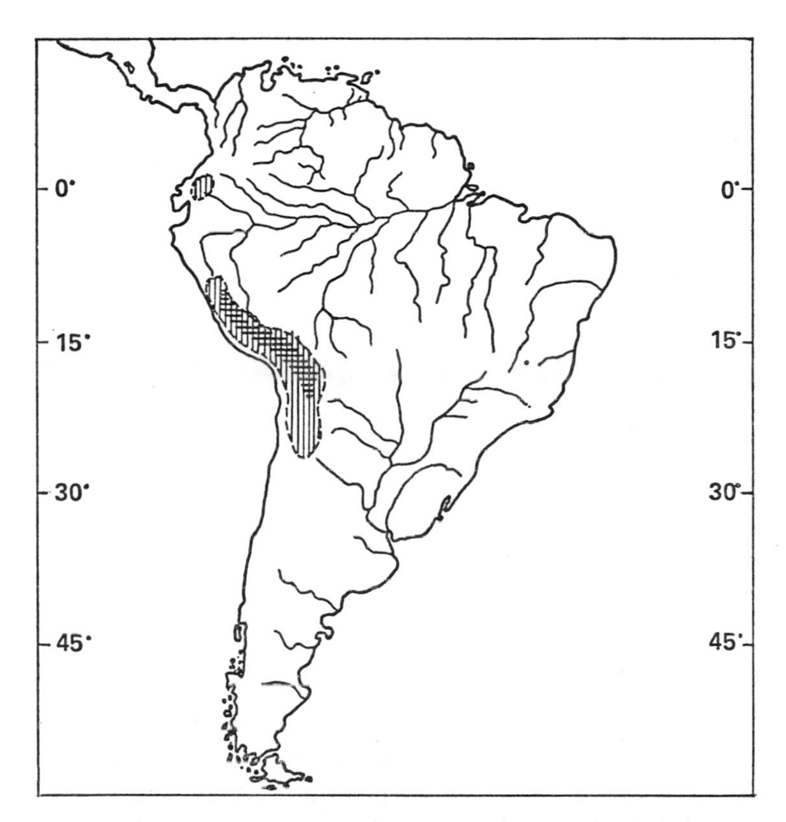

Fig. 4. Distribución geográfica de la alpaca (línea horizontal) y la llama (línea vertical). (Gilmore 1950).

hábito de llamas y alpacas debe haber facilitado el empleo de sus excrementos como fertilizantes, tal como señalaron Antúnez de Mayoro y Orlove (1977: 93). Además, si se toma en consideración que casi coincidían la zona del pastoreo de llamas y alpacas con la del cultivo de papa (Fig. 4), es posible pensar que el inicio del referido sistema de fertilizaciónes remonta a mucho más antes que la época incaica.

En efecto, existen varios trabajos que indican la estrecha vinculación de la crianza de llamas y alpacas con el cultivo de la papa, siendo un antiguo sistema de tecnología (Lumbreras 1967, Jensen and Kautz 1974, Guillet 1981 a, b, Onuki 1985). En este aspecto Orlove (1977) también se refiere a la fuerte vinculación de los ganados con la agricutura (especialmente, del cultivo de la papa) en el distrito de Espinar del Departamento del Cuzco. Al respecto dice:

> "the two zones (the upper herding and the lower agricultural zone) are integrated by production rather than distribution. The herds could not rely solely on the pasture of the upper zone. Agricultural productivity in the lower zone would be greatly reduced without dung brought from the upper zone. The bond between the zones is therefore much stronger than has been supposed.'

Cabe señalar que la implementación de tal sistema de producción, especialmente, de la papa, tendría mucho que ver con el control efectuado por la comunidad, sobre todo, en el manejo de barbecho. Esto se debe a que por una parte es cierto que el ganado sirve para elevar la producción por contribuir su estiércol que constituyen fertilizantes, pero por otra parte ofrecen la posibilidad de dañar el cultivo por invadir la chacra, lo que es difícil de evitar a nivel unipersonal.

Por esa razon, en el distrito de Marcapata se construyeron mediante la faena comunal los cercos para evitar la invasión tanto de los ganados como de las otras especies de animales, causantes posibles de daños. Además, cada chacra dispone de dos personas elegidas en la asamblea de la comunidad a quienes se llaman *arariwas* para que cuiden la parcela que se encuentra en cultivo. Por consiguiente, los agricultores no necesitan frecuentar a la chacra con excepción al tiempo de sembrío y cosecha, pudiendo realizar las tareas diarias de la casa en general, las crianzas de ganados en particular.

Tal sistema comunal de manejo de la chacra es observado no sólo en Marcapata sino en casi todas las regiones del Perú y Bolivia. Según Mayer, el sistema comunal más difundido es el sistema de rotación sectorial/descanso (Mayer 1981: 67). Y Orlove y Godoy (1986) realizaron un análisis del este sistema de rotación sectorial/descanso (en adelante solo dirá: sistema de rotación sectorial) y presentaron un interesante trabajo:

Foto 5. La *taclla* es la herramienta indispensable en el trabajo de removido de la tierra luego de su descanso.

Ellos dicen que existen ciertas reglas en el sistema de rotación sectorial. Dicho sistema es observado en un rango específico altitudinal y latitudinal. Es decir, el sistema de rotación sectorial se limita en la banda de altura que abarca entre el Centro/Sur del Perú y el Norte de Bolivia, y que coinciden con la zona del cultivo de papas.

Si bien es cierto que el sistema comunal de descanso sectorial es aplicado practicamente solo en las zonas donde se cultivan la papa, no siempre es aplicado en todas las zonas del cultivo de papa (ibídem: 175). En el Norte del Perú y Ecuador así como el Sur de Bolivia también se efectua el descanso de la tierra en el cultivo de papa, pero no a través del sistema comunal de rotación sectorial. Igualmente, en muchas regiones andinas donde no se observa tal sistema, se emplea también el descanso de la tierra. Esto indicaría que el sistema de descanso sectorial no sólo tiene que ver con el cultivo de papa sino con el sistema de cultivo de papa asociado con la crianza de ganado.

Fig. 5. Siembra de la papa con la *chaquitaclla* (Guamán Poma 1613).

(3) Taclla y papa

En el capítulo anterior hemos visto que el empleo del estiércol del ganado como fertilizante es bastante eficaz para la recuperación de la fuerza del terreno para el cultivo de papas. Igualmente, se ha señalado que ello es posible porque las comunidades controlan el sistema de rotación sectorial. Sin embargo, las tierras de la *puna*, que han sido dejadas en descanso durane varios años, quedan tan compactas por la

Fig. 6. Cosecha de la papa con la *chaquitaclla*. En esta lámina se nota otra herramienta denominada *raukana*. (Guamán Poma 1613).

repetición de los tiempos secos y de lluvias, que no son aptas para el cultivo de la papa. Ante esa realidad los agricultores andinos inventaron en la época Pre-Colombina una herramienta llamada *chaquitaclla*, o simplemente *taclla* que era la más desarrollada en el Nuevo Continente de aquella época (Cook 1918, Gade y Ríos 1976). En la actualidad se usa una *taclla* muy similar a la de la época incaica, y en varias regiones esa herramienta es indispensable para el cultivo de la papa (Foto 5).

Aunque el tamaño y forma de la *taclla* varía según regiones, su estructura básica es igual: Es un palo largo y grueso cuya punta lleva una pieza de fierro (llamada reja); un poco arriba de la reja está pegado un travesaño para que lo colocar el pie para remover la tierra. De acuerdo al dibujo hecho por Guaman Poma (Fig. 5), la única diferencia observada entre la *taclla* de la época incaica y la actual es la colocación de la pieza de fierro. La forma del empleo es la siguiente: se coloca un pie en el travesaño y con el peso de una persona se mete la *taclla* en la tierra en ángulo inclinado, empujando la parte superior del palo hacia abajo para remover la tierra con la aplicación de la teoría de palanca. Este trabajo requiere bastante fuerza, por lo que generalmente es realizado por hombres adultos.

El tiempo de sembrío de los tubérculos, como la papa, oca y mashua, etc. es cuando con mayor frecuencia se utiliza la *taclla*. Además, es una herramienta indispensable en el trabajo de removido de la tierra luego de su descanso. A veces se la emplea también para la arañada de la tierra antes del sembrío del maíz, pero para este trabajo la azada denominada *raukana* es utilizada con mayor frecuencia. Esto se debe a que el cultivo del maíz se efectua en las zonas relativamente bajas como la zona *quechua* y el uso continuo de la tierra evita que la tierra se vuelva tan compacta.

Si bien es cierto que actualmente en varios lugares se sustituye con el arado y yunta de buyes introducidos por los españoles, en otros lugares que se encuentran en las vertientes agudas donde no se puede usar ese sistema, la *taclla* sigue siendo herramienta indispensable para el cultivo de la papa, como se observa ampliamente su empleo en los terrenos altos centro andinos. En cambio, en la costa la *taclla* no ha sido hallaldo ni otras herramientas similares hasta el presente, incluyendo la época Pre-Colombina (Fig. 7). Esto se debería a que los suelos del desierto costeño, fácilmente desmenuzables, podían removerse facilmente sin la ayuda de la *taclla* (Gade y Ríos 1976: 360). En la costa fueron descubiertos varios palos cavadores de la época Pre-Colombina como relíquias arqueológicas (Yamamoto 1981a),[5] lo que permite pensar que en la costa esta herramienta habría sido usada. Según Donkin (1979), los palos cavadores fueron la herramienta fundamental que se utilizaba no sólo en las alturas

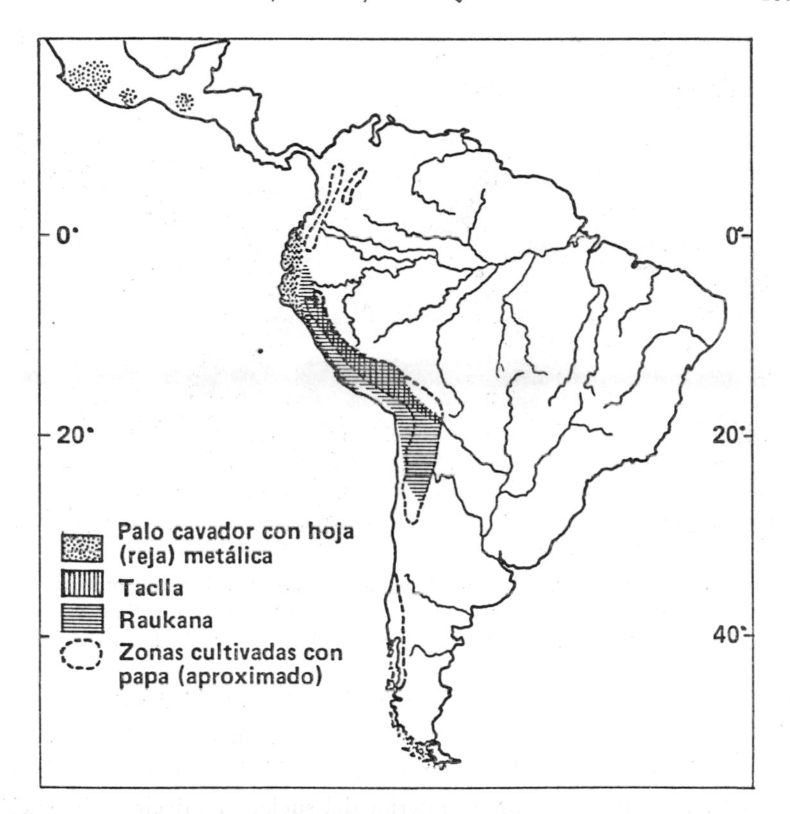

Fig. 7. La distribución conocida de unas herramientas agrícolas en el Nuevo Continente, c. a. 1500 A. D. (Donkin 1970).

sino en todo el Nuevo Continente. Por lo expuesto, como indicaron Gade y Ríos (1976) y Rivero Luque (1986), es posible considerar que la *taclla* es una herramienta agrícola desarrollada del palo cavador para el cultivo de los tubérculos, como la papa, en las partes altas de los Andes Centrales.

El efecto dado por la invención de la *taclla* no sólo se limitó a posibilitar el removido de la tierra luego de su descanso para facilitar el sembrío de la papa. La *taclla* facilita también remover la tierra más profundamente que el palo cavador, la azada, etc., lo que permite mayor

Foto 6. En las partes altas de Ecuador se usa una herramienta agrícola denominada *guasho*, que es considerada como un tipo de palo cavador, para el cultivo de la papa (Photo; Cortesía de Z. Huamán).

suministro de oxigeno requerido para mejorar las actividades de los microbios que se encuentran dentro del suelo. Además, ayuda a levantar surcos más altos, pudiéndose controlar la cantidad del agua en el tiempo de lluvia y regular la humedad interior del suelo. Es decir, la invención tecnológica como la *taclla* ha permitido el empleo efectivo del suelo.

El empleo de la *taclla*, sin embargo, se limita en las partes altas entre el Centro/Sur del Perú y el Norte de Bolivia. Según Gade y Ríos (1976: 360), en la época incaica la *taclla* habría sido difundido de acuerdo a la expanción del Imperio Incaica desde Ecuador en el norte hasta Bolivia en el sur, pero según mis observaciones no se usa en dichas regiónes en la actualidad, siendo normal un empleo del palo cavador también para el cultivo de papa (Foto 6). Asimismo, la *taclla* no fue conocida en el sur de Chile (Gade y Ríos 1976, Donkin 1979). Según Donkin (1979: 517), por consecuencia, esta herramienta agrícola no está asociada con el cultivo de papa, ya que su uso no se observa en Ecuador, Colombia y el

Norte del Perú.

Como señaló Donkin, el uso de la *taclla* no está directamente asociado con el cultivo de papa, pero parece que su uso está asociado con el sistema del cultivo de papa relacionado con el sistema de descanso, lo cual sería claro si se toma en consideración que la *taclla* es una heramienta indispensable para el removido de la tierra y el sembrío después de su descanso. Igualmente, esto será esclarecido si se considera que las zonas donde se usa la *taclla* coinciden en las zonas donde se aplica el sistema de descanso, y no en las zonas del cultivo de papa.

5. DISCUSION

En los anteriores capítulos hemos visto la base del desarrollo en el cultivo y utilización de la papa a través de los ambientes naturales, técnicas de procesamiento, sistema del cultivo, herramientas agrícolas, etc. Igualmente, hemos visto que estas técnicas y herramientas, así como el sistema social han permitido desarrollar los ambientes potenciales de las partes altas de los Andes Centrales, sobre todo, la *puna* donde son considerados generalmente no productivos y frágiles. Especialmente, la metodología del cultivo de papa empleada en los Andes Centrales ha venido permitiendo la ampliación de la producción por aprovechar eficazmente los pobres recursos naturales, tales como la flora, los severos climas de la *puna* que podrían ser factores restringentes para actividades producutivas. Por ejemplo, la existencia de los tiempos seco y de lluvia así como la marcada fluctuación de las temperaturas durante un día, hacen que la *puna* sea un ambiente no productivo, pero, por otra parte, con el aprovechamiento de tales condiciones atomosféricas han sido desarrolladas diversas técnicas de procesamiento de los tubérculos. Además, el desarrollo de tales técnicas de procesamiento permitieron ampliar la extensión del cultivo de papa tanto en sus variedades como su difusión geográfica, posibilitando así la notable expansión de la producción.

Por otro lado, la metodología del cultivo de papa empleada dasrrollada en los Andes Centrales no sólo ha dado buenos resultados en la elevación de la productividad sino también en su establiización. En realidad, uno de los factores más importantes que afectan las actividades productivas de los alimentos en los Andes Centrales consiste en una serie de factores riesgosos que incluyen escarcha, sequía, plagas, etc. Por ello, se conoce que las estrategias de la producción domesticada son especialmente orientadas a manejar riesgos (Brush 1980, Guillet 1981b, Camino 1982, Yamamoto 1982a). En este sentido también, las técnicas para el cultivo de papa desarrolladas en los Andes Centrales han desempeñado un gran papel. En primer lugar, la helada y la sequía no afectan tanto el cultivo de la papa como otros cultivos, ya que la papa es un cultivo muy resistente al frío así como a la sequía. Además, la domesticación de especies de las papas amargas, como *ruk'i*, que son muy resistentes al frío permitió el cultivo de papa en zonas donde se registra con frecuencia la caída de escarcha. Lo que permitió su utilización son diversas técnicas de procesamiento, las mismas que hicieron posible el almacenamiento de la papa durante un largo tiempo. Contra las plagas de la papa, es efectivo el sistemas de barbechado bajo el control comunal.

También han sido desarrolladas varias especies de la papa, con muchas variedades, que poseen diferentes particularidades ante temperaturas, lluvias, enfermedades, etc., lo cual ha contribuido considerablemente a minimizar los riesgos de producción. Existe una marcada diferencia de altura en los Andes, por lo cual se observan según las alturas distintos ambientes como condiciones atomosféricas y, además, se reconocen varios micro-climas en una misma altura por su complicación topográfica. Se aprovecha de tales diferencias de condiciones y se intenta maximizar la producción mediante el sistema del cultivo de papa en varias especies al mismo tiempo en un lugar, así como disminuir los riesgos tales como la escarcha y las plagas. Como un ejemplo típico de la dispersión de riesgos, se puede referir al sistema de cultivo en el que se cultivan en una chacra mezclando variedades de papa que poseen distintas particularidades y no una sola variedad. No es nada raro observar una parcela con el cultivo de más de 10 variedades de papa. Esto tiene el porpósito de evitar el aniquilamiento del producto, siendo un sistema de dispersión de riesgos.

En resumen, las técnicas y herramientas, así como los sistemas de cultivo que se han venido revisando desempeñan un gran papel para maximizar la producción y/o para minimizar el riesgo. Todos estos factores son los que permiten que los habitantes de la zona dependan de la papa como base de alimento y no del maíz, otro producto principal, a pesar de que cuánto más alto esté situado el terreno, mayores riesgos se presentan en la agricultura de las alturas (Guillet 1981b: 23). Es que, generalmente, los habitantes de los Andes Centrales destinan mayores terrenos y esfuerzos en el cultivo de la papa y el maíz, obervandose muchos casos en que se los cultivan a nivel familiar o a nivel comunal.

Por ejemplo, en la coumnidad de Q'ero del Departamento del Cuzco donde se conservan bien las tradiciones, la papa es un alimento principal durante todo el año, llegando fácilmente a 80% las veces que se come la papa en todas las comidas consumidas en el año. En cambio, el maíz que es otro producto principal es más requerido para eleborar la *chicha*, bebida indispensable en las actividades religiosas y ritos que como alimento cotidiano (Webster 1971: 178–179). Igualmente, en el distrito de Marcapata, la papa es considerada importante como alimento, y si se incluyen otros tubérculos, las veces que se sirven en las comidas llegan también a más de 80%, mientras que el maíz es destinado mayormente para otros usos, como la *chicha*. (Yamamoto 1981b, 1983).

Se informa que la diferencia del uso y del rol desempeñado entre la papa y el maíz era más evidente en la época incaica: Según Murra (1975: 57), el cultivo de aquel entonces de los tubérculos como la papa era: "esencialmente una agricultura de subsistencia practicada en la sierra". Por otro lado, "en toda la América de Sur serrana, el maíz fue cultivado, sobre todo, para elaborar *chicha* con fines ceremoniales y de hospitalidad" (ibídem. 53).

La conversión del maíz en un producto importante para ocasiones ceremoniales antes que un alimento, podría atribuirse a la alta productividad de la papa y la estabilidad de su rendimiento. A la vez, esto hace posible suponer que la papa fue cultivada desde más antes que el maíz. Aunque no está aclarado todavía cuándo se iniciaría el cultivo de maíz en grandes cantidades en los Andes Centrales, la historia del cultivo de la papa es remota, como se ha visto, y se considera que al menos en la América del Sur el inicio del cultivo de papa fue anterior que el del maíz (Hawkes 1978). Según Jensen y Kautz (1974: 47–48), el cultivo de la papa se inició junto con la domesticación de la llama y la alpaca. Ellos dicen:"

> . . . although root crops are valuable for their starch, they are deficient in oils and proteins, and must have been supplemented from the beginning with complete animal proteins . . . during the period of transhumance, highland exploitative systems may have become increasing oriented toward use of high caloric-yielding rhizomes and high protein-yielding ungulates"

Y, según ellos, la utilización de los tubérculos asociada con la caza en los terrenos altos terminó finalmente extendiendo la domesticación de la papa y la llama. En este aspecto, Troll (1958: 263–264) y Murra (1975: 188) dicen también que ninguna economía pastoril habría sido desarrollada en los Andes separada del cultivo de los tubérculos. En su base existe una situación de que la autonomía de pastoralismo en los Andes podría ser limitada por la ausencia del actividad de ordeñar o sacar sangre de los rebaños, impidiendo el uso de la leche o sangre en la dieta de pastores (Webster 1973: 117).

La forma buena para aprovechar permanentemente de los ambientes, sin que se destroce estos ambientes no productivos y frágiles, característica común en la sierra es el complejo de agro-pastoreo. En efecto, el complejo de agropastreo es una forma de aprovechar los ambientes aplicada no sólo en los Andes sino también en otras zonas serranas como el Himalaya y los Alpes (Rhoades and Thomson 1975; Guillet 1983). Se considera que la base de este complejo agro-pastreo en los Andes es, como se ha visto, el cultivo de papa y la crianza de la llama y la alpaca (Onuki 1985: Yamamoto 1985).

Tal como se ha visto, la relación entre el cultivo de la papa y la crianza de la llama es sumamente estrecha, siendo considerada muy antigua. Esta relación estrecha se observa hasta la actualidad, lo que indica que esta modalidad de subsistencia es muy apropiada en la *puna* y a la vez insinúa fuertemente que esta relación se convierte en una sola y complementaria actividad agropecuaria desde el punto de vista tanto ecológico como de técnica de producción (Murra 1975: 119; Yamamoto 1985). Se puede pensar que en base a esa relación el cultivo de la papa podría haber sido desarrollado grandemente, teniéndose base esa relación y añadiendo a ello, con el tiempo los factores tales como el sistema de barbechado, técnicas de procesamietno, herramientas agrícolas.

Una de las situaciones que se puede considerar como una prueba de esta suposición es la coincidencia de la difusión geográfica de los factores que se vinculan con el desarrollo del cultivo de papa: porque, en primer lugar, el cultivo de la papa ya había sido difundido en la época incaica en casi todas las regiones andinas, pero las regiones donde más especies y variedades como papa amarga, se concentran son las partes altas que abarcan entre el Centro del Perú y el Norte de Bolivia. Además, en la zona donde más especies de papa se cultivan, se observan justamente las técnicas de procesamiento de la papa, el sistema de barbechado y la *taclla*, siendo ésta la zona *puna*. Es posible considerar que la coincidencia de la difusión de estos factores conjuntamente con la agropecuaria observada indica que esta zona *puna* es aquella en donde se ha desarrollado altamente el cultivo de papa.

La coincidencia de la zona donde se desarrolló la utilización de la papa cultivada con la extensión de la *puna* hace pensar que la difusión de cada factor sería determinada de acuerdo a las condiciones ambientales de la *puna*. Sin embargo, las llamas son criadas también en los Andes de *Páramo* del Ecuador (ver Fig. 4). Además, referente al *chuño*, el procesamiento que no cuenta con el proceso de congelamiento es también factible en otras zonas y, en efecto, en el sur de Chile se observa esta técnica de procesamiento de la papa sin proceso de congelamiento (Masuda: Comunicación personal). Es decir, si se trata de cada uno de los factores, existen algunos que se observan también fuera de los Andes Centrales, aunque generalmente son parciales. Estos hechos hacen pensar que el desarrollo del cultivo y utilización de la papa no sólo tiene que ver con las condiciones ecológicas sino también con factores históricos y culturales.

En otras palabras, se puede creer que el alto desarrollo de la utilización de la papa cultivada es el que indica las peculiaridades ecológicas y culturales de los Andes Centrales. Según Masuda (1980: 4–6), lo que caracteriza los Andes Centrales como región cultural es la homogeneidad cultural comunitaria extraordinariamente fuerte, pese a sus diversos ambientes. Tradicionalmente, sin embargo, se ha supuesto que evidentemente existe una integración cultural en los Andes Centrales, por lo que casi nunca ha sido discutido a qué se debe esa homogeneidad cultural comunitaria.

En tal sentido también el alto desarrollo del cultivo de la papa caracteriza los Andes Centrales: porque el cultivo de la papa fue desarrollado en las parte altas de los Andes Centrales en épocas remotas y era una agricultura de subsistencia. Además, en esas zonas se extienden en forma continuada los ambientes de la *puna* en forma relativamente amplia, por lo cual el cultivo de la papa fue difundido junto con sus técnicas del cultivo en el tiempo muy temprano en todas las regiones de la parte alta de los Andes Centrales. Por consiguiente, las técnicas, herramientas y sistemas del cultivo que fueron inventados y aplicados para el desarrollo del cultivo de papa han llegado a ser en común en casi todas las zonas altas de los Andes Centrales, pudiéndose considerar que éste fue un factor que generó la homogeneidad cultural comunitaria en las partes altas de los Andes Centrales.

6. PAPA, LLAMA Y CHAQUITACLLA

Los Andes son la cordillera más larga del mundo que corre del sur a norte, y es por eso que allí se osbservan muchos recursos naturales sumamente ricos en su diversidad. La razón por la cual en este trabajo he tratado especialmente de la papa entre esos recursos naturales, es que creo que la papa desempeñó el rol más grande en el desarrollo andino. Se considera, sobre todo, que el establecimiento y desarrollo de la sociedad andina de altura está asociado en forma indispensable con el cultivo de la papa.

Asimismo, si se analiza la papa por su sistema de cultivo y técnicas de procesamsiento, así como las herramientas empleadas, se esclarece que su desarrollo tiene mucho que ver con los recursos naturales peculiares a los Andes centrales tales como su flora y fauna, así como su clima, suelo, etc.; se puede considerar que es por ello que la productividad del cultivo de la papa es alta, convirtiéndose así en un sistema de abastecimiento alimenticio estable.

Pese a ello, sin embargo, las técnicas de procesamiento para elaborar sus productos típicos como el *chuño*, los animales domésticos como la llama, y la herramienta usada, *taclla*, se ha observado hasta la actualidad casi solo en las partes altas de los Andes Centrales. Es esto lo que hace creer que un complejo agrícola basado en el cultivo de la papa indica las características de los Andes Centrales, sobre todo, sus partes altas. En otras palabras, se considera que sería difícil comprender las caracaterísticas ecológicas y culturales de los Andes Centrales sin entender el complejo agrícola relacionado con el cultivo de la papa.

NOTA:

El trabajo presentado en este articulo fue posible, al apoyo de los fondos del Ministserio de Educación del Japón, Cooperación Técnica del Gobierno Japonés, y Centro Internacional de la Papa. Quiero expresar su reconocimiento a las siguientes personas por su valiosa información y colaboración: Shozo Masuda, Jorge Flores Ochoa, Douglas Horton, Robert Rhoades, Gordon Prain, María Scurrah, Masaru Iwanaga y Zosimo Huamán. Y también a Mie Suzuki, Franklin Pease y Hernán Rincon por su traducción y elaboración del presente artículo. Asimismo, agradezco a los pobladores del Distrito de Marcapata, Cusco, y a los informantes en otros lugares, por su constante y generosa ayuda pese a las molestias que les he causado.

1) Por ello, la papa es cultivada actualmente en más de 130 países. concentrándose más en zonas frígidas y templadas y su cantidad productiva ocupa el cuatro lugar después del trigo, maíz y arroz en el mundo (CIP 1982).
2) Según P. Schmidiche (Centro Internacional de la Papa: CIP), no todas las especies silvestres son amargas, pero la mayoría de ellas es amarga. Sobre todo, la especie silvestre *S. spalsipilum*, que es considerada como un progenitor de la papa cultivada, también es algo amargo (Comunicación personal).
3) En efecto, la *S. acaule*, especie silvestre con fuerte sustancia amarga se ha utilizada como la comida, procesando como en el caso del *chuño*, en las serranías de los departamentos de Apurímac y Lima en tiempo de escasez de víveres (A. Salas del CIP: Comunicación personal).
4) El hecho de que no se dan fertilizantes al terreno a partir de segundo año nos

hace creer que no existen suficientes excrementos. Según mi observación en Marcapata, las heces secas de llama y alpaca constituyen combustibles importantes para los habitantes de la *puna* que no disponen de árboles que sirven para leñas. Si se toma en consideración que el promedio de todas las cabezas de alpacas, llamas y ovejas que cada familia posee no llega a un ciento, se estima que es bastante cantidad de los excrementos consumidos para la cocción diaria. Resulta que las familias que no poseen suficientes animales obtienen las heces mediante la prestación de servicios o el canje por otras cosas o las compran a las que poseen muchos animales.

5) Son los resultados obtenidos por la investigación efectuada en los museos del Perú tales como Museo Nacional de Antropología y Arqueología, Museo Amano, etc.

BIBLIOGRAFIA

ANTUNES DE MAYOLO R, Santiago E.
1982 Fertilizantes Agrícolas en el Antiguo Perú. En M. Lajo, R. Ames y C. Samaniego (eds.), *Agricultura y Alimentación*, pp. 79–129. Lima.

BAKER, H. G.
1970 *Plants and Civilization*. California: Wodsworth.

BROOK, R. T. and WINTERHALDER, B. P.
1976 Physical and Biotic Environment of Southern Highland Peru. In P. T. Baker and M. A. Little (eds.), *Man in the Andes*. Philadelphia: Dowden, Hutchinson and Ross, Inc. pp. 21–59.

BRUSH, Stephen B.
1980 The environment and Native Andean Agriculture. *América Indígena* 40(1): 161–172

BRUSH, S. B., CARNERY, H. J. and HUAMÁN, Z.
1981 Dynamics of Andean Potato Agriculture. *Economic Botany* 35(1): 68–80.

CAMINO, Alejandro
1982 Tiempo y Espacio en la Estrategia de Subsistencia Andina: Un Caso en las Vertientes Orientales Sud-Peruanas. En L. Millones y H. Tomoeda (eds.), *El Hombre y su Ambiente en los Andes Centrales*. Senri Ethnonolgical Studies 10: 11–38.

CIP (CENTRO Internacional de la Papa)
1982 *World Potato Facts*. Lima: The International Potato Center.

COOK, O. F.
1918 *Foot-plow Agriculture in Peru*. Smisthonian Report for 1918. Washington.

CRISTIANSEN, J. A.
1977 *The Utilization of Bitter Potatoes to Improve Food Production in High*

Altitude of the Tropics. Ph.D. Thesis. Ithaca, N. Y., Cornell University.

CUSTRED, Glynn.
1977 Las Punas de los Andes Centrales. En Flores Ochoa (ed.) *Pastores de Puna*. Lima: Instituto de Estudios Peruanos.

DOLFUS, Oliver.
1982 Development of Land-Use Patterns in the Central Andes. *Mountain Research and Development* 2(1): 39–48.

DONKIN, R. A.
1970 Pre-Columbian Field Implements and Their Distribution in the Highlands of Middle and South America. *Anthropos* 65: 505–529.

FRANCO, E., C. MORENO y J. ALARCCON
1983 *Producción y Utilización de la Papa en la Región del Cuzco*. Lima: Centro Internacional de la Papa.

FRANKLIN, William L.
1982 Biology, Ecology, and the Relationship ot Man of the South American Camelids. In M. A Mares and H. H. Tenowayas (eds.), *Mamalian Biology of South America*. pp. 457–489. University of Pittsburg.

GADE, Daniel W. y RIOS, Roberto
1976 La Chakitaclla: Herramienta Indígena Sudamericana. *América Indígena* 36(2): 359–374.

GARCILAZO DE LA VEGA, el Inca
[1609] 1960 *Obras Completas del Inca Garciazo de la Vega*, Biblioteca de Autores Españoles, Madrid, Vol. 132–135.

GILMORE, Raymond M.
1950 Fauna and Ethnozoology of South America. In J. H. Steward (ed.), *Handbook of South American Indians*, Vol. 6, pp. 345–464. Bureau of American Ethnology Bulletin 143.

GREGORY, Peter
1984 Glycoalkaloid Composition of Potatoes: Diversity and Biological Implications. *American Potato Journal* 61(3): 115–122.

GUAMAN POMA DE AYALA, Felipe
[1613] 1980 *El Primer Nueva Crónica y Buen Gobierno*. México: Fondo de Cultura Económica.

GUILLET, David
1981a Land Tenure, Agricultural Regime, and Ecological Zone in the Central Andes. *American Ethnologist* 8(1): 139–156.
1981b Agrarian Ecology and Peasant Production in the Central Andes. *Mountain Reseach and Development* 1(1): 19–28.
1983 Toward a Cultural Ecology of Mountains: The Ceutral Andes and the Himalayas Compared. *Cultural Anthropology* 24(5): 561–74.

HAWKES, J. G.

1967 The History of the Potato. *The Journal of the Royal Horticultural Society* 92: 207–224.

1978 Biosystematics of the Potato. En P. M. Harris (ed.), *The Potato Crop*. Chapman & Hall, London, pp. 15–69.

HEISER, C. B.

1973 *Seed to Civilization*. San Francisco: W. H. Freeman and Co.

HOOKER, W. J., (ed.)

1981 *Comprendium of Potato Diseases*. The American Phytopathological Society, St. Paul, Minnesota.

HORTON, Douglas

1987 *Potatoes*. Boulder: Westview Press, Inc.

JENSEN, Peter M. and KAUTZ, Robert R.

1974 Preceramic Transhumance and Andean Food Production. *Economic Botany* 28(1): 43–55.

LA BARRE, Weston

1947 Potato Taxonomy among the Aymata Indians of Bolivia. *Acta Americana* V (1–2): 83–103.

LUMBRERAS, Luis G.

1967 La alimentación vegetal en los origenes de la Civilización Andina. *Perú Indígena* 11(26): 254–273.

LYNCH, Thomas F.

1971 Preceramic Tranhumance in the Callejon de Huaylas, Peru. *American Antiquity* 36(2): 139–148.

1973 Harvest Timing, Transhumance, and the Process of Demestication. *American Anthropologist* 75: 1254–1259.

MAMANI, Maruricio

1978 El Chuño: Preparción, Uso, Almacenamiento. En R. Ravines (ed.), *Tecnología Andina*. Lima: Instituto de Estudios Peruanos.

MASUDA, Shozo

1980 「ペルー南部における海岸と高地の交流」(Intercambio entre la Costa y la Sierra en el Sur del Perú) 国立民族学博物館研究報告. (*Boletín del Museo Nacional de Etnología*) 5(1): 1–43.

MAYER, Enrique

1981 *Uso de la Tierra en los Andes*. Lima: Centro Internacional de la Papa.

MORUA, Martín de.

[1616] 1961 *Historia General del Perú*. Madrid: Imp. A. Góngora.

MURRA, John V.

1960 Maíz, Tubérculos y Ritos Agrícolas. En J. V. Murra (1975).

1964 Rebaños Y Pastores en la Economía del Tawanitnsuyo. En J. V. Murra (1975).

1975 *Formaciones Económicas y Políticas del Mundo Andino*. Lima: Instituto de Estudios Peruanos.

ONUKI, Yoshio

1985 The Yunga Zone in the Prehistory of the Central Andes. Vertical and Horizontal Dimensions in Andean Ecological and Cultural Processes. In S. Masuda, I. Shimada and C. Morris (eds.), *Andean Ecology and Civilization*. Tokyo: University of Tokyo Press.

ORLOVE, Benjamin

1977 Integration through Production: The Use of Zonation. *American Ethnologist* 4(1): 84–101.

ORLOVE, B. S. and GODOY, R.

1986 Sectorial Fallowing in the Central Andes. *Journal of Ethno-Biology* 6(1): 169–204.

RHOADES, Robert E. and THOMPSON, Stephen I.

1975 Adaptive Strategies in Alpine Environments: Beyond Ecological Particularism. *American Ethnologist* 2(3): 535–551.

RIVERO LUQUE, Víctor

1986 La Chakitaqlla en el Mundo Andino. Cuzco: CORDE CUZCO *y* COTESU

SALAMAN, Redcliffe N.

1985 *The History and Social Influence of the Potato*. Cambridge: Cambridge University Press.

SAUER, C. O.

1950 Cultivated Plants of South and Central America. In J. H. Steward (ed.), *Handbook of South American Indians*, Vol. 6. Buerau of American Ethnology Bulletin 143, Washington, D.C.

1952 *Agricultural Origins and Dipersals*. The American Geographical Society, New York.

SIMMONDS, N. W.

1976 Potatoes. In N. W. Simmonds (ed.), *Evolution of Crop Plants*. London: Longman, pp. 279–283.

TROLL, C.

1958 Las Culturas Superiores Andinas y el Medio Geográfico. *Revista del Instituto de Geografía*, No. 5, Lima.

1968 The Cordilleras of the Tropical Americas. Aspects of Climatic, Phytogeographical and Agrarian Ecology. In C. Troll (ed.), *Geo-Ecology of the Mountainous Regions of the Tropical Amiercas*, Ferd Dummlers Verlag, Bonn.

UGENT, Donald

1970 The Potato. *Science* 170: 1161–1166.

VAVILOV, N. I.

1949/50 *The Origin, Variation, Immunity and Breeding of Cultivated Plants*.

Vol. 13. Waltham, Mass; The Cronica Botanica Co.

WEBSTER, Steven S.

1971 An Indigeneous Quechua Community in Exploitation of Multiple Ecological Zones. *Revista del Museo Nacional* 37: 174–183.

1973 Native Pastoralism in the South Andes. *Ethnology* 12(2): 115–133.

WINTERHALDER, Bruce, LARSEN, Robert and THOMAS, R. Brook

1974 Dung as an Essential Resource in a Highland Peruvian Community. *Human Ecology* 2(2): 43–55.

WOOLF, Jenifer A.

1987 *The Potato in the Human Diet*. Cambridge: Cambridge University Press.

YAMAMOTO, Norio

1976 「中央アンデスの凍結乾燥イモ，チーニョ——加工法，材料およびその意義について」(Chuño-Su Elaboración, Materiales, Usos y y Valor de Alimento de los Andes Centrales). 季刊人類学 (*Revista Antropológica*), 7(2): 169–212.

1981a 「アンデスの踏み鋤をめぐって」(La chaquitaclla en los Andes). 民博通信 (*Correspondencia del Museo Nacional de Etnología*), 12: 44–48.

1981b Investigación Preliminar sobre las Actividades Agro-Pastoriles en el Distrito de Marcapata, Departamento del Cuzco, Perú. En S. Masuda (ed.), *Estudios Etnográficos del Perú Meridional*, Universidad de Tokio, Tokio.

1982a A Food Production System in the Southern Central Andes. En L. Millones y H. Tomoeda (eds.), *El Hombre y su Ambiente en los Andes Centrales*. Senri Ethnological Studies No. 10, National Museum of Ethnology, Osaka.

1982b 「中央アンデスの根栽類加工法再考」(Reconsideración de la tecnología del procesamiento de los tubérculos en los Andes Centrales). 国立民族学博物館研究報告 (*Boletín del Museo Nacional de Etnología*), 5(1): 1–43.

1983 「中央アンデス高地社会の食糧基盤」(Base del alimento de la sociedad en las partes altas de los Andes Centrales). 季刊人類学 (Revista Antropológica), 13(3): 76–124.

1985 The Ecological Complementarity of Agro-Pastoralism: Some Comments. In S. Masuda, I. Shimada and C. Morris (eds.), *Andean Ecology and Civilization*. Tokyo: University of Tokyo Press.

(en prenta) Potato Processing: Learning from a Traditional Andean System. *The Social Science at CIP*. Lima: The International Potato Center.

Recursos y supervivencia en el Desierto de Atacama

Bente Bittmann

INTRODUCCION

El presente trabajo forma parte de una investigación interdisciplinaria sobre recursos naturales, en términos de relaciones hombre-recursos (hombre-medio), del Norte Grande chileno desde tiempos precolombinos hasta nuestros días. Incluye temas como la distribución espacial de recursos (renovables y no renovables), métodos y técnicas empleados en su obtención y los modos de utilizarlos. A esta parte de nuestro estudio, se agrega el análisis de aspectos de organización económica, sociopolítica y de índole demográfica y ritual-religiosa. Además estamos investigando los patrones de interacción, a nivel regional e interregional e intra e interétnico, los cuales comprenden el flujo de recursos e información (la movilidad), el transporte y las rutas de comunicación.

En este artículo, el centro geográfico de nuestro interés es el Desierto de Atacama, Chile (Figs. 1 y 2), una de las zonas más áridas del mundo (1). Por la complejidad del tema, nuestro propósito se limita a reunir conocimientos históricos y actuales relativos a recursos explotados, el modo de obtenerlos y utilizarlos y la transformación creada en la relación entre el hombre y ciertos recursos a través del tiempo. En términos temporales abarcaremos las épocas colonial y republicana, basándonos principalmente, para la visión que presentaremos, en fuentes escritas. Sin embargo, por problemas de espacio, no se trata, de ninguna manera, de un estudio exhaustivo de los temas señalados, sino quedan aspectos muy importantes que desarrollar en futuros trabajos.

Es la escasez o ausencia de agua el rasgo más característico de esta

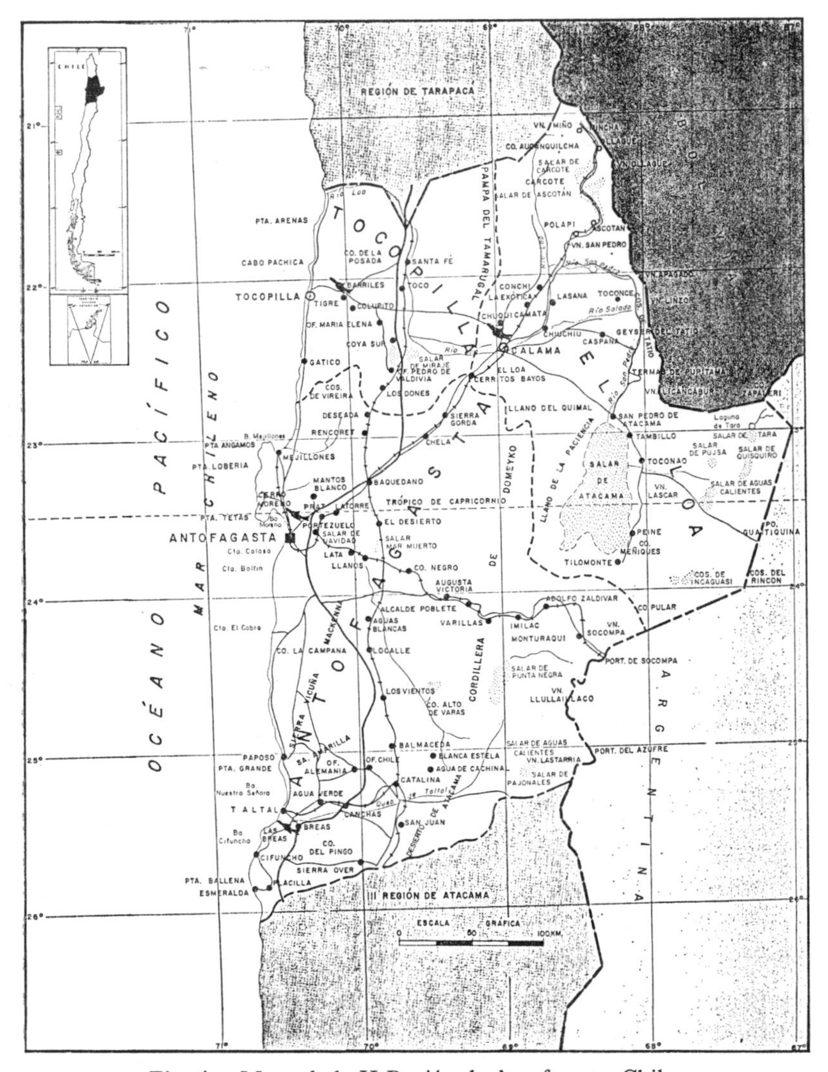

Fig. 1. Mapa de la II Región de Antofagasta, Chile.

zona y este mismo, también, constituye el principal factor limitante para la ocupación humana. Sin embargo, a pesar de la aridez y otras condi-

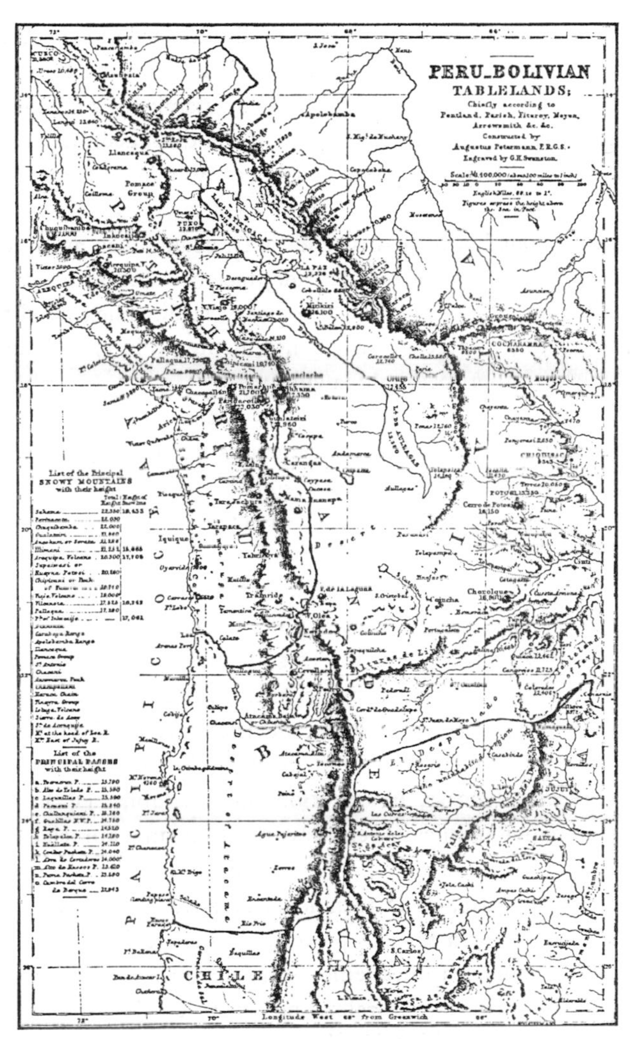

Fig. 2. Mapa del Norte de Chile y Territorios Adyacentes. Siglo XIX.

ciones ambientales hostiles, que pudiesen circunscribir el desarrollo de grupos humanos y su cultura, el territorio posee una serie de recursos naturales, los cuales han permitido a grupos con diferentes niveles tecnológicos adaptarse y desarrollarse con éxito desde por lo menos unos 10,000 años antes del presente. Este podría explicarse, en parte, en términos de procesos de cognición de recursos y de ajustamiento a medios extremos en una área donde había (y hay) una marcada dispersión de recursos correspondiendo a diferentes pisos ecológicos y micro-climas (cf. Murra 1972).

El medio pone límites y ofrece ideas en cuanto a su aprovechamiento por el hombre, y pareciera que las adaptaciones que se efectúan dentro de los límites impuestos por la estructura y la dinámica de sistemas naturales (incluyendo la percepción y consiguiente utilización de un recurso) tienen que hacerse por medio de la cultura.

El hombre percibe el mundo que le rodea a través de la cultura y, de este modo, transforma diversos elementos de la naturaleza en recursos o "crea recursos". Es sabido que elementos como los valores, el comportamiento, la tecnología, la economía, etc.—que en su conjunto conforman una cultura—son variados, y su importancia relativa difiere en distintos lugares y en diferentes épocas. El estudio de la percepción sensorial y la "traducción" sicológica de ese conocimiento en una decisión de actuar o no sobre el medio, es sumamente complejo, tanto a nivel de individuos como de grupos, por cuanto se encuentra entre el "input" (percepción) y "output" (cognición, decisión acerca de una actuación) un cuerpo de valores, en el sentido de diversos tipos de perjuicios (experiencias, ideas religiosas, imaginación, magia, tabus, etc.). La "creación" de un recurso implicaría, en otras palabras, una apreciación cultural que no siempre parece racional. Es obvio que la capacidad para actuar depende, en gran parte, de la tecnología efectiva del grupo humano que se estudia, pero también forman parte de la motivación, algunos factores más exclusivos como los que hemos señalado más arriba. En términos generales, la visión de la naturaleza no existe en dimensiones absolutas sino depende de una combinación de diversos elementos culturales.

Los recursos naturales son los elementos del medio que son o pueden ser aprovechados por el hombre. Enfocaremos en este trabajo los recursos naturales en relación con el Desierto de Atacama. Con respecto a las condiciones ecológicas de esta zona, parecieran no haber variado mayormente durante los últimos milenios. Por otro lado, con la llegada de los españoles empezó un proceso de deterioro afectando específicamente a los recursos renovables. Las causas son varias, pero incluyen factores tales como la captación de agua para la minería y ciudades, una descontrolada tala de árboles, arbustos, etc. y una sobre-explotación del forraje natural por los animales importados por los españoles.

A continuación trataremos de algunas características del ambiente natural del área elegida para esta investigación y, en segundo lugar, nos ocuparemos del habitat y la definición y utilización de sus recursos. Además expondremos brevemente algunos aspectos del trueque entre entidades étnicas distintas tanto como de la transformación del sistema indígena causada por la imposición de costumbres comerciales foráneas.

ALGUNAS CARACTERISTICAS DE LA ZONA DE ESTUDIO

A continuación expondremos un resumen de algunas de las características del Desierto de Atacama.

El concepto de desierto es muy amplio y en el área de nuestro interés, sus características varían de acuerdo con la altura sobre el mar y otros factores. A lo largo del trayecto desde la costa a la Cordillera de los Andes se puede distinguir cuatro macrosectores longitudinales que forman una serie de regiones ecológicas (Figs. 3, 4, 5 y 6). En dichas regiones, se observan marcados contrastes en lo que a la distribución de recursos se refiere, lo que ha incidido en las potencialidades de adaptación y desarrollo de diferentes grupos humanos a través de los tiempos. Las cuatro regiones señaladas son (Quintanilla 1976–77): región desértica litoral, región desértica interior, región tropical marginal y región tropical de altura (ver también Bertrand 1885: 228–44; Fuenzalida 1965; Quintanilla 1983; Troll 1931, 1968; Weber 1962).

Para los propósitos del presente trabajo, nos ocuparemos de los tres últimos sectores mencionados, pues los procesos de adaptación y desarrollo cultural de grupos humanos en el medio costero han sido tema de otros estudios nuestros (ver, por ejemplo, Bittmann 1986). Por este motivo, deseamos aquí sólo hacer énfasis en la riquza de recursos marinos

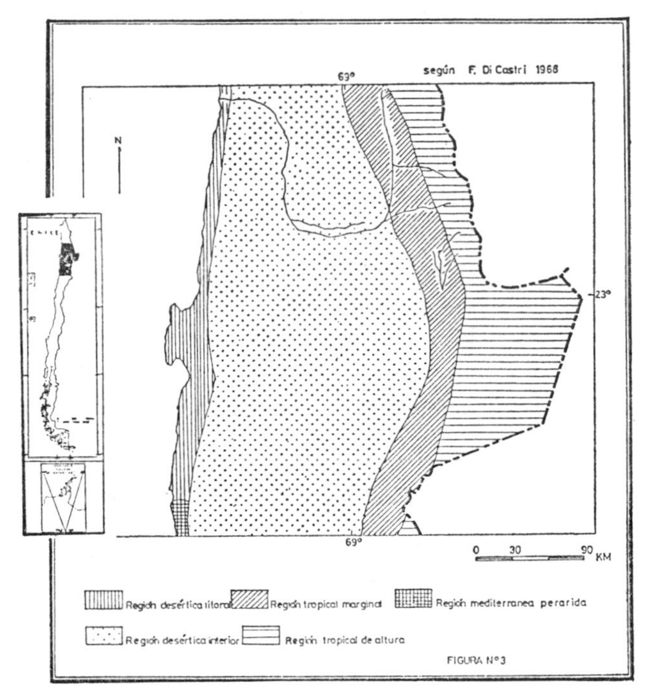

Fig. 3. Regiones Ecológicas de la II Región de Antofagasta, Chile. (Fuenzalida 1977).

de esta costa y el hecho de que muchos de ellos, tanto alimenticios (peces, mariscos) como de índole ritual (conchas de mariscos, estrellas de mar, agua del mar) han formado parte de sistemas de complementariedad mediante la redistribución de recursos entre el litoral y distintas zonas o pisos ecológicos ubicados en el interior de la zona de estudio.

Región Desértica Interior (la "Pampa"): Se extiende a través de la llamada "depresión intermedia" desde el lado oriental de la Cordillera de la Costa hasta las cercanías de Calama y, desde allí, hasta la zona de San Pedro de Atacama. La mayor parte de este sector se caracteriza por su clima de aridez permanente ("desértico normal", BW) con radiación solar muy intensa durante el día y oscilaciones térmicas muy marcadas entre día y noche. La precipitación es casi nula (0–10 mm) en la parte

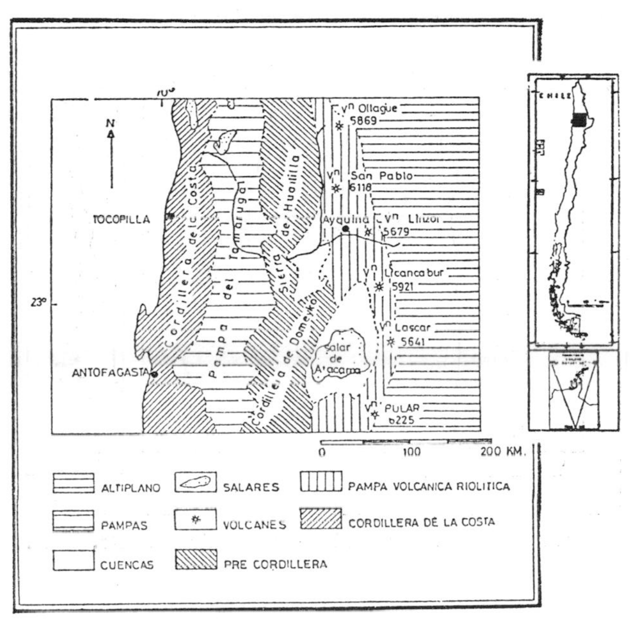

Fig. 4. Grandes Unidades de Relieve del Norte Desértico, Chile. (Fuenzalida 1977).

central del área. Alli las condiciones ecológicas son extremas y poco favorables para la vida animal y vegetal y, por lo tanto, no han permitido a grupos humanos establecerse en forma permanente hasta tiempos recientes (oficinas salitreras, asentamientos mineros). Al respecto dice A. Bresson (1875: 327) acerca de la mina de plata de Caracoles, ubicada en pleno Desierto de Atacama:

> . . . en quatre années seulement, d'un désert aride, oú rien ne venait troubler le silence de mort de son éternelle vacuité, des hommes attirés par l'appât d'un précieux mineral, ont crée un district minier oú vivent plus de 5,000 habitants, et un ville d'environ 25,000 âmes, oú rien ne manque aux besoins d'une population que dépense son argent avec autant de facilité qu'elle le gagne, si ce n'est, comme le disaient quelques notables, une station de chemin de fer, pour en faire un séjour parfaitement habitable, quoique situé en plein désert

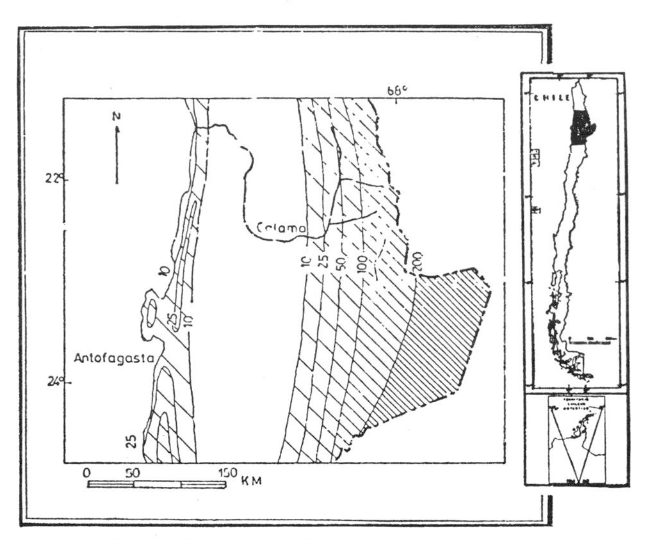

Fig. 5. Mapa Pluviométrico de la II Región de Antofagasta, Chile. (Fuenzalida 1977).

d'Atacama, et á plus de 200 kilometres d'un port de mer.

Sin embargo, aún en tiempos prehistóricos, las partes más inhóspitas del desierto fueron aprovechadas por el hombre en una u otra forma. Un ejemplo de esto lo constituyen las rutas de acceso a puntos de importancia, tal como el llamado "camino del Inca", entre el Cuzco y Copiapó en el Norte Chico chileno. Dicho camino corre vía Arequipa, Arica, Tarapacá y Pica a la zona del actual pueblo de San Pedro de Atacama, donde continua a Toconao, Peine y Tilomonte. Allí comienza el llamado "despoblado" de Atacama, el cual el camino atraviesa en dirección sur y suroeste hasta llegar al valle de Copiapó (v. gr. Herrera 1936; Fernández de Oviedo 1959, V: 146–48; Bibar 1966: 8 et seq.; Hyslop 1984: 150–67).

Sobre lo penoso de la travesía del despoblado se pronuncia en el año de 1563 un cierto Baltazar Mendez, "vecino de los Reyes" (Lima) en relación con un tipo de encuesta realizada por "los señores del Consejo Real de las Indias" entre los habitantes del Perú, la cual se refería a la extensión que debería tener esta Real Audiencia (Levillier 1918, I: 566).

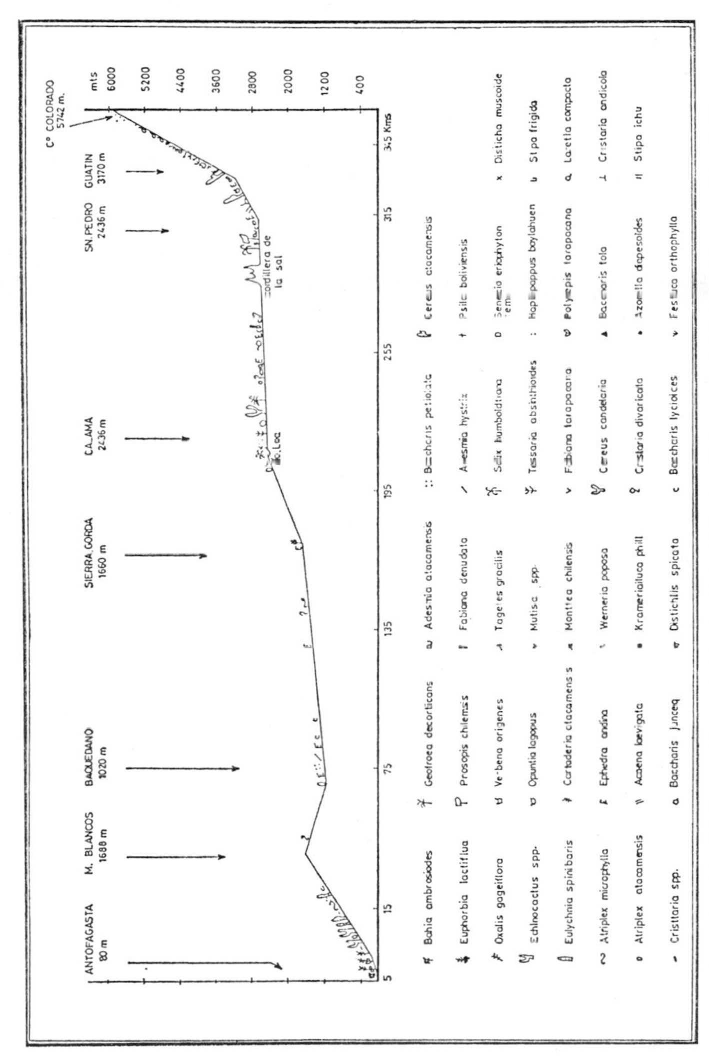

Fig. 6. Perfil Fitográfico a la Latitud de 23° Sur (Norte de Chile). (Fuenzalida 1977).

El señor Mendez declaró que para "los vezinos de Chile y naturales de aquellas probincias" era mejor "acudir con sus negocios a Lima que a los Charcas, por cuanto era posible llegar a dicha ciudad en quince días y "de camyno hazen sus contrataciones". Por otra parte:

> aver de yr a los Charcas es el camyno mas largo y todo de arenales y despoblados y syn agua ny mantenymyentos syno es Atacama la Grande que esta en el camyno y desde ally hay otros despoblados y seria muy perjudicial para los naturales y aun para los españoles y andando este camyno Don Diego de Almagro se le murio la mayor parte de la gente y aviendo de benyr por mar se an de desembarcar en Arica y donde para yr a los Charcas ay cien leguas de muy mal camyno y algunos despoblados por manera que muy mejor syn comparacion asy a españoles como a los naturales les estara mejor acudir a los Reyes . . .

Otra ruta, de origen prehispánico, es la que comunica a Cobija y el altiplano boliviano (Potosí y otros lugares) y cuya importancia económica en la Colonia y hasta fines del siglo XIX fue inmensa. En su tramo entre Chacance (al margen del río Loa) y Gatico (en la costa a unos 11 km al norte de Cobija), el cual atraviesa el desierto más estéril, este camino (senderos de llamas, de tropas de mulas, etc.) se encuentra asociado a geoglifos y pequeñas estructuras de diferente índole, todos ellos elementos que podrían ser explicados en términos económico-rituales (Bittmann 1985). Los hallazgos de artefactos y otros objetos encontrados a lo largo de esta ruta constituyen evidencia acerca de su antiguedad y uso en forma continua hasta tiempos recientes. También en las cercanías de este camino hemos encontrado lugares de abastecimiento de materia prima o talleres líticos, donde los indígenas en el pasado acudían en búsqueda de materiales para la confección de herramientas y utensilios (cf. Le Paige 1969).

Hemos dicho que el desierto hiperárido es poco apto para la vida animal y vegetal. Sin embargo, existen dentro de esta región unas excepciones, las que incluyen los oasis a lo largo del río Loa, único río de la II Región de Antofagasta que desemboca en el mar, los bordes de los salares y los oasis y valles que se encuentran al pie de la Puna. Allí la flora silvestre esta representada, entre otras especies, por la grama salada (*Distchilis spicata*), la brea o sorona (*Tessaria absinthioidea*) y los árboles algarrobo (*Prosopis chilensis*), chañar (*Geoffroea decorticans*) y molle o pimiento (*Schinus molle*).

En cuanto a la fauna, podemos mencionar el lauchón (*Phyllotis darwini rup.*) y el tucotuco o "cholulu" (*Ctenomys sp.*). Además aves como la tórtola (*Metriopelia melonoptera melonop.* y *Metriopelia aymara*) y la becasina (*Gallinazo paraguaine*). Otra especie de fauna característica lo constituye la vinchuca, un insecto del género *Triatoma*, que transmite una enfermedad muy peligrosa (*Trypanosomiasis americana* o "chagas") y cuyo habitat, aparentemente, son las viviendas de los seres humanos.

Región Tropical Marginal (Fig. 3). Hacia el oriente, las características desérticas se atenúan según la altura a partir de los 2500 m, donde empieza a desarrollarse la "Puna de Atacama". El clima se ha llamado de "desierto marginal de altura" (BWH). Es relativamente frio y seco con notables oscilaciones térmicas durante el año y precipitaciones exclusivamente en el verano durante el llamado "invierno boliviano". La vegetación es de xerófitos, gramíneas y arbustos. En el ámbito bajo, los algarrobos y chañares desaparecen al este de San Pedro de Atacama y Toconao, y aparecen la rica-rica (*Acantholippia deserticola*), la grama y la junquilla. Se presentan también las cactáceas como el "cardón" (*Cereus atacamensis*), un cactus columnar, y el pingo-pingo (*Ephedra andina*), la lampaya (*Lampaya medicinalis*) y la cortadera o "cola de zorro" (*Cortaderia atacamensis*).

La fauna incluye el puma (*Puma concolor*), el gato montés (*Felis colocolo*), la chilla (*Dusicyon griseus*) y el zorro culpeo (*Dusicyon culpacus and.*) y un cérvido (*Hyppocamelus bisulens*). Entre las aves se presentan el halcón (*Falco femoralis*), el perdiz gigante (*Nothoprocto petlandii*) y el cóndor (*Vultur gryphus*). Los roedores incluyen el lauchón, la vizcacha (*Lagidium viscaccia*), la chinchilla (*Chinchilla lanigeri*) y el cuy (*Galea musteolidea*). También se encuentran escasos ejemplares de guanaco (*Lama guanicoe*).

Región Tropical de Altura (Fig. 3). Esta se encuentra por sobre los

3800 m de altura. Es la alta Puna. Trátase de un paisaje estepario, cuyo clima frío con precipitaciones estivales (lluvia, nieve) se llama, también, "estepa de altura" (BSH). La vegetación se caracteriza por gramíneas o "pajonal" tales como la paja brava (*Festuca orthophylla*) y el "ichu" (*Stipa ichu*) y la queñoa (*Polylepis tarapacana*). Otras formaciones constituyen el "tolar" donde dominan los arbustos como la "tola" (*Baccharis tola*), el bailahuén (*Haplapappus bailahuen*) entre otras. Sobre los 4000 m se encuentran la vegetación en cojin llamada el "llaretal", donde domina la llareta (*Lareta compacta*). Allí aparece también la queñoa.

La fauna se encuentra principalmente en las zonas de vegas o "bofedales", representada por aves tales como el flamenco o parina (*Phoenicopterus chilensis*), varias especies de patos silvestres, el ñandú o avestruz (*Pterocnemia peumata tarapacensis*) y el cóndor. También hay vizcachas y vicuñas (*Vicugna vicugna*).

De gran importancia para el pastoreo han sido (y son) las formaciones vegetales de las vegas, lagunas, vertientes y salares, que no forman parte de la zonificación "vertical" que acabamos de exponer. Tales formaciones se encuentran entre los 2000 y 4000 m o más de altura. Entre ellas podemos meniconar las vegas de Turi y las de Chiuchiu, Paniri y, en el pasado, las de Incaliri y Calama.

En las regiones ecológicas que acabamos de señalar, los asentamientos humanos más importantes se encontraban en el momento del contacto con los europeos en la costa y en los oasis y valles a lo largo de los principales ríos del desierto (el Loa, Salado, San Pedro, etc.). Asimismo, hasta hoy los principales asentamientos de población de orígen indígena se encuentran a lo largo del río Loa en los oasis tales como Quillagua en la región desértica más árida (Figs. 1 y 2) y, más hacia el este, en los valles y quebradas de las regiones ecológicas que hemos denominado "desértico interior" y "tropical marginal" (Puna baja), respectivamente. Trátanse, en el sur, de los pueblos asociados al Salar de Atacama como San Pedro de Atacama (2140 m), Toconao (2500 m), Camar, Socaire (3218 m), Peine (2420 m), Río Grande, Tilomonte y Tilopozo. Más al norte, se ubican los poblados de Chiuchiu (2250 m), Lasana (2556 m), Ayquina,

Turi (3000 m), Cupo (3650 m), Caspana (3260 m) y Toconce (3350 m). Calama, con raíces prehispánicas, hoy en día constituye conjuntamente con Chuquicamata un importante núcleo urbano-minero. En el sector septentrional extremo se encuentran pueblos y caseríos tales como Conchi Viejo, Polapi, Ascotán, Cebollar, Santa Rosa, Ollagüe y Amincha (Figs. 1 y 2).

Excavaciones arqueológicas y evidencia histórica y etnográfica indican que la Cordillera de los Andes y el Desierto de Atacama no constituyeron barreras para la comunicación y contacto cultural entre grupos humanos. La arqueología señala la existencia de interacciones ya en épocas precolombinas remotas y, utilizando la analogía histórica, es posible sugerir que tales relaciones se hayan establecido sobre la base del concepto o ideal de la complementariedad ecológica (v. gr. Murra 1975) o de "zonas simbióticas", articulando mar, desierto, puna y tierras orientales en términos de la redistribución de recursos entre distintas zonas ecológicas. Este ideal se ha expresado en distintas formas en diferentes épocas (transhumancia, trueque, archipiélagos, comercio monetario, etc.).

ANTECEDENTES HISTORICOS Y ETNOGRAFICOS: EL HABITAT Y SUS RECURSOS

Toda población vive en y, al mismo tiempo, explota un habitat, el cual consiste en un territorio o espacio y los recursos, especialmente alimenticios, que es encuentran representados allí. En la primera parte de este acápite expondremos, en forma diacrónica, un bosquejo de la información histórica y etnográfica que describe en términos generales el habitat desértico. En la segunda parte, estudiaremos con más detalle algunos de los recursos aprovechados por el hombre.

EL HABITAT

Las primeras informaciones escritas disponibles sobre el habitat de los indígenas del Desierto de Atacama provienen de los relatos que tratan de la llegada de las expediciones de Diego de Almagro, en 1537, y de Pedro de Valdivia, en 1540.

Almagro y su gente llegaron a la zona de San Pedro de Atacama cruzando el desierto desde Copiapó. El cronista Gonzalo Fernández de Oviedo y Valdés (1959, V: 147) cuenta cómo "intentaron el despoblado e infernal camino de Atacama (ver también Bibar 1966: 18–19). Se encontró agua en "jagueyes" o "pozos hechos a mano", los que se ubicaron "a siete e a ocho e trece leguas, y otros a tres o cuatro" de distancia (Fernández de Oviedo, 146). A la manera de los indígenas, los españoles tenían cargadas llamas con agua contenida en odres o "zaques" hechos de cuero de llama y en calabazas y vasijas de cerámica (op. cit., 148). Además en lo que a recursos se refiere, Fernández de Oviedo dice (loc. cit.):

> La provincia de Atacama tiene cuarenta leguas de término, sin lo despoblado, que es mucha cantidad . . . Para esos que son, cogen maíz, e tienen ganado en abundancia. Tienen asimesmo garrobas, e unos cuescos pequeños que también los hallaron en Pocayapo [Copiapó], e se muelen e se comen.

Los recursos alimenticios que señala este autor son agua, maíz, ganado y los frutos de los árboles silvestres llamados algarrobo y chañar.

Gerónimo de Bibar, secretario de Pedro de Valdivia, propone más información acerca del ambiente natural, los alimentos, la agricultura y la vivienda de los habitantes de Atacama. Señala, por ejemplo, que (1966: 12):

> Es valle ancho y fértil; tiene las poblaciones a la falda de las sierras que es parte provechosa para ofender y defender . . . Tiene grandes planos de salitrales; en las partes que hay sierras son agrias con grandes quebradas.

Refiriéndose a la llegada al valle de Atacama de Pedro de Valdivia, informa Bibar (op. cit., 13): "Alójase en el pueblo principal, sitio fuerte abastecido de mantenimientos y agua y leña en cantidad . . . ".

En otro lugar declara el mismo autor (op. cit., 13):

> En este pueblo de Atacama el sitio que tiene es de esta suerte: es un valle llano y ancho y largo a la contra del sitio de los otros valles

Fig. 7. Indígenas atacameños. Siglo XIX. (Bresson 1875).

porque, a cinco o seis leguas que corre el río, se sume y no se ve por donde va ni donde sale a la mar. En el edificio de las casas son diferentes de otras provincias. Tiene este valle muy grandes algarrobales, y llevan muy buenas algarrobas de que los indios la muelen y hacen un pan gustosa de ella. Y hacen un brebaje con esta algarroba molida y cuécenla con agua; es brebaje gustoso. Hay grandes chañarales, que es un árbol a manera de majuelo. Llevan fruta que se dice "chañar" . . . Es valle ancho; tienen los indios sacadas muchas acequias de que riegen sus tierras.

Las casas en que habitan los indios son de adobes y dobladas con sus entresuelos hechos de gruesas vigas de algarrobas, que es madera recia. Son todas estas casas lo alto de ella de tierra de barro a causa que no llueve. Encima de estos terrados de las casas, hechos de adobes ciertos apartados pequeños y redondos a manera de hornos en que tienen sus comidas, que es maíz, papas, frijoles, y quenoa, algarroba y chañar que tengo dicho del que también hacen un gustoso brebaje para beber a mies.

Cuenta, además, que en la "habitación" en la parte baja de las casas, los indios tienen las grandes vasijas de cerámica ("de a dos arrobas") para preparar la bebida y, también, de otros tipos "para su servicio" (Fig. 7).

En cuanto a los recursos alimenticios disponibles en Atacama (zona del actual pueblo de San Pedro de Atacama) a mediados del siglo XVI, se desprende de lo dicho arriba que, a ojos de los españoles, eran relativamente abundantes. Bibar señala la existencia de agua potable, de la ganadería y de la práctica de la agricultura (gracias a la disponibilidad de agua de dos ríos) con el uso de un sistema elaborado de irrigación. Las plantas cultivadas eran maíz, frijoles, calabazas (*Cucurbita sp.*), quinoa (*Chenopodium quinoa*) y papas. También se practicaba la recolección de los frutos de dos árboles silvestres, el algarrobo y el chañar, de los cuales se preparaban alimentos y una bebida. Además se empleaba la madera del algarrobo en la construcción. Los alimentos fueron guardados en bodegas circulares, construidas sobre los techos de las viviendas. Hay referencias, además, al uso de la llama como animal de carga y a la confección de recipientes para agua del cuero de este animal. También se utilizaban recipientes de cerámica y de calabaza.

El desierto contenía importantes recursos mineros. Al respecto dice Bibar (op. cit., 14):

> Hay en este valle de Atacama infinita plata y cobre y mucho estaño y plomo y gran cantidad de sal transparente. Hay mucho alabastro . . . Hay yodo excelentísimo; parece esmeralda en la color . . . de la otra sal que se cría para bastimento común hay en gran cantidad de salitrales y azufre.

No todos los españoles, sin embargo, miraron a los recursos del Desierto de Atacama en términos tan favorables como Bibar. Sobre la pobreza de algunos de las provincias del Obispado de la Plata, al cual pertenecía Atacama durante la Colonia, informa un documento de 1608 (A.G.I., Audiencia de Charcas, Leg. 140, hojas 7v-8r; ver también Casassas 1974: 75):

> Los diezmos principales y demas aprovechamiento de este obispado son los de esta ciudad La Plata y sus balles como se bera por la misma razon y quenta de los diezmos porque todos ellos estan poblados de labradores y chacaras de trigo y maiz y viñas aunque en las provincias de Paria y Carrangas y Lipes y Atacama no ay rentas de diezmos por sus tierras ynfructiferas y que no ay de que pagarlos.

Respecto de los recursos de la provincia de Atacama, declara Vázquez de Espinosa (1948: 616–18) a comienzos del siglo XVII:

> . . . cogense en sus valles trigo, maiz, algarrobas, papas, uvas que siembran los indios y otras huertas de árboles frutales de España, y de la tierra, en vallesitos pequeños, que hay en medio de aquellos inhabitables arenales, como son el valle de Catorpe [Catarpe], que es muy fresco, y regalado, todo es de regadía, el de Toconao, Toconsé, y otros.

Ya en esa época temprana se nota la presencia de vegetales traídos de España como trigo, uvas y algunos árboles frutales.

Con la agricultura, el suelo se torna un recurso de suma importancia. Sobre la cantidad y calidad de los suelos para cultivos y el uso de terrazas o andenes habla el corregidor Espejo en 1683, en relación con una revisita efectuada en Atacama la Baja (Chiuchiu) y Atacama la Alta (San Pedro de Atacama). De esto se desprende que la situación no era óptima y que los indígenas se vieron obligados a dedicarse a la arriería o a irse a trabajar en otras partes para poder pagar los tributos que les correspondieron. Con referencia a Chiuchiu declara Espejo (Hidalgo 1984: 425):

> . . . es en sí infructuosa y no tiene tierras para sembrar más que un estero, en que hacen los indios [cultivos a] modo de escaleras a fuerza de brazos y piedras. Y este es más entretenimiento que fruto, porque raro es el año que llega a madurar por las continuas heladas, mantienense los indios las mulas, por ser todos arrieros, el estero dicho les ofrece algunos pastos, en que las tienen, eran y aún son asistentes a su provincia por la convenencia que tenían de algunos fletes, que les venía, del Reino de Chile, en que pagarían sus tasas y traían vestimentas para pasar el año.

En lo que a Atacama la Alta se refiere, en la misma época la situación era diferente, pues aunque las condiciones de la naturaleza eran más aptas para los cultivos, un alto porcentaje de la población se encontró ausente en forma permanente (Hidalgo, loc. cit.):

> La otra de Atacama la Alta es mayor y les sobran tierras en que sembrar aunque a fuerza de brazos, y son tan pocos los indios que

> siembran que escasamente se sustentan porque . . . los aillos están despoblados como lo madura [ra] Vuestra Excelencia en el padrón y revisita . . . y tengo por precisas estas ausencias, de los indios, por no tener en esta provincia en que poder conseguir el entero de sus tasas, y así se van a los convecinos donde hay algunos ingenios, a alquilarse.

En 1787, J. del Pino Manrique (Bertrand 1885: 144) pronuncia acerca de las condiciones de la naturaleza al interior del territorio del partido de Atacama:

> Sus producciones trigo, maíz, verduras, algunas pocas frutas y algarroba, de que usan para chicha, como la que en el Perú se hace de maíz. Maderas de corpulencia i subsistencia, sales esquisitas y en mucha abundancia, pastos sabrosos para crías de ganados lanares; pero escasez grande de aguas que no logran para sus riegos sino en corta cantidad de la que los provée una laguna situada en el mismo terreno, a excepción del río Chiuchiu [el Loa], que es el mismo que nace de Miño y riega el territorio de Calama, con extensión de tres á cuatro leguas por todas partes, y con cuyo motivo es perenne una famosa ciénaga, cubierta menudamente de la yerba, ó pasto que llaman junquillo tan á propósito para el engorde del ganado, que siendo extremoso, lo hace infecundo á poco tiempo: con este hacen comercio hácia Pica i Tarapacá . . .

A fines del siglo XIX, San Román (1902) visitó algunas de los pueblos del desierto y describe sus recursos. En Calama, por ejemplo, se cultivaban preferentemente alfalfa y maíz en ambas margenes del río Loa. Además, este autor se refiere a la "ciénaga" o vega donde crecía el pasto silvestre llamado grama, que se utilizaba para alimentar llamas, ovejas y mulas. Informa, también, que debido a las bajas temperaturas en invierno era necesario proveer de alfalfa seca a los animales durante este período (op. cit., 390–91). En la misma forma dominaban en Chiuchiu la alfalfa y el maíz, aunque allí también se producía trigo y papas. La población vivía de "la agricultura i de la arriería" tal como en el siglo XVII. Por otra parte, San Román (op. cit., 393–94) hace referencia a relaciones entre los pobladores de Chiuchiu y gente que vivía al otro lado de la Cordillera de los Andes, por cuanto la obra de mano era escasa en Chiuchiu y se la traía de "Tupiza, Moraya, Nazarena, Suipacha, Santiago de Cotagaita i otros pueblitos de la provincia de Chichas". En Caspana, en aquel entonces, la situación era similar, pero allí se cultivaban, aparte del maíz y la alfalfa, también algunos frutales como el durazno, el peral, la ciruela y la vid. Los cultivos se realizaron—como es el caso hoy en día—en andenes situados en una estrecha faja de terreno a lo largo del rio Loa. La tierra pertenecía a la comunidad y "cada cual toma lo que necesita" (op. cit., 395) y:

> . . . divide su propiedad en pequeños andenes, especies de cajones formados con piedras de río, i que rellenan en seguida con tierra vegetal.

En la década de los veinte del presente siglo, William Rudloph (1928) visitó Calama donde la situación en cuanto a cultivos y ganado no había cambiado. Este autor hace referencia al uso de la vega por el ganado de Argentina que se encontraba en camino a los centros de la explotación salitrera.

En Caspana, Ayquina y Toconce, Rudolph observó cultivos dispuestos en terrazas. Las viviendas de estos poblados se caracterizban, entre otros aspectos, por sus techos de paja y puertas de madera de cactus. Sólo en Toconce había abundancia de agua.

Existen también algunos datos sobre los recursos aprovechados por los pastores, Durante sus exploraciones en la zona de Quetena en 1884, Bertrand (1885: 70–71) cuenta haber llegado a un lugar con vegas, ocupado por pastores de llamas, pero sus "ranchos" estaban cerrados con candado. Sin embargo, pudo observar:

> . . . prendas de ropa i operos de montar depositados afuera en poyos, y en un corral lios de pasto de vega seco: había también rastros de haberse fabricado carbón.

Más allá vió, también, a varios ranchos agrupados alrededor de un pequeño santuario donde encontró, envueltos en un lienzo de lana de llama, algunos huevos de parina colgados del techo y, además, un bastón de madera. También había un recipiente con resina de llareta. A poca distancia de aquel lugar había otras vegas donde vivían pastores indígenas con ganado ovejuno y "corrales repletos de llamas". Y agrega Bertrand (loc. cit.):

> El comercio de esta jente consiste en llevar a Lípez, a Tupiza, a Esmoraca, a Santa Catalina, sus tejidos de lana de llama . . . trayendo en retorno cargas de coca que venden a buen precio a los pastores indígenas i que aun introducen de contrabando a Atacama.

Bertrand (op. cit., 35) también se refiere a los pastores de Susques en la Puna de Atacama con las siguientes palabras:

> . . . hai en los alrededores como 300 indios repartidos en estancias que solo se reunen para las festividades relijiosas en la capilla o iglesia del lugar.

Dicho autor también menciona a otras "poblaciones" de la Puna, pero no queda claro si estaban ocupadas en forma cíclica o no. Es así que Catua, situado a unos 4000 m de altura sobre el nivel del mar, en el camino entre Salta y San Pedro de Atacama, tenía "una capilla i unas cuantas casuchas diseminadas en una larga quebrada". Allí vivían unas 40 personas, "que poseen escasamente algunas ovjeas o llamas" (loc. cit.). Otras localidades señaladas incluyen Pastos Grandes, donde vivían unos cincuenta indígenas, y "está rodeado de estancias de ganado de ovejas i llamas".

La agricultura no existe en la alta Puna, medio que se caracteriza por sus fuertes vientos y bajas temperaturas. Esta región es aprovechada por el hombre en forma estacional, sobre todo en los meses con condiciones climáticas favorables. Sirve como zona de caza, pastoreo, recolección y extracción de diversos tipos de recursos (huevos de parina, madera de queñoa, minerales). Se encuentran allí, por ejemplo, rocas tales como la obsidiana y el basalto, siendo éstos importantes en el periódo prehispánica para la confección de herramientas.

Durante la estación invernal, cuando la temperatura desciende a 20°C (o más) bajo cero, la población humana con su ganado y, también, algunos animales silvestres, bajan a ambientes más benignos. Trátase, entonces, de una situación distinta de la que rige en los Andes Centrales, donde los pastores pueden mantenerse con sus animales en la Puna todo el año. Por otro lado, el sistema que se practica en la Puna de Atacama es más similar al de la transhumancia estacional que se efectua, por ejemplo, entre los pastores de Escandinavia y los Alpes en Europa. En relación con ésto es interesante mencionar las ausencias a las cuales se refiere el corregidor Espejo en relación con la revisita realizada en San Pedro de Atacama a fines del siglo XVII. En forma similar, en 1787 declara Pino Manrique (Bertrand 1885: 143) que los indios de Socaire y Susques vivían en Tucumán, "por la mayor facilidad con que consiguen su subsistencia". Asimismo, este autor relata que Peine se encontraba despoblado en ciertas épocas, por cuanto "sus proporciones productivas no sufren residencia fija" (ver también Hidalgo 1978, 1984). Respecto de este último lugar Philippi (1860: 68), en la década de los cincuenta del siglo pasado, relata que "no había alma viviente en Peine. Los hombres sin excepción habían ido, quien a cazar, quien a catear . . . ". También las mujeres y los niños se habían ausentado para auydar en la cosecha en San Pedro de Atacama con el objeto de tener alguna ganancia.

En la década de los veinte de nuestro siglo, Isaiah Bowman (1942) hizo referencia al patrón de poblamiento disperso de la zona de San Pedro de Atacama, lo que según él se relacionaría con la dispersión de los recursos (agua, suelo apto para el cultivo, pastizales para el ganado, etc.). Cuenta que los pastores de las alturas dependían del pueblo para la obtención de sus provisiones (frutas secas, chañar, harina, trigo y chuña). Asimismo, como ellos no pudieron permanecer en la alta Puna debido a las bajas temperaturas en los meses de invierno, tuvieron que descender en búsqueda de pastos para su ganado. Es así que, aparte de su hogar en los altos pastizales, los pastores a menudo construyeron una o dos chozas más en los valles y oasis, llegando aún a tener parcelas con huertas, donde dejaban a algunos miembros de la familia (ancianos, niños). Destaca Bowman que una situación similar existía en muchas otras partes (Toconao, Socaire, etc.). Para la década de los cincuenta, señalan Mostny y colegas (1954: 10–11, 29–30) que los pobladores de Peine, en verano llevaron sus animales a las vegas y aguadas en la alta Puna, donde fueron cuidados por jóvenes y ancianos. En invierno bajaban al pueblo (ver también Riso Patrón 1918: 162). Por su altura, Peine tiene un clima con fuertes oscilaciones térmicas y bajas temperaturas, condiciones que sólo permiten ciertos tipos de agricultura. Por este motivo, las familias además de sus tierras en Peine, a menudo tiene una parcela con una vivienda en Tilomonte, oasis de clima más benigno. Este mismo patrón de poblamiento ha sido descrito por Valenzuela (1969–70) para tiempos más recientes con referencia a Ayquina, donde es común que las familias, a parte de sus tierras en este pueblo, poseen otras en Turi, Cupo, Toconce, etc., y los habitantes de aquellos lugares tienen "bienes raíces" en Ayquina (op. cit., (9–91; ver también Ruben 1952: 145).

Pareciera, entonces, que el aparente "abandono" de sus hogares por parte de familias o grupos, que se puede observar en muchos lugares del Desierto de Atacama, a menudo podría explicarse en términos de una antigua estrategia o un patrón de relaciones hombre-recursos, que se expresa mediante el uso de recursos "complementarios" o, en otras palabras, el control simultáneo de dos o más pisos ecológicos por parte de familias (y comunidades), tanto de agricultores como de pastores. De esta manera, por lo menos en muchos casos, agricultores y pastores pertenecen a una sola familia y una sola comunidad.

Respecto de la casi exclusiva dedicación a la arrería por parte de algunos de los habitantes de Atacama a la cual se refieren diversas fuentes coloniales, podría ser un fenómeno surgido después del contacto con los europeos en relación con las necesidades de los establecimientos mineros etc. (transporte, abastecimiento). Por otra parte, es importante acordarse de que el tráfico prehispánico a larga distancia también ha requerido caravaneros de mucha experiencia o, en otras palabras, de especialistas.

RECURSOS, SU EXPLOTACION Y UTILIZACION

Aquí reuniremos, en forma diacrónica, datos sobre algunos de los recursos naturales aprovechados por el hombre en el Desierto de Atacama, los métodos y técnicas de su obtención y los modos de utilizarlos.

LA FAUNA

Los Mamiferos

Los Auquénidos

Primero meniconaremos los grandes camélidos andinos: llama (*Lama glama*), alpaca (*Lama paca*), guanaco (*Lama guanicoe*) y vicuña (*Vicugna vicugna*), siendo los dos últimos silvestres y los primeros domesticados y constituyen el ganado mayor aborígen (v. gr. Gutiérrez de Santa Clara 1905: 499; Murúa 1964: 154; Acosta 1979: 208–12; Flores Ochoa 1981). Todos ellos fueron muy importantes en la economía del mundo andino. Al respecto precisa Gutiérrez de Santa Clara (op. cit., 499):

> Otro si, ay otros géneros de carneros, que unos llaman guanacos, que son como venados berrendos y corren muchissimo y andan por los despoblados a grandes manadas. El otro género llaman urcos, que son los carneros que se comen, que son estos carneros tamaños y se traen a las cibdades a vender cantidad dellos y se pesan en las carnicerías para todos, y es muy buena carne y sabrosa de comer, que son estos carneros tamaños como asnos sardescos y son muy gordos. El otro género se dizen llamas son muy grandes, los quales cargan como cauallos o mulas que andan en las recuas, y ay grandissimos rebaños dellos, que los indios los crían, y son ellos muy mansos y comen gentilmente mahiz y andan enxaquimados como bestias asnales o mulares. De todos estos . . . géneros de carneros son muy buenos de comer, y el sebo dellos parece manteca de puerco mas que sebo de carnero, porque su empalaga que con ellos se guisa de comer y con ellos se hazen pasteles y buñuelos y otros manjares de buen comer.

Murúa (op. cit., 154) destaca, además, la alta calidad de la lana de la alpaca con las siguientes palabras:

> Otra suerte ay deste ganado llamado pacos. Es menor y no sirve para jenero ninguno de carga, sino solo la lana dellos, porque les crese notablemente, y es blanca y negra pardayoque, que dizen frailesco, y cada vellon tiene a cinco o seis libras della, y es tan suave y blanda, que la seda casi no se iguala.

Cuenta fray Martín de Murúa también cómo los indígenas solían teñir la lana blanca con colores de origen vegetal y agrega: "También comen la carne destos pacos . . . ":

El guanaco vive aproximadamente entre los 3000 y 3600 m sobre el nivel del mar. Su lana se emplea para "tejer mantos, calcetas, escarpines, etc., del uso de los atacameños o arjentinos" según Bertrand (1885: 23) escribiendo hacia fines del siglo XIX. La vicuña se encuentra en la Puna alta sobre los 3800 m de altitud. De acuerdo con Murúa (loc. cit.), "bien sabido es que la lana de vicuña es mas fina que la de sus conjéneres; y por esto es la mas apetecida". Con la lana se tejía "mantos, ponchos y guantes", los cuales obtenían "en los mercados de Atacama i Molinos los mismos precios que en Santiago, Valparaiso o Salta" (loc. cit.).

La carne de llama también es muy apetecida por la población del norte chileno hasta nuestros días. Su lana, dice Bertrand (op. cit., 237):

> . . . es de diversos colores, parda casi negra, plomiza parda casi blanca; es bastante consistente i algo áspera. Se la emplea en fabricar prendas de ropa, frazadas i tiras de alfombra para cubrir los poyos de tierra que sirven de lecho a los indios.

El excremento de llamas y alpacas se utiliza como abono y combustible ("taquía").

La caza de los auquénidos ha tenido mucha importancia en la cultura andina, también después de la domesticación de la llama y la alpaca. El modo de cazarlos, específicamente la vicuña, se llamaba *chaco*, el cual ha sido descrito por diversos autores desde el siglo XVI hasta el presente. Trátase de un método de caza de origen precolombino, que implicaba la construcción de un cerco de piedra o de palos unidos por cuerdas, a las cuales se ataban hilos de lana o trozos de género, dejándo una apertura para que los animales pudiesen entrar (v. gr. Latcham 1922; Bowman 1942: 294; Cieza de León 1945: 223; Rowe 1946; La Barre 1946; Cobo 1956, I: 368; von Tschudi 1963; Proctor 1971; Custred 1979).

En tiempos de los Incas, este tipo de caza ("caza real") se realizaba en forma muy elaborada y con la participación de personas de alto rango, matando con porras no sólo vicuñas sino también guanacos, venados y otros animales. Es interesante anotar que, aparentemente, existía un sistema de control de recursos, de tal manera que no se mataban en forma indiscrimada a los animales sino se soltaban a las hembras preñadas y a los jóvenes después de haberlos esquilado. Antonio de Alcedo (1786–89) describe un sistema de caza similar practicado en Atacama, tanto en la costa (op. cit., IV, 61) como en el interior (op. cit., I, 168–69) en el siglo XVIII, utilizándose como armas boleadoras:

> . . . una cuerda de más de a vara, con una piedra en cada extremo; la arrojan a los pies de las vicuñas y enredadas, las cogen.

Probablemente se realizaba la caza de estos animales con otros métodos, con arco y flecha o estólica, por ejemplo. Hace poco tiempo atrás se utilizaba todavía en la Puna de Atacama la boleadora con tres bolas envueltas en cuero (v. gr. Bowman 1942: 294; Mostny et al. 1954: 30–31). Hoy en día se cazan los auquénidos silvestres con armas de fuego. Sobre el empleo de perros en la caza dice Bertrand (op. cit., 235; ver también Bittmann 1986):

> El que pretende cazar vicuñas debe llevar un perro adiestrado i ser además buen tirador, pues el animal es estremadamente lijero para huir.

Acerca de las vicuñas en el partido de Atacama señala Pino Manrique a fines del siglo XVIII (Bertrand 1885: 145):

> Tiene igualmente este partido porción de vicuñas, que son las más apreciadas por la calidad de la piel, más grande y fina que los de las otras partes; pero á cuya caza no se dedican, porque el precio ofrecido por ellas no les compensa su trabajo, ni promete utilidad a los naturales.

Debido a la excelente adaptación de los camélidos a su ambiente, la llama y la alpaca—aunque en proceso de disiminuición—conservan una posición importante entre los animales domésticos. Proveen carne fresca o seca ("charqui"), combustible y otros materiales aprovechables como pieles, grasa y huesos, los cuales se emplean en la confección de diversos utensilios y herramientas (v. gr. La Barre 1948; Flores Ochoa 1968, 1977; Browman 1974; Concha Contreras 1975). Una considerable importancia económica tiene en nuestros tiempos la producción de lana de alpaca.

Philippi (1860) describe diversos aspectos de la vida en San Pedro de Atacama a mediados del siglo pasado señalando, por ejemplo, que (op. cit., 52–53):

> El ganado vacuno viene de las provincias argentinas, sin embargo se encuentra casi todos los días carne de vaca. De vez en cuando hay carne de llama, las que vienen de algunos valles en el camino de Potosí. Más común es la carne de cordero, a pesar de que los rebaños de ovejas no se tienen en las inmediaciones del pueblo sino a bastante distancia en la cordillera, donde hay aguadas con pasto. De tiempo en tiempo los cazadores traen carne de guanaco y de vicuña.

En la época prehispánica, y también, durante los períodos colonial y republicano, la llama era muy importante como animal de carga. Sin embargo, su empleo ha disminuido, primero a causa de la introducción de animales de carga de origen europeo (burros, mulas, caballos) y, eventualmente, de vehículos motorizados y el ferrocarril. Por otra parte, en algunos lugares todavía se utiliza la llama como animal de carga. Sobre las caravanas de llamas dice el padre Joseph de Acosta hacia fines del siglo XVI (1979: 211):

> . . . usan llevar manadas de estos carneros cargados como recua, y van en una recua de estas, trescientos o quinientos, y aún mil carneros, que trajinan vino, coca, maíz, chuño, y azoque, y otra cualquier mercadería . . . y la plata . . . las barras de plata las llevan el camino de Potosí o Arica, setenta leguas, y a Arequipa, otro tiempo solian ciento y cincuenta. La carga que llevan de ordinario un carnero de estos, será de cuatro o seis arrobas, y siendo viaje largo, no caminan sino dos o tres leguas, o cuatro a lo largo. Tienen sus paradas sabidas los carnereros, que llaman (que son los que llevan estas recuas) donde hay pasto, y agua allí descargan y arman sus toldos . . . Cuando no es más de una jornada, bien lleva un carnero

de estos ocho arrobas y más, y anda con su carga, jornada entera de ocho a diez leguas . . .

Sobre la capacidad de cargar y las ventajas de la llama sobre otros animales señala Bertrand (op. cit., 236) respecto a la Puna de Atacama a fines del siglo XIX:

> Los machos sirven para la carga, pero solo llevan de dos arrobas a un quintal i hacen jornadas mui cortas de dos o tres leguas; en cambio ofrecen la ventaja de pasar por cualquier sendero i conformarse con cualquier alimento. Los indios que los poseen se deshacen dificilmente de ellos, los quieren i cuidan mucho . . .

Con referencia a las piedras bezoares, concreciones calculosas que a menudo se encuentran en el estómago y las vías urinarias de ciertos animales y que han sido consideradas en otros tiempos como medicamentos, dice Murúa (op. cit., 154; ver también Acosta, op. cit., 212–14):

> . . . casan venados que ay muchos en la sierra, y bicuñas y guanacos, de donde se sacan las famosas y celebradas, contra todo jénero de panzoña, piedras vesares, las cuales se hallan en el buche destos animales, muchas o pocas conforme la hedad que tienen.

Así como en la vida económica y social, los auquénidos desempeñan un papel importante también en las esferas religiosas y de cosmología mítica, tema que sin embargo no podemos tratar en este trabajo.

A fines del siglo pasado, Bertrand (op. cit., 234–35) señaló que el guanaco era "bastante escaso en la Puna de Atacama" y que la vicuña abundaba "mucho más" refiriéndose, sin embargo, también a "la constante persecución que las han dado los incansables cazadores que las esperan i persiguen". Hoy ambas especies se encuentran en peligro de extinción en Chile.

El Zorro Culpeo

Este mamífero se caza en la actualidad con trampa. Antaño se cazaba con boleadoras. A menudo come ovejas jóvenes. De este animal se aprovecha su piel (cf. Mostny et al., 15 16).

En cuanto a otros mamíferos, el puma parece ser muy escaso o ha desaparecido. Este animal se alimenta de mamíferos y aves, los que caza vivos. Asimismo, pareciera que el venado nativo se encuentra en peligro o que ya no existe más.

No tenemos información escrita acerca de la presencia y uso del perro entre la población del Desierto de Atacama en el momento del contacto con los europeos. Por otra parte según Garcilaso (1960), en el Perú no había muchas razas de perros. El mismo autor (op. cit., 249), también hace referencia a los huancas, pobladores del valle del Mantaro como adoradores de perros y a los Chenta que comían la carne. Dice Poma de Ayala (1936: 267) que los huancas sacrificaron perros en vez de llamas. Por otra parte, el perro es empleado como ayudante del hombre en sus actividades de caza en en al actualidad.

Los Roedores

El Cuy

Respecto de este pequeño roedor (*Cavia porcellos L.*), el padre Acosta escribe (op. cit., 206):

> . . . hay otro animalejo (en "la Sierra del Pirú) muy común que llaman cuy, que los indios tienen por comida muy buena, y en sus sacrificios usaban frecuentísimamente ofrecer estos cuyes.

El cuy era y es un animal que se cría en la vivienda del hombre o en un tipo de pequeño corral en la cercanía de ella. Es probable que la crianza de dichos animales hayan disminuido en tiempos actuales, pero su carne todavía es apreciada por muchos indígenas del Desierto de Atacama, los que a menudo la encuentran más sabrosa que la de cualquier otro animal.

La Vizcacha

Es otro roedor que es un animal de caza importante, y "también . . . las comen" dice Acosta (op. cit., 207). Anota Cieza de León (1962: 278) en el siglo XVI que los españoles las mataban con "ballestas y arcabuces", mientras los indios las cazaban con lazos:

> . . . son buenas para comer como estén manidas; y aun de pelos o lana destas viscachas hacen los indios mantas grandes, tan blandas como si fuesen de seda, y son muy preciadas.

La vizcacha vive en la Puna y se caza por su piel y su carne con trampa, rifle y con perros. También se sacan de su cueva con un gancho de alambre (v. gr. Mostny et al., 31). Este animal es escaso.

La Chinchilla

Este roedor sobrevive en una zona reducida de la Cordillera de los Andes en la II Región de Antofagasta, sobre los 3000 m de altitud. Según el jesuita Joseph de Acosta (op. cit., 206) estos animales:

> . . . tienen un pelo a maravilla blando, y sus pieles se traen por cosa regalada y saludable para abrigar el estómago y partes que tienen necesidad de calor moderado; también hacen cubiertas, frazadas de estas chinchillas.

Debido al elevado precio de sus pieles, en la década de los treinta del presente siglo, se fundaron criaderos de chinchillas en el Desierto de Atacama, en Conchi Viejo y Calama y en la década de los cincuenta también había uno en Peine (v. gr. Mostny et al., 15). Por el valor de su piel, la chinchilla—que puede ser capturada con trampa o trampolín—ha sido objeto de una explotación intensa e irracional, encontrándose en la actualidad este animal en peligro de extincíon. Su caza está prohibida.

El Tucotuco

El tucotuco o "cholulo" es otro roedor comestible que vive en la Puna.

Las Aves

El Flamenco

Los flamencos o parinas viven en los salares y lagunas de la Precordillera y la Puna y son cazadas por sus huevos y plumas, las que se utilizan en ciertas ceremonias. Sobre los huevos cuenta Bertrand (op. cit.) que:

> . . . los huevos de esta ave son dos veces mas grandes en diámetro i largo que los de la gallina i los indios atacameños hacen comercio de este artículo que recojen en abundancia, vendiéndolos cocidos en Atacama o Chiuchiu.

Dice Riso Patrón (1918: 162) que durante su viaje al interior a comienzos del presente siglo, en la zona de la vega de Incaliri comió:

> . . . un guisado de huevos de flamencos (parina); la yema tiene el color, anaranjado de sus plumas y la clara no adquiere, cuando cocida, el color blanco, sino que queda un tanto incolora y transparente . . .

Frederic C. Walcott (1925) conoció el tráfico de huevos de parinas en la década de los veinte de nuestro siglo en la zona de la Laguna Colorada, al este de Toconce, en Bolivia meridional. Allí había, en aquel entonces, una abundancia de estas aves, las que hicieron sus nidos entre el 12 de diciembre y mediados de enero. El flamenco sólo pone un huevo cada estación, y los indígenas habían viajado a la laguna con el objeto de reunir el mayor número de huevos posible. Los que no pudieron sacar en un día, los dejaron cubiertos con barro para evitar la incubación. Según Walcott, los indígenas cocieron los huevos en un horno que habían construído para este propósito al margen de la laguna.

Todavía hoy los habitantes de los poblados del interior hacen largos viajes con el propósito de recoger huevos de flamencos. Cuentan por ejemplo Mostny et al. (op. cit., 16), que a principios de diciembre de cada año, la población de Peine (pueblo situado al sureste del Salar de Atacama) salía al Salar para recolectar estos huevos (ver también Rudolph 1963: 61). Hasta tiempos recientes, se cazaban los flamencos con boleadoras (cf. Mostny et al., loc. cit.).

En la actualidad se emplean los huevos ya empollados con propósitos medicinales (cf. Mostny et al., 99).

El uso del flamenco como recurso alimenticio y ritual debe ser antiguo. Hoy en día está escaseándo este recurso, y existen una serie de proyectos de protección y manejo de ésta y otras especies que se encuentran en peligro de extinción.

El Avestruz

El avestruz o suri es codiciado por sus plumas. Antiguamente se cazaba con boleadoras (cf. Mostny et al., 30–31). Tanto el avestruz como la parina aparecen representados en la pintura rupestre de Taira, por ejemplo, en el cañón del río Loa Superior (Ryden 1944).

El Pato

Estas aves viven en las lagunas de agua dulce y en vegas. "Su tamaño es algo menor que el pato doméstico." Se emplea en el consumo humano. "El sabor de su carne es algo aceitoso," informa Bertrand (op. cit., 239).

La Perdiz

También se utiliza en la alimentacion humana. "Su caza es mui . . . facil", por cuanto vuela poco (Bertrand, 239).

LA FLORA

El Algarrobo y El Chañar

Ambas especies son árboles que crecen en los valles y oasis del Desierto de Atacama, y cuya importancia en la economía indígena ya fue notada en el siglo XVI por Gerónimo de Bibar, secretario de Pedro de Valdivia.

El Algarrobo

Este árbol, aun siendo tortuoso, se emplea todavia como madera en la construcción de casas y en la confección de herramientas y diversos utensillos. Un factor que ha contribuido fuertemente a la destrucción de los bosques de estos árboles, que parecieran haberse encontrado en las cercanías de Quillagua, Calama y San Pedro de Atacama, fue su excesiva utilización como combustible, particularmente durante el siglo pasado y comienzos del presente, ya que el carbón vegetal y la leña de algarrobo se emplearon en los hogares e industrias (metales, salitre, etc.), que fueron surgiendo en el desierto.

De su fruta se prepara harina y una bebida fermentada con agua, conocida como "aloja", la que hasta hoy juega un papel importante en la vida ceremonial de los habitantes de los oasis. Además, la vaina se emplea con propósitos medicinales.

No existia en el pasado precolombino un cultivo especial de forraje, alimentando los indígenas a su ganado con las frutas del algarrobo y chañar entre otras especies vegetales silvestres. Los europeos importaron diversos animales (burros, mulas, cabras, ovejas, etc.), los que también tuvieron que sustentarse de ellas hasta que no se iniciara el cultivo intensivo de la alfalfa.

En lo que a forraje para los animales se refiere, dice Philippi (1860: 53) relativo a San Pedro de Atacama:

> No se cultiva otro grano que cebada para las mulas; pero los alfalfales ocupan la mayor parte del terreno cultivable, siendo el transporte de las mercaderías de Cobija a las provincias argentinas a Salta, Jujui, Tarija la ocupación principal de los Atacameños.

Y agrega el mismo autor que había muchas mulas en San Pedro de Atacama, siendo la tercera parte de los habitantes arrieros. Las mulas fueron compradas en Argentina.

El algarrobo también es útil en la producción de tejidos, donde su aserrín y resina se emplean para preparar tintura (cf. Bertrand 1885: 233; Mostny et al. 1954: 12; Valenzuela 1969–70).

Con respecto a la recolección del agarrobo y, también, su utilización para sustentar al ganado de los europeos existe, por ejemplo, evidencia de Quillagua, pueblo situado al margen del río Loa en los límites entre Tarapacá (Pica) y Atacama, cuyos habitantes indígenas habían luchado en forma violenta sobre su posesión a mediados del siglo XVII, resultando en el control de esas tierras por los de Pica (Paz Soldán 1878: 57). En algún momento, sin embargo, en el siglo XVIII—o con anterioridad—se había abandonado la aldea preshispánica, situada sobre el margen sur del río, dejando el valle de Quillagua sin cultivos. Es así que de acuerdo con un expediente de 1742, el cual trata del uso de los recursos de la zona de Quillagua, uno de los testigos declara haber visto a "los ganados mulas, vacas y cerdos'' de los europeos de Tarapacá ocupando pastizales del valle, mientras que los indígenas de Pica y Chiuchiu, respectivamente, se limitaban a recoger los frutos del algarrobo en los terrenos que les correspondían a cada grupo (op. cit., 55):

> . . . esto es, á la otra banda del río [Loa] en la cual están divididas las jurisdicciones, en una punta para abajo en que está el pueblo antiguo pertenece a esta jurisdicción y de ahí para arriba á la de Atacama, en una y otra parte ha habido siembre algarrobos y los hay; los de arriba desde dicha punta han poseida y poseen los indios de Atacama, y los de abajo los indios de esta parcialidad sin permitir unos ní otros en sus cosechas que siempre los han ido a cojer sin que se propasen de sus linderos.

El Chañar

Este árbol tiene una madera más blanda que el algarrobo. Se la utiliza también en obras de construcción, para hacer cercos y diversos objetos pequeños.

Sobre los materiales naturales usados en la construcción de las viviendas, relata Philippi (op. cit., 56) en 1854:

> Los techos son inclinados, su tijerales son palos de chañar o de algarrobo, sobre las cintas se pone una capa doble de brea y, encima de éste, barro.

El fruto del chañar sirve para preparar harina y se conserva tostado o cocido. Además con él se prepara una especie de arrope. Al respecto dice Philippi (op. cit., 52:):

> El fruto del cháñar es amarillo cuando maduro, lo vi solo verde y seco; en este estado la carne tiene un sabor algo parecido al del dátil, pero es más dura, fibrosa y no se separa del hueso. Este se recoge con cuidado, se muele, y la harina sirve de alimento para las mulas.

Al igual que el fruto del algarrobo sirve de forraje (Bertrand, loc. cit.); Mostny et al., loc. cit.; Valenzuela, op. cit.).

Hoy en día no se encuentran muchos algarrobos y chañares, pero se piensa que esto se debe a la deforestación excesiva en los tiempos del auge de la industria salitrera.

La Queñoa

La queñoa es el único árbol que sobrevive a más de 4000 m de altura en las tierras altoandinas. Tiene un tronco retorcido con la corteza escamosa (v. gr. Cantos de Andrade 1965: 304). Ha sido aprovechado básicamente como combustible, pero también ha servido y sirve para la construcción y en la manufactura de algunos artefactos. Según Bertrand (op. cit., 233), la corteza de la queñoa fue utilizada para curtir cueros de vicuñas en Bolivia. Hoy, este árbol solo se encuentra en lugares poco accesibles.

Las Cactáceas

Se encuentran las cactáceas en la Puna. Tanto durante la Colonia como, especialmente, durante el siglo pasado y las primeras décadas de éste, la explotación de las cactáceas ha sido intensa. Tal como se puede observar en los poblados del Desierto de Atacama, con el cactus se han realizado estructuras de numerosas iglesias y capillas y, también, se ha utilizado su madera para la construcción de puertas y ventanas de viviendas.

Sobre el uso de la madera del cactus, informa Philippi (op. cit., 54) a mediados del siglo pasado:

> Muchas puertas son hechas de madera de quisco (*Cereus atacamensis Ph.*), que da a veces tablas del ancho de media vara; esta madera tiene muchos agujeros, siendo hecha casi a modo de una red.

En años recientes, se ha empleado también esta madera en la artesanía para confeccionar diversos objetos que se venden a los turistas. Otra acción antrópica sobre estas plantas ha sido la elaboración de carbón vegetal para hacer pólvora a base de salitre y para combustible.

Cuenta Bresson (1875: 33), en la segunda mitad del siglo XIX, que las minas que emplean máquinas de vapor necesitaban hulla, la cual recibían en la costa, procedente de las minas de Chile y aún de Inglaterra. Sin embargo, el combustible que más comunmente se empleaba era la leña, mezcla de madera y cactus seco, o el quisco. Estos combustibles se buscaban a una distancia de quince a veinte leguas españolas, en las montañas de Atacama y en los altos de Pingo-Pingo y Puquíos.

El cactus denominado "cardón" es apreciado sobre todo por su madera, pero hoy en diá su tala está prohibida. Por esta razón, es más difícil obtener esta especie, y ha sido necesario reemplazar su madera por la de otras como del algarrobo o por madera de orígen foráneo (cf. Valenzuela, op. cit.).

La Llareta

La llareta (o yareta) crece por sobre los 4000 m de altitud en lugares de extrema aridez, formando como un cojín o gran masa fibrosa y resinosa. La llareta constituye un excelente combustible, sobre el cual informa Gutiérrez de Santa Clara (op. cit., 498):

> Por ser tan frío esta serranía no tiene ningún género de árboles, sino mucha cantidad de céspedes y matorrales pequeños, y zamucos, que cuando se quema huele un poco a encienso de Castilla. Ay una cierta mohosidad que se cría encima de las peñas, que parece una poca de tierra, de la qual se haze muy excelente fuego quando esta bien seca, que arde muy gentilmente como si fuera de carbón de enzina o de roble.

La llareta fue recogida para ser utilizada en los establecimientos mineros y salitreros, aun a nivel doméstico. Al respecto Bertrand (op. cit., 65–66), estando en Ascotán donde se extraía bórax del salar, relata que muchos propietarios de carretas se ocupaban en traer llareta desde el cerro de Romaditas al establecimiento boratero donde se empleaba para secar este mineral. Según dicho autor (op. cit., 232), el fuego de la llareta es lento, pero de mucho humo y olor.

En algunos casos, la llareta fue utilizada como forraje para las cabras, por falta de otros tipos de pasto. A comienzos del presente siglo, Riso Patrón (1918: 173) había visto que en las vegas del Jáuna y Tatio, las cabras comían las hojas de esta planta, "muy apretadas y de no más de un milímetro de largo".

En la década de los veinte, Earl Hanson (1926) pudo observar cómo los habitantes de los pueblos del río Salado, tributario del Loa, durante los meses estivales se dirigieron a las laderas de los volcanes de Paniri, San Pedro y San Pablo para participar en la recolección de llareta. Los que no poseían animales, se dedicaban a cortar la llareta mientras que los que eran dueños de llamas o mulas transportaban este recurso energético a algun punto donde podía ser llevado en camiones a una de las estaciones del Ferrocarril Antofagasta-Bolivia. Cuenta Hanson (op. cit.) que en 1924 vió unas mil llamas cargadas con llareta en Polapi.

Asimismo, Ruben (1952: 147) relata que la aldea de Toconce tenía inmensos campos de pastoreo y, también, todo el borde occidental de la alta Cordillera para consequir la llareta. Allí iban los hombres para sacar los cojines de esta planta de las rocas y, después, dejarlos para secar durante un año. A fines de este período, se enviaban camiones de la estación de San Pedro en búsqueda de este combustible, que se llevaba al establecimiento minero de Chuquicamata. Según Rudolph (1963: 44). en la década de los sesenta de este siglo, la llareta prácticamente ya no existía.

La Tola

La tola es una planta perenne, resinosa, que forma parte del llamado "tolar" y que se encuentra entre los 3400 y 4000 m de altura sobre el nivel del mar. Sirve como forraje y como combustible. Para Bertrand (op. cit., 231), "la leña de tola es la mejor de la cordillera . . .". Según Cobo (op. cit., 220), escribiendo durante la Colonia temprana, las hojas de la tola "tienen la virtud de soldar los huesos quebrados . . .".

Pastos

En lo que sigue, hacemos referencia a una serie de plantas silvestres de diferente índole que son aprovechadas como pastos pero que, también, sirven otros propósitos. Estas plantes incluyen:

—La cortadera, que también se utiliza para cubrir techos y en ciertos trabajos de curtiembre.

—La paja brava, una gramínea que crece en las alturas. Además de suministrar forraje para los animales, se la emplea en la construcción de

casas y techos.
—Los berros, los bledos y las romazas, "que vienen a suministrar al viajero abundantes platos de legumbres o sabrosas ensaladas" (Bertrand, 230; Mostny et al., 13).
—Los yuyos o algas de agua dulce también sirven de consumo humano y "pueden guisarse" (Bertrand, 230; Mostny et al., 13).
—El cachiyuyu es un arbusto, cuya madera se utiliza como leña y para la construcción de cercos (Bertrand, 230).
—La chilca es un arbusto, que se emplea para preparar tintura para setos vivos. El zuncho sirve el mismo propósito (Mostny et al., 14).

La Leña

Aquí nos referimos a algunos de los vegetales que se aprovechan en forma de combustible, aunque también pueden tener otros usos:
—Pingo pingo y rica rica son arbustos que también sirven propósitos medicinales.

Sobre las actividades comerciales de los habitantes de Caspana informa San Román (1902: 296) a comienzos de este siglo:

> La plaza de Caracoles es la que provee a aquellas jentes de lo más necesario para su mantención i trabajo; conducen allí sus pequeñas tropas cargadas de leña de pingo-pingo . . . i su producto lo invierten en aquellos artículos que forman su pobrisimo consumo.

—La "pata de loro" es una planta resinosa, que se halla en alturas. Según Bertrand (op. cit., 232), " . . . es combustible mui fastidioso i que penetra con su olor todas las preparaciones culinarias que con él se calientan".

En otros lugares hemos señalado el uso como combustible del algarrobo, del chañar, de la queñoa, de las cactáceas y, también, de la llareta y la tola.

Otros Recursos Vegetales

—Otro recurso de origen vegetal silvestre lo constituyen las plantas medicinales o de uso terapeútico-ritual entre la población del Desierto de Atacama, las cuales incluyen el bailahuén, la chachacoma (*Seneciones Crispus Ph.*), la copa-copa (*Artemisia copa*), la lampaya, la chuquicandia, el pingo-pingo, la popusa (*Womeria poposa Ph.*), la "pata de guanaco" (*Calandrinias discolor,*), el molle o pimienta y la rica-rica. También se utiliza las vainas del algarrobo con propósitos curativos (cf. Bertrand, 230–31); Mostny et al., 13). Hasta ahora se han realizado pocas estudios acerca de la eficacia de estas plantas, pero hasta hoy en día es común usar hierbas contra diferentes tipos de enfermedades, no sólo por parte de la población de raíz indígena sino, también, por las poblaciones urbanas de la Región de Antofagasta y de otras partes de Chile.

—También queremos reiterar el uso de varias especies de vegetales para la confección de tintura para la lana, aunque en nuestros tiempos este tipo de recurso natural está siendo reemplazado por las anilinas compradas (cf. Mostny et al., 39–40). En relación con el uso de tinturas naturales en San Pedro de Atacama en 1854, dice Philippi (op. cit., 54):

> Los vestidos son de lana de llama o de ovejas, y se tejen por mujeres que saben teñirlos muy bién. Para el color azul sirve el añil, para el rojo la grana, para el amarillo una planta indígena. La grana es una especie de cochinilla que viene de las provincias de la otra Banda, principalmente de Santiago del Estero . . . Para muchos colores se emplea sin embargo, como en Chile, bayeta que se deshila.

—Entre las plantas silvestres para el consumo humano, Mostny y colegas (op. cit., 13) se refieren a la "pupusa", la "salvia blanca", el "locoche" y el "chamen".

—Mostny y colegas (op. cit., 14) mencionan el uso como forraje en Peine de diversas plantas silvestres tales como "nori", "pojnor" y "tomatillo".

RECURSOS EXTRACTIVOS

Las actividades mineras constituyen un tema muy extensa, que no trataremos en detalle aquí. Fueron objeto de explotación en tiempos prehispánicos, entre otros minerales, el cobre y, en menor grado, el oro y la plata. Otros recursos usados incluyen la sal, arcillas, piedras semipreciosas y diversas rocas para la confección de herramientas. Los cronistas señalan la presencia en el desierto de cobre, oro, plata, estaño, plomo, azufre, salitre, almagra, alumbre, sal y piedras de todos los colores

(Alcedo 1986–89, I: 169; Vásquez de Espinosa 1948: 619; Bibar 1966: 14, 20: Lizarráraga 1968: 50; Lozano Machuca 1972; Cañete y Domínguez 1974a; Ramírez del Aquila 1978: 98–99).

En cuanto a la época colonial tardía, Pino Manrique (Bertrand, 143–44) cuenta que Ingahuasi, un mineral de oro, ya estaba en ruinas y agrega que en el partido de Atacama:

> A más de Ingaguasi, hacia los confines de la Provincia de Salta, tiene otros tres minerales de oro, a saber: Susquis, Olaros y San Antonio del Cobre, que siempre han sido trabajados por los indios con la escasez y poco fomento que acostumbran. En estos el trabajo es más permanente que en Ingaguasi, porque como veneros no están a la estación precisa de aguas, sin la que en este último no se pueden moler los metales, hacer lavas y beneficiarlos por azoque . . .
>
> . . . También tiene un mineral de cobre nombrado Conchi, que dista de esta capital [Sucre] 138 leguas, y el que abastece de almadanetas a los ingenios de esa ribera, conduciéndose porción de quintales en cada año, y haciendo un ramo de comercio regular, y en que giran con interés de varios vecinos de esta villa, muchos naturales de aquella provincia . . .

Hoy en día, la minería constituye la actividad económica más importante de la II Región de Antofagasta, tanto por su cantidad de minerales que se están explotando como por los recursos potenciales ya identificados de que se disponen. Entre los recursos explotados debe mencionarse, en primer lugar, el cobre. Otros comprenden el azufre, el oro y la plata (en menor grado), el cloruro de sodio, el salitre y el litio y sales potásicas, siendo estos dos últimos de explotación reciente. En tiempos recientes, también, se han encontrado yacimientos de petróleo y de gas en el desierto, los que entre otros, constituyen los recursos potenciales antes mencionados. Queremos destacar, por otra parte, que el avance tecnológico de la minería ha teñido un impacto muy negativo sobre los recursos renovables (fauna y flora) en diferentes lugares del Desierto de Atacama.

A nivel artesanal, se aprovechan recursos como el alumbre, utilizado para el curtido de cueros y el teñido de textiles y, además, el mármol y la liparita.

Con el creciente desarrollo de la minería se ha podido observar un proceso de desplazamiento de las poblaciones rurales del Desierto de Atacama a los centros de extracción minera, la cual, a su vez, esta produciendo una crisis en el sistema de economía agropecuaria por el abandono de tierras. Es especialmente la población joven que sale en búsqueda de mejores perspectivas económicas.

EL AGUA

El agua en el desierto puede ser considerado como un recurso estratético. La escasez de recursos hídricos (relativa a su cantidad y distribución) presenta un factor limitante a las formas de vida que pueden subsistir y desarrollarse. En el área que nos interesa, estos recursos están conformados por: el río Loa y sus tributarios, los ríos intermitentes, las aguas subterráneas, las vegas, lagunas, salares, géiseres y aguas termales. Aparentemente, estos recursos, en tiempos prehispánicos eran suficientes para proveer al uso humano y animal (consumo, riego de cultivos, minería) y alimentar a pastizales que constituyen un recurso natural de gran importancia, sirviendo de base alimentícia a animales silvestres y domésticos. En la actualidad, esta situación ha cambiado.

Aparte de su escasez, el agua puede asociarse con otros problemas, entre ellos el de su alta salinidad. El agua del río Loa, por ejemplo, tiene un elevado contenido de arsénico y otras sales, cuyas concentraciones varían a lo largo del río. Es así que, por una parte, estas sales pueden limitar los cultivos que se realizan y, por otra, es posible considerar al agua como más o menos apta para el consumo humana y animal y, también, para el riego de plantas alimenticias. En la actualidad, las plantas económicamente más importantes, nutridas con este tipo de agua, incluyen la alfalfa (especie introducida, destinada al forraje) y el maíz. Algunas zonas proporcionan también hortalizas como acelgas, ají, betarragas, cilantro, lechuga, perejil, pimentón, zanahorias y otras. Los niveles de arsénico en los recursos hidrícos y su incidencia en plantas y animales de consumo humano, obviamente no constituyen problemas de orígen reciente. Por otra parte, son temas que a menudo se discuten a nivel regional y nacional, por cuanto es sabido que la acumulación de arsénico puede causar una serie de enfermedades en el ser humano.

La pesca es otra actividad que se practica en el río Loa, aunque probablemente nunca ha tenido mucha importancia. Trátase, en primer lugar, del camarón (especie nativa), recurso natural que es muy codiciada y que se extrae en la zona del oasis de Quillagua (río Loa Medio). Este crustáceo ha disminuido por causa de su extracción clandestina. En la actualidad se encuentra con veda continua. La trucha (especie introducida) se presenta en la parte alta del río (sobre Calama). También se encuentra en peligro de extinción debido a la captura indiscriminada de este recurso, usándose a veces espineles, redes y dinamita.

Hoy el agua no es sólo escasa sino pareciera que puede desaparecer en el futuro como recurso que alimenta a plantas y amimales. Con la extracción de agua para las ciudades como Antofagasta y Calama y para los establecimientos mineros se han secado las vegas de altura, poniendo en peligro, asimismo, a otras vegas más bajas. Como consecuencia de ésto, el volumen de ganado que era factible sustentar ha disminuido en forma notable. También, por las mismas razones, el nivel del agua del rió Loa, por ejemplo, ha bajado en ciertos tramos, dejando en grave peligro las obras de riego de la población de las zonas de los oasis del interior y de las cuales depende toda actividad agrícola en la zona de estudio. De modo similar, sería afectada en forma negativa la flora fluvial silvestre (brea, *Cortadera sp.*, junquilla, etc.).

Aparentemente la política económica favorce los intereses de la población urbana, por una parte, y el desarrollo y expansión de la minería, por otra, mientras que es ha descuidado la forma de vida rural de la población de raíz indígena. Como ya se ha señalado, uno de los resultados de dicho proceso, ha sido el cambio de las relaciones tradicionales hombre-recursos, de tal manera que la gente joven está abandonando las actividades agroganaderas para ir a trabajar en centros urbanos o en la minería.

EL INTERCAMBIO DE RECURSOS

Más arriba nos hemos referido específicamente al control o uso simultánco dc múltiplcs zonas ccológicas (más o menos continuas) a nivel familiar y de comunidad. En este acápite, expondremos brevemente algunos aspectos del trueque realizado a nivel interétnico.

Como lo señala Bennett (1946), se ha llamado a los habitantes del Desierto de Atacama los "middlemen" de los Andes y, pareciera que en el momento de la conquista española, la movilidad territorial constituía un patrón de comportamiento de larga tradición. Existen muchas evidencias del pasado prehispánico que indican contactos estructurados, seguramente de diferente tipo y forma, entre áreas ecológicas diferentes. Estos vínculos se han dado tanto a nivel intra como interregional, involucrando a menudo movimientos a larga distancia y distintas etnias o grupos culturales. En los contextos arqueológicos, dichas relaciones se podrán evidenciar en términos de productos "foráneos" encontrados en sitios de los oasis del Desierto de Atacama y, asimismo, de productos originados allí hallados en otros lugares. Los movimientos se efectuaron tanto en el sentido transversal como diagonal. Por ejemplo, entre los pescadores del litoral desértico y los agroganaderos del interior (cf. Ryden 1944; Berdichewsky 1965; Larraín 1966; Llagostera 1979; Pollard 1979; Castro et al. 1984; Bittmann 1986, 1987), y entre éstos y los habitantes del noroeste de Argentina y del altiplano boliviano (cf. Bennett et al. 1948; Bittmann et al. 1978; Fernández 1978; Tarragó 1968, 1976, 1977, 1984; Browman 1984; Castro et al., op. cit.; Orellana 1984; Pollard 1984).

En lo que a los vínculos altiplánicos se refiere, se manifestaron con Lípez, Chichas y hasta la región circundante al Lago Titikaka. Otras rutas de flujo de productos en el desierto comprenden las que comunican con la zona desértica septentrional (Tarapacá) y las que llevan al sur, al este y a la costa del Pacífico, a Cobija, Copiapó, Coquimbo (Castillo 1984), etc.

La arqueología propone la existencia de una intensa interacción a través de hallazgos de productos, artefactos y diferentes elementos, los que en su conjunto implicarían un intercambio de ideas, tecnologías, etc. entre los pueblos del desierto y los de otros lugares, a veces muy lejanos. Sin embargo, en la mayoría de los casos, no conocemos la naturaleza real de tales contactos. ¿Podrían haberse expresado en términos de una especie de trueque comercial, del establecimiento de "archipiélagos" ("verticalidad") o representarían una situación de subordinación?

Tampoco queda claro si fueron los habitantes del altiplano, por ejemplo, o si fueron grupos del desierto los que se transladaron a diferentes lugares en un momento determinado. Podrían formularse preguntas similares respecto de las relaciones entre los grupos de la costa y el interior de la región que aquí nos interesa, o entre éstos y los del noroeste de Argentina. De todos modos, es probable que la naturaleza de tales relaciones haya cambiado a través de los tiempos. Fuese como fuera, hacia fines de la época precolombina, el estado Inca absorbe Atacama e, indudablemente, ocurre una serie de transformaciones en los patrones socioeconómicos existentes y que inclurían aspectos tales como la religión, la tecnología agrícola y las costumbres en general, procesos que se repiten, en forma mucho más profunda, después del contacto con los europeos.

El intercambio de recursos entre los pueblos del Desierto de Atacama y otros grupos étnicos continuó después de la invasión española aunque, en muchos casos, en manos de los europeos. Es así que cierto corregidor de Atacama, Juan de Velázquez, según un documento de 1591, tenía establecido un negocio particular en ganado y pescado entre el corregimiento de Atacama y el altiplano boliviano. Se desprende de dicho documento que eran los indios "Atacamas" (del interior) los encargados de transportar el pescado seco desde la costa a Chiuchiu donde, aparentemente, se lo almacenaba antes de llevarlo a Potosí (Martínez 1985). Diversas otras fuentes confirman la importancia que tenía el trajín de pescado salado durante la Colonia, especialmente desde Cobija, a diversas partes de la "provincia de los Charcas" y, sobre todo, al centro minero de Potosí (cf. Vásquez de Espinosa 1948: 618; Ramírez del Aguila 1978: 26, 37, 89).

Según el intendente, gobernador de Potosí, Juan del Pino Manrique (Bertrand 1885: 144), muchos de los indios de Chiuchiu se dedicaron a la arriería y en 1787, cuando escribía, fueron ellos los que regularmente obtenían el pescado en Cobija a cambio de "ropa, coca y otras menudencias de ningún provecho . . . ", para después llevarlo a Potosí, Chuquisaca [Sucre] y Oruro.

Por otra parte, con referencia a la primera mitad del siglo XIX, cuenta William Bollaert (1851, 1860) que los "changos" de Paposo, al norte de Taltal, ocasionalmente iban con asnos cargados de pescadodo seco para trocarlo en San Pedro de Atacama por harina, vestimenta, tobaco y coca. Asimismo, en la década de los 1850, el botánico R. Philippi (1966: 288) pudo observar en Paposo a algunos indígenas de "Atacama", quienes habían llegado con sus mulas "para canjear pescados secos y otros animales marinos por coca y harina".

Las relaciones entre los habitantes del Desierto de Atacama y del altiplano, específicamente Lípez, continuaron siendo estrechas después del contacto con los europeos. En lo que se refiere a las actividades comerciales de los atacameños en la segunda mitad del siglo XVI, por ejemplo, una carta escrita en 1581 al virrey por el factor de Potosí (Lozano Machuca 1972) afirma que los aymaras de los Lípez "tienen contrataciones y rescates con . . . Atacama". Además se señala que entraban en Potosí "lipes y atacamas con ganados y otras cosas de venta y rescate". En el siglo XVIII, los indígenas de San Pedro de Atacama tenían "tragín con San Antonio de Lípez" (Cañete y Dominguez 1974a), mientras que los de Calama comerciaban ganado y maíz con Lípez, Tarapacá y Pica (op. cit.; Pino Manrique, op. cit.). Más arriba hemos mencionado las actividades de trueque de los pastores a fines del siglo pasado. Este tipo de actividades, utilizándo llamos como animales de carga, ha continuado hasta el presente siglo. Los pastores actuales bajan del área de Lípez a la zona de San Pedro de Atacama para intercambiar productos tales como alcohol, coca, velas, lana, instrumentos musicales, hierbas medicinales y objetos mágicos por aceite, fruta, azúcar, harina y, si posible, algunos productos del mar.

Según Rabey et al. (1986), en la actualidad caravanas de llamos y burros realizan viajes de intercambio desde la Puna argentina y el sur de Bolivia a los valles y oasis del río Loa y a los márgenes del Salar de Atacama. Dicen los mismos autores (op. cit.) que "arrieros" chilenos penetran hasta el Toro y Susques, localidades fronterizas argentinas, en la época de rodeos de burros, intercambiando frutas secas y frescas (nueces, chañar, manzanas, higos, uvas) o productos como carne de oveja o de llama, maíz, etc. Además venden o hacen trueque con objetos electrónicos importados a puertos chilenos.

A MANERA DE CONCLUSION

La cultura que trajeron los españoles era muy diferente de la de los indígenas. La invasión española iba a significar, en muchos aspectos, una ruptura relativamente brusca y en otros, más lenta del antiguo patrón de relaciones hombre-recursos en el Desierto de Atatacama. En el paisaje mismo mediante la introducción de nuevas plantas y animales; en la organización económica mediante su incorporación en el mercado monetario de los españoles; en el aspecto demográfico; en la organización social, familiar y política mediante la imposición de nuevos sistemas administrativos y la religión católica.

Aunque se afirma que "mucha parte de los granos" enviados a Potosí provenía de Atacama (Cañete y Domínguez 1974b), al parecer la agricultura nunca tuvo un gran desarrollo en la provincia de Atacama en la época colonial, por cuanto gran parte de la población se dedicaba a la arrería o estaba trabajando en otros lugares con el propósito de poder pagar sus tasas. Por otro lado, es interesante destacar que, viajando en el desierto, se nota en muchos lugares andenes y canales de riego abandonados y, parte de ellos, son de origen precolombino.

Mientras que en el período prehispánico no había ningún tipo de cultivo de forraje especial para los animales, los que se alimentaban de los recursos silvestres, los españoles introdujeron el cultivo de alfalfa para alimentar a los burros, mulas y el ganado. Es así que el cultivo de alfalfa iba a ocupar la mayor parte de la superficie cultivada en la región que estamos estudiando, situación que ha continuado a través de la época republicana y hasta nuestros tiempos (cf. Philippi 1860: 52–57; Bertrand 1885: 271–72; Bowman 1942: 289). Asimismo, aún en las primeras décadas del presente siglo, el viajero norteamericano Isaiah Bowman (op. cit., 289) describe a San Pedro de Atacama como:

> una ciudad de arrieros dedicada a la distribución de ganado lo que se lleva a las salitreras, las minas dispersas y los establecimientos situados sobre la línea del ferrocarril.

Tal como lo hemos señalado, el antiguo sistema de trueque o intercambio ha permanecido hasta nuestros días y los mismos europeos han participado en él. A fines del siglo XVI, por ejemplo, un documento dice que las poblaciones de Pica y Tarapacá—españoles, cholos y mestizos —"se pasan a Atacama con mercaderías de la tierra como son coca, bayeta de la tierra, algunas cintas, cuentas y otras frioleras", los que intercambiaron por trigo y maíz "y también para el rescate de oro y plata . . . engañando a los infelices indios" (ver tambien Cañete y Domínguez 1974a; Pino Manrique, op. cit.). Por lo que se puede apreciar, los indígenas, por lo general, no tuvieron mucha suerte en sus transacciones comerciales, aunque sabemos que algunos caciques incursionaban en aventuras comerciales tales como el contrabando y algunos se enriquecieron, seguramente aprovechando su posición.

Aunque los minerales y otros recursos no renovables habían sido explotados en la época precolombina y su existencia fue conocida y comentada por diversos autores desde el momento del contacto europeo, durante la Colonia temprana se solía caracterizar al partido de Atacama como pobre, con riquezas potenciales, que todavía no habían sido aprovechadas. Es sabido que los indígenas continuaban explotando estos recursos naturales en tiempos coloniales tanto como algunos españoles, quienes con la esperanza de obtener riquezas, mantuvieron la actividad de cateadores (oro de Ingahuasi, cobre de Conchi, por ejemplo). Sin embargo, respecto del oro de Ingahuasi, según el testimonio del gobernador interino de Potosí, a fines del siglo XVIII (Cañete y Domínguez, op. cit.):

> . . . aquí no se conocen sus productos, porque los vecinos de Tucumán y Salta, con quienes confina, se los llevan en cambio de carne y otros bastimientos sin pagar el impuesto del quinto real.

Al parecer, durante la Colonia y hasta ya avanzada la época republicana, los trabajos mineros continuaron siendo dispersos y circunstanciales, sin grandes resultados, realizándose fundamentalmente a nivel de comercio menor y a manera de contrabando. Parece, y en esto coinciden cronistas y autores contemporáneos, que el Desierto de Atacama. sus oasis y valles, no constituyeron un objetivo en sí mismo para los españoles, cuyo interés en controlar los oasis del interior se debió, principalmente, a la necesidad de mantener un lugar con recursos y servicios, destinados a los que viajaban hacia territorios más sureños o más septentrionales o entre el otro lado de la Cordillera de los Andes y la costa (ver, por ejemplo, Bowman 1942).

Un punto consideramos específicamente importante en cuanto a los diversos procesos de cambio que hemos delineado. Este se refiere a las relaciones entre el hombre y su medio natural y a la forma cómo diferentes grupos humanos con diferentes tipos de cultura han cambiado o/y intensificado la utilización del mismo habitat a través de los tiempos. En el pasado se efectuaba un aprovechamiento aparentemente muy racional e integral de los recursos disponibles en el desierto más árido de la tierra. Sin embargo, el hombre, desde que ocupara el Desierto de Atacama unos 10,000 o más años atrás, ha intervenido en el equilibrio ecológico (del que él mismo forma parte) a través de la explotación de sus recursos, de diferentes maneras en los distintos "pisos" o nichos ecológicos situados entre el Mar Pacífico y las alturas de la Cordillera de los Andes. Primero, mediante las actividades de caza, recolección y pesca y, posteriormente, con consecuencias más profundas en el equilibrio ecológico, cuando se iniciaron la agricultura y la ganadería. Conjuntamente con una explotación del medio más eficiente, basada tanto en mejores conocimientos sobre los recursos como en innovaciones tecnológicas, las actividades humanas gradualmente llegan a tener efectos más importantes e irreversibles sobre el medio. Es dificil saber con certeza, por otro parte, si las consecuencias de las actividades humanas puedan haber significado un agotamiento de uno o más de los recursos naturales en tiempos prehispánicos o si, como en general se cree, se hubiese llegado a un régimen de explotación controlada y así de un mantenimiento de dichos bienes.

No cabe duda de que fuesen como fueran las relaciones entre el hombre y los recursos en el pasado precolombino, a partir de la llegada de los portadores de la cultura occidental-europea, se inicia un proceso de cambio ecológico más profundo en los distintos pisos y nichos del ambiente desértico andino. Estos cambios incluyen: la activación y eventual industrialización de la minería con la consiguiente utilización de grandes volúmenes de combustible, iniciándose el proceso de extinción de bosques, cactáceas y otros vegetales; la introducción de nuevas plantas (frutales, vid, trigo, plantas para el forraje, etc.) con el consiguiente cambio en el uso de los suelos y manejo del agua para el regadío; la introducción de animales europeos (burro, cabra, carnero, aves de corral, etc.) con necesidades de forraje; la captación de agua de las fuentes de altura con el propósito de abastecer a los establecimientos de minería y los centros urbanos, perjudicando así a la agricultura y, asimismo, a vegas etc. con pastos naturales. Conjuntamente con la introducción de cambios de estos tipos, los europeos imponían sus propios sistemas socioeconómicos, políticos y religiosos, los que iban a causar alteraciones significativas en el modo de vida de la población autóctona agroganadera del desierto, la que se veía obligada a incorporarse a un nuevo estilo de vida y a abandonar, en parte, sus actividades tradicionales. Esta situación se ha agravado en tiempos recientes, y se ha iniciado un serio deterioro de las relaciones entre el el hombre y los recursos, el cual se manifiesta de varias maneras en la actualidad, y que incluye procesos de destrucción y extinción de diversos recursos naturales. Como ya se ha indicado, actualmente se puede observar un número considerable de personas que abandonan sus aldeas para obtener ingresos más efectivos en los centros urbanos y los establecimientos mineros. Algunas de ellas regresan a sus hogares, mientras que otras se establecen definitivamente lejos de sus pueblos natales.

Factores como los que hemos señalado más arriba determinan la disminución de las fuentes de trabajo en el ámbito rural y agravarán el problema del desempleo de la población.

Parece que, a pesar del considerable desarrollo tecnológico de los últimos tiempos, no hemos encontrado la forma de responder adecuadamente al desafío que nos presentan los problemas de adaptación y sobrevivencia en el medio desértico, los que surgieron con especial gravedad a partir del siglo XVI, a raíz de la llegada de los españoles y la introducción de una nueva cultura. Tal como lo hemos mencionado anteriormente, es muy probable que el equilibrio logrado en la época prehispánica fuera más positiva y, por lo tanto, quizás sería de benificio investigar mejor las experiencas del pasado, ya que podrían ayudarnos a buscar soluciones para hoy y para el futuro.

NOTA

(1) En el presente estudio entendemos por el Desierto de Atacama el área que se extiende, por el norte, aproximadamente desde el río Loa hasta el río Copiapó por el sur, y cuyos limites, hacia el oeste y este, respectivamente, son el Mar Pacífico y la alta Cordillera de los Andes. El sector septentrional de esta área correspondería al antiguo coregimiento de Atacama, también llamado "partido" o "provincia", sujeto a la Audiencia de Charcas desde 1565. En 1776, la Audiencia de Charcas fue transferida al Virreinato de la Plata, y con la creación de intendencias, Atacama pasó a depender de la de Potosí, situación que se mantuvo durante el resto de la Colonia.

AGRADECIMENTOS

Agradecemos en forma muy especial al Dr. Shozo Masuda, Universidad de Tokio, por su apoyo que facilitó la elaboración del presente trabajo. Queremos, también, hacer extensiva nuestra gratitud a muchas personas, habitantes del Desierto de Atacama, quienes nos han brindado ayuda y conocimientos.

BIBLIOGRALIA

ACOSTA, J. de
1979 Historia natural y moral de las Indias. México: Fondo de Cultura Económica.

ALCEDO, A. de
1786–89 Diccionario geográfico de las Indias Occidentales o América a saber: de los reynos del Perú, Nueva España, Terra Firme, Chile, y Nuevo Reyno de Granada. 5 vols. Madrid.

A.G.I.
1608 Archivo General de Indias. "Autos de la dibisión de la ciudad de la Plata", Sección V, Audiencia de Charcas, Legajo 140.

BENNETT, W.
1946 The Atacameno. En *Handbook of South American Indians*, vol. 2, pp. 599–618. Washington, D. C.: Smithsonian Institution, Bur. of Amer. Ethnol., Bull. 143.

BENNETT, W. C., BLEILER, E. F. y SOMMER, F. H.
1948 Northwest Argentine Archaeology. (Yale University Publications in Anthropology 38–39). New Haven, Yale University.

BERDICHEWSKY, S. B.
1965 Exploración arqueológica en la costa de la provincia de Antofagasta.

Revista Antropología 3: 3–30. Centro de Estudios Antropológicos, Universidad de Chile, Santiago.

BERTRAND, A.

1885 *Memoria sobre las cordilleras del Desierto de Atacama i regiones limítrofes.* Santiago: Imprenta Nacional.

BIBAR, G. de

1966 *Crónica y relación copiosa y verdadera de los reynos de Chile . . .* Santiago: Fondo Histórico y Bibliográfico José Medina.

BITTMANN, B.

1984 El programa Cobija: investigaciones antropológico-multidisciplinarias en la costa Centro Sur Andina. (Notas etnohistóricas). En *Contribuciones a los Estudios de los Andes Centrales*, ed. por Shozo Masuda, pp. 101–148. Tokio: Universidad de Tokio.

1985 *Reflections on Geoglyphs from Northern Chile.* (*Latin American Studies I*). Rickmansworth: H.B.C. Publications.

1986 Recursos naturales renovables de la costa del norte de Chile. En *Etnografía e Historia del Mundo Andino: Continuidad y Cambio*, ed. por Shozo Masuda, pp. 269–334. Tokio: Universidad de Tokio.

1987 Arqueología de Cobija: relaciones intra e interétnicos en la época precolombina. MS.

BITTMANN, B., LE PAIGE, G. y NUÑEZ A., L.

1978 *Cultura atacameño.* Santiago de Chile: Departamento de Extensión Cultural del Ministerio de Educación, Colección Culturas Aborígenes, Serie Patrimonio Cultural Chileno.

BOLLAERT, W.

1851 Observations on the Geography of Southern Peru, Including Survey of the Province of Tarapacá and Route to Chile by the Coast of the Desert of Atacama. *Journal of the Royal Geographical Society of London* 21: 99–130. London.

1860 *Antiquarian, Ethnological and Other Researches in New Granada, Ecuador, Peru and Chile, with Observations on the Pre-Incarial, Incarial and Other Monuments of Peruvian Nations.* London: Trübner & Co.

BOWMAN, I.

1942 *Los senderos del Desierto de Atacama.* Santiago: Sociedad Chilena de Historia y Geografía.

BRESSON, A.

1875 Le Désert d'Atacama et Caracoles (Amérique du Sud) 1879. Le Tour du Monde. *Nouveau Journal des Voyages* 29 (fasc. 750–751): 321–352. Paris.

BROWMAN, D.

1974 Pastoral Nomadism in the Andes. *Current Anthropology* 15(2): 188–

196.

1984 Prehispanic Aymara Expansion, the Southern Altiplano and San Pedro de Atacama. *Estudios Atacameños:* 7: 236–252. San Pedro de Atacama: Universidad del Norte, Instituto de Investigaciones Arqueológicas R. P. Gustavo Le Paige, S. J.

CANTOS DE ANDRADE, R. de

1965 Relación de la Villa Rica de Oropesa y minas de Guancavelica En *Relaciones Geograficas de Indias*, vol. 1, pp. 303–309. (Biblioteca de Autores Españoles . . .). Madrid.

CAÑETE Y DOMINGUEZ, P. V.

1974a Del partido de Atacama . . . Notas y bibliografía de H. Larraín B. *Norte Grande* 1(2): 243–251. Santiago: Universidad Católica de Chile.

1974b Proyecto previo en que se demuestra la conveniencia que debe esperarse a beneficio del Rey y del Estado. Notas y Bibliografía de H. Larraín B. *Norte Grande* 1(2): 233–242. Santiago: Universidad Católica de Chile.

CASASSAS CANTO, J. M.

1974 *La región atacameña en el siglo XVII.* Antofagasta: Universidad del Norte.

CASTILLO G., G.

1984 Un cementerio del complejo Las Animas en Coquimbo: ejemplo de relaciones con San Pedro de Atacama. *Estudios Atacameños* 7: 264–277. San Pedro de Atacama: Universidad del Norte, Instituto de Investigaciones Arqueológicas R. P. Gustavo Le Paige, S. J.

CASTRO R., V., ALDUNATE S., C. y BERENGUER R., J.

1984 Orígenes altiplánicos de la fase Toconce. *Estudios Atacameños* 7: 209–235. San Pedro de Atacama: Universidad del Norte, Instituto de Investigaciones Arqueológicas R. P. Gustavo Le Paige, S. J.

CIEZA DE LEON, P.

1945 *La crónica del Perú. Primera parte.* Buenos Aires-México: Colección Austral.

1962 *La crónica del Perú.* Medrid: Espasa Calpe, Colección Austral.

COBO, B.

1956 *Historia del nuevo mundo.* Estudio preliminar y edición del P. Francisco Mateos de la misma compañía. (Biblioteca de Autores Españoles . . .). Madrid: Ediciones Atlas.

CONCHA CONTRERAS, J. de D.

1975 Relación entre pastores y agricultores. *Allpanchis Phutringa* 8: 67–101. Cuzco.

CUSTRED, G.

1977 Las punas de los Andes Centrales. En *Pastores de Puna Uywamichiq*

Punarunakuna, ed. por J. A. Flores Ochoa, pp. 55–85. Cuzco.
1979 Hunting Technologies in Andean Culture. *Journal de la Société des Américanistes* 66: 7–19. Paris.

FERNANDEZ, J.
1978 Los chichas, los lípes y un posible enclave de San Pedro de Atacama en la zona limítrofe argentino-boliviana. *Estudios Atacameños* 6: 19–35. San Pedro de Atacama: Universidad del Norte, Museo de Arqueología.

FERNANDEZ DE OVIEDO Y VALDES, G.
1959 *Historia general y natural de las Indias.* (Biblioteca de Autores Españoles . . .). Madrid: Ediciones Atlas.

FLORES OCHOA, J. A.
1968 *Los pastores de Paratía.* (*Una introducción a un estudio*). Cuzco.
1981 Clasificación y nominación de camélidos sudamericanos. En *La Tecnología en el Mundo Andino*, ed. por. Heather Lechtman y Ana María Soldi, pp. 195–315. México: Universidad Autónoma de México.

FUENZALIDA, H.
1965 Biogeografía. En *Geografía Económica de Chile*, vol. 1, pp. 228–267. Santiago: CORFO.

GARCILASO DE LA VEGA, el Inca
1960 *Comentarios reales de los Incas.* Cuzco: Ediciones de la Universidad del Cuzco.

GUTIERREZ DE SANTA CLARA, P.
1905 *Historia de las guerras civiles del Perú* (*1544–1548*) *y de otros sucesos de las Indias.* Tomo 3. Madrid: Librería General de Victoriano Suárez, Colección de Libros y Documentos Referentes a la Historia de América.

HERRERA, A. de
1936 Almagro y la Conquista de Chile. *Boletín de la Academia Chilena de la Historia* 7: 106–131. Santiago.

HIDALGO L., J.
1978 Incidencias de los patrones de poblamiento en el cálculo de la población del partido de Atacama desde 1752 a 1805: las revisitas inéditas de 1787–1792. *Estudios Atacameños* 6: 53–72. San Pedro de Atacama: Universidad del Norte, Museo de Arqueología.
1984 Complementariedad ecológica y tributo en Atacama, 1683–1792. *Estudios Atacameños* 7: 422–442. San Pedro de Atacama: Universidad del Norte, Instituto de Investigaciones Arqueológicas R. P. Gustavo Le Paige, S. J.

HYSLOP, J.
1984 *The Inca Road System.* New York: Academic Press.

LA BARRE, W.
1948 *The Aymara Indians of the Lake Titicaca Plateau, Bolivia.* (American

Anthropological Association, vol. 50, no. 1, part 2, Memoir 68).

LARRAIN B., H.
1966 Contribución al estudio de una tipología de la cerámica encontrada en conchales de la Provincia de Antofagasta. *Anales de la Universidad del Norte* 5: 83–127. Chile.

LATCHAM, R.
1922 *Los animales domésticos de la América precolombina.* (Publicaciones del Museo de Etnología y Antropología de Chile 3). Santiago.

LE PAIGE, G.
1969 Bolitas esferoidales en San Pedro de Atacama. *Rehue* 2: 65–73. Universidad de Concepción, Instituto de Antropología.

LIZARRAGA R, de
1968 *Descripción breve de toda la tierra del Perú, Tucumán, Río de la Plata y Chile.* (Biblioteca de Autores Españoles . . .). Madrid.

LOZANO MACHUCA, J.
1972 Carta del factor de Potosí . . . en que da cuenta de cosas de aquella villa y de las minas de los lipes . . . Publicada y anotada por J. M. Casassas C. y D. Srytrova. *Boletín* 2–3: 31–43. Antofagasta: Universidad del Norte, Centro de Documentación.

LLAGOSTERA M., A.
1979 9,700 Years of Maritime Subsistence on the Pacific: An Analysis by Means of Bioindicators in the North of Chile. *American Antiquity* 44 (2): 309–323.

LEVILLIER, R. (ed.)
1918 *Colección de publicaciones históricas de la Biblioteca del Congreso Argentino. La Audiencia de Charcas. Correspondencia de presidentes y oidores. Documentos del Archivo de Indias.* Tomo 1. Madrid.

HANSON, E.
1926 Out of the World Villages of Atacama. *The Geographical Review* 16: 365–377. New York: The American Geographical Society of New York.

MARTINEZ C., J. L.
1985 Información sobre el comercio de pescado entre Cobija y Potosí, hecha por el corregidor de Atacama, Don Juan Segura (19 Julio de 1591). *Cuadernos de Historia* 5: 161–171. Santiago: Universidad de Chile.

MOSTNY, G., JELDES, F., GONZALES, R. y OBERHAUER, F.
1954 *Peine un pueblo atacameño.* Santiago: Universidad de Chile, Instituto de Geografía, Publicación 4.

MURRA, J.
1972 El control vertical de un máximo de pisos ecológicos en la economía de las sociedades andinas. En Iñigo Ortíz de Zuñiga, *Visita de la Provincia*

de León de Huánuco en 1562. I, pp. 427–476. Huánuco: Edición a cargo de John Murra.

MURUA, M. de

1964 *Historia general del Perú.* Madrid: Instituto Gonzalo Fernández de Oviedo, Biblioteca Americana Vetus, Colección Joyas Bibliográficas.

ORELLANA, M.

1984 Influencias altiplanicas en San Pedro de Atacama. *Estudios Atacameños* 7: 197–208. San Pedro de Atacama: Universidad del Norte, Instituto de Investigaciones Arqueológicas R. P. Gustavo Le Paige, S. J.

PAZ SOLDAN, M. F.

1878 *Verdaderos límites entre el Perú y Bolivia.* Lima.

PINO MANRIQUE, J. del.

1885 Descripción de la villa de Potosí y de los partidos sujetos a su intendencia. En A. Bertrand, *Memoria sobre las cordilleras del Desierto de Atacama* . . . , pp. 142–147. Santiago: Imprenta Nacional.

PHILIPPI, R. A.

1860 *Viaje al Desierto de Atacama de orden del Gobierno de Chile en el verano 1853–54.* Halle en Sajonia: Librería de Eduardo Anton.

1966 El llamado Desierto de Atacama y las grandes formaciones de altiplano de de los Andesdel sur de 19° Lat. Sur. *Boletín de la Academia Nacional de Ciencias* 45 (entregas 4–5): 283–322. Córdoba.

POLLARD, G.

1979 Interregional Relations in the Southern Andes: Evidence and Expectations for Understanding the Late Prehistory of N. W. Argentina and N. Chile. Ponencia presentada al XLIII International Congress of Americanists, Vancouver. MS.

1984 Atacameño culture in the Context of the Southern Andes. En *Simposio: Culturas Atacameñas,* coordinado por B. Bittmann, pp. 81–97. (XLIV Congreso International de Americanistas, Manchester). San Pedro de Atacama: Universidad del Norte, Instituto de Investigaciones Arqueológicas R. P. Gustavo Le Paige, S. J.

POMA DE AYALA, F. G.

1936 *Nueva crónica y buen gobierno.* París: Institut d'Ethnologie, Travaux et Memoires 23.

PROCTOR, R.

1971 El Perú entre 1823 y 1824. En *Relaciones de Viajeros* (Colección Documental de la Independencia 27), vol. 2, pp. 187–338. Lima: Comisión Nacional de Sesquicentenario de la Independencia del Perú.

QUINTANILLA P., V.

1976–77 Zonación altitudinal de la vegetación en el Norte Arido chileno a la latitud del Trópico de Capricornio. *Norte Grande* 5: 17–39. Santiago:

Universidad Católica de Chile.

1983 *Geografía de Chile. Tomo 3: Biogeografía.* Santiago: Instituto Geográfico Militar, Colección Geografía de Chile.

RABEY, M. A., MERLINO, R. J. y GONZALES, D. R.

1986 Trueque, articulación económica y racionalidad campesina en el sur de los Andes Centrales. *Revista Andina* 1: 131–160. Cuzco.

RAMIREZ DEL AQUILA, P.

1978 *Noticias políticas de Indias* . . . Transcripción de J. Urioste Arana. Sucre: Imprenta Universitaria.

RISO PATRON, L.

1918 Diario de viaje a las cordilleras de Antofagasta y Bolivia (1903–1904). *Revista Chilena de Historia y Geografía* 27: 152–184. Santiago.

ROWE, J. H.

1946 Inca Culture at the Time of the Spanish Conquest. En *Handbook of South American Indians*, vol. 2, pp. 183–330. Washington D. C.: Smithsonian Institution, Bur. of Amer. Ethnol., Bull. 143.

RUBEN, W.

1952 *Tiahuanaco, Atacama und Araucaner.* Leipzig.

RUDLOPH, W. W.

1928 El Loa. *Revista Chilena de Historia y Geografía* 59: 66–89. Santiago.

1963 *Vanishing Trails of Atacama.* New York. Amiercan Geographical Society, Research Series 24.

RYDEN, S.

1944 *Contribution to the Archaeology of the Rio Loa Region.* Göteborg.

SAN ROMAN, F.

1902 *Desierto y cordilleras de Atacama. Tomo III: Hidrología.* Santiago: Imprenta Nacional.

TARRAGO, M. N.

1968 Secuencias culturales de la etapa agroalfarera de San Pedro de Atacama (Chile). En *Actas y Memorias, XXXVII Congreso Internacional de Americanistas*, vol. 2, pp. 119–144. Buenos Aires.

1976 Alfarería típica de San Pedro de Atacama. (Norte de Chile). *Estudios Atacameños* 4: 37–73. San Pedro de Atacama: Universidad del Norte, Museo de Arqueología.

1977 Relaciones prehispánicas entre San Pedro de Atacama (Norte de Chile) y regiones aledañas: la quebrada de Humahuaca. *Estudios Atacameños* 5: 50–63. San Pedro de Atacama: Universidad del Norte, Museo de Arqueología.

1984 La historia de los pueblos circunpuneños en relación con el altiplano y los Andes Meridionales. *Estudios Atacameños* 7: 116–132. San Pedro de Atacama: Universidad del Norte, Instituto de Investigaciones Arqueológicas R. P. Gustavo Le Paige, S. J.

TROLL, C.

1931 Die geographischen Grundlagen der Andinen Kulturen und des Incareiches. *Ibero-Amerikanisches Archiv* 5(3): 258–294. Berlin-Bonn.

1968 The Cordilleras of the Tropical Americas. Aspects of Climatic, Phytogeographicak and Agrarian Ecology. En *Geoecology of the Mountainous Regions of the Tropical Americas*, ed. por Carl Troll. (Colloquium 9). University of Bonn: Geopraphical Institute.

TSCHUDI, J. J. von

1963 *Peru: Reiseskizzen aus der Jahren 1838–1848.* Graz: Academische Druck und Verlagsanstalt.

VALENZUELA, B.

1969–70 Epítome etnográfica de la cuenca del río Salado, provincia de Antofagasta, Chile. *Boletín de Prehistoria de Chile* 2–3: 75–79. Santiago.

VAZQUEZ DE ESPINOSA, A.

1948 *Compendio y descripción de las Indias Occidentales.* Washington D. C.: Smithsonian Miscellaneous Collections.

WALCOTT, F. C.

1925 An Expedition to the Laguna Colorada, Southern Bolivia. With a Note on the Recent Occurrence of "El Niño". *The Geographical Review* 15(3): 345–366. New York: American Geographical Society of New York.

WEBER, H.

1962 Zur natürlischen Vegetationsgliederung von Sudamerika. En *Die Vegetation der Erde.* Jena: Fischer.

Recolección y utilización tradicional de los recursos marinos costeros de la región centro-sur de Chile (VIII a X Región). Sintesis de su evolución.

Alberto Arrizaga M.
Pontificia Universidad Católica de Chile
Sede Regional Talcahuano (BIOTECMAR)

I. INTRODUCCION

Tradicionalmente en Chile se han explotado y utilizado por las comunidades ribereñas una gran cantidad de recursos algológicos, carcinológicos, ictiológicos y malacológicos.

La recolección y elaboración en algunos de estos grupos ha variado con el correr del tiempo, fundamentalmente por la acción de agentes exógenos a las comunidades pesqueras o agricolas pesqueras, que han explotado estos. El elemento más impactante en la modificación de este comportamiento ha sido el incremento de la gestión exportadora sobre algunos recursos pesqueros, esto ha traido por una parte la movilización de grandes sectores subempleados o desempleados de las áreas urbanas y rurales, los que han incrementado el esfuerzo sobre las especies de los sistemas sublitoral e infralitoral (Gezan, 1987).

Las observaciones se han centrado preferentemente en el litoral de la VIII a X región de Chile, (Fig. 1), dado que en estas se concentra la mayor población de pescadores artesanales de nuestro país (Barría, 1984: Véase Tabla I).

En este artículo haremos una revisión de algunos de los recursos tradicionalmente utilizados por la población chilena, señalando algunas

Fig. 1. Mapa de Chile que muestra las regiones en que se divide el Territorio Nacional.

Tabla I Numero de Pescadores y Caletas por Region, 1983. (1.)

REGIONES	NUMERO DE PESCADORES	CALETAS
I	1,131	7
II	1,923	5
III	1,292	9
IV	4,519	25
V	3,886	22
VI	1,314	6
VII	1,249	12
VIII	11,194	48
IX	890	5
X	13,965	34
XI	1,032	4
XII	1,236	5
TOTAL PAIS.	43,631	182

Fuentes: (1) Encuesta Nacional del Subsector Pesquero Artesanal. SERNAP 1983 (Se incluye pescadores, mariscadores, auxiliares de caleta, algueros, carpinteros de ribera y mecánicos.)

características que nos parecen relevantes desde el punto de vista de la tradición y el uso que de ellos hace el pueblo chileno.

II. MATERIALES Y METODOS

Para obtener antecedentes acerca del uso tradicional de los recursos pesqueros de la zona centro-sur de Chile, se recurrió al método de la observación y entrevista directa con las personas que desarrollan este tipo de actividad y recolectar así antecedentes de tipo histórico-tradicional.

Nos referiremos en términos amplios a la utilización del rubro algas, fundamentalmente destinado al consumo humano y al uso agrícola, en el item mariscos incluiremos moluscos, tunicados y equinodermos. En peces agruparemos diversas especies que han sido utilizadas bajo la forma de seco, seco-salado y ahumado (Tabla II).

Por otra parte destacaremos la utilización de algunos artes tradicionales que se usaron y se usan en la recolección de estos recursos.

Tabla II Nomina de Especies.

NOMBRE COMUN	NOMBRE CIENTIFICO	FAMILIA
PESCADOS		
Anchoa o anchoveta	*Engraulis ringens*	Engraulidae
Bacalao de profundidad o mero	*Dissostichus eleginoides*	Nototheniidae
Blanquillo	*Prolatilus juguralis*	Branchiostegidae
Brotula	*Salilota australis*	Gadidae
Caballa	*Scomber japonicus peruanus*	Scombridae
Cabinza	*Isacia conceptionis*	Pomadasyidae
Cabrilla española	*Sebastes oculatus*	Scorpaenidae
Cabrilla común	*Paralabrax humeralis*	Serranidae
Chancharro	*Helicolenus lengerichi*	Scorpenidae
Cochinilla	*Normanichthys crockeri*	Normanichthyiblae
Cojinova del sur	*Seriolella caerulea*	Centrolophidae
Congrio colorado	*Genypterus chilensis*	Ophidiidae
Congrio dorado	*Genypterus blacodes*	Ophidiidae
Congrio negro	*Genypterus maculatus*	Ophydiidae
Corvina	*Cilus montti*	Pomadasyidae
Jurel	*Trachurus murphyi*	Carangidae
Lenguado de ojos chicos	*Paralichthys microps*	Bothidae
Lenguado de ojos grandes	*Hippoglossina macrops*	Bothidae
Lisa	*Mugil* spp.	Mugilidae
Marrajo o tiburón	*Isurus glaucus*	Lamnidae
Machuelo o Tritre	*Ethmidium maculatum*	Clupeidae
Merluza común	*Merluciius gayi*	Merluciidae
Merluza del sur	*Merluciius australis*	Merluciidae
Merluza de cola	*Macruronus magellanicus*	Gadidae
Merluza de tres aletas	*Micromesistius australis*	Gadidae
Palometa	*Parona signata*	Carangidae
Pampanito	*Stromateus stellatus*	Stromateidae
Pejegallo	*Callorhynchus callorhynchus*	Callorhynchidae
Pajerrata	*Coelorhynchus* spp.	Macrouridae
Pejerrey de mar	*Odontesthes regia*	Atherinidae
Pejesapo	*Sicyases sanguineus*	Gobiesocidae
Pejezorro	*Alopias vulpinus*	Alopiidae

Tabla II. Continuación.

NOMBRE COMUN	NOMBRE CIENTIFICO	FAMILIA
Puye	*Galaxias* spp.	Galaxiidae
Raya	*Raja* spp.	Galaxiidae
Robalo	*Eleginops maclovinus*	Notothenidae
Rollizo	*Mugiloides chilensis*	Mugiliodidae
Sardina	*Sardinops sagax*	Clupeidae
Sardina común	*Clupea bentincki*	Clupeidae
Sierra	*Thyrsites atun*	Gempylidae
Tollo	*Mustelus mentus*	Triakidae
MOLUSCOS		
Almeja o taca	*Protothaca thaca*	Veneridae
Almeja	*Ameghinomya antiqua*	Veneridae
Calamar	*Loligo gahi*	Loliginidae
Caracol tégula	*Tegula atra*	Trochidae
Caracol locate	*Thais chocolata*	Muricidae
Caracol trumulco	*Chorus giganteus*	Muricidae
Chocha	*Calyptraea trochiformes*	Trochidae
Cholga	*Aulacomya ater*	Mytilidae
Chorito	*Mytilus chilensis*	Mytilidae
Choro	*Choromytilus chorus*	Mytilidae
Culengue	*Gari solida*	Garidae
Jibia	*Dossidicus* spp.	Ommastrephidae
Lapa	*Fissurella* spp.	Fissurellidae
Loco	*Concholepas concholepas*	Muricidae
Macha	*Mesodesma donacium*	Mesodesmatidae
Navajuela	*Tagelus dombeii*	Garidae
Ostión del norte	*Chlamys purpurata*	Pectinidae
Ostión del sur	*Chlamys patagonica*	Pectinidae
Ostra chilena	*Ostrea chilensis*	Ostreidae
Pulpo	*Octopus vulgaris*	Octopodidae
CRUSTACEOS		
Cangrejo panchote	*Taliepus* spp.	Majidae
Camarón de roca	*Rhynchocinetes typus*	Rhynchocinetidae
Camarón nailon	*Heterocarpus reedy*	Pandalidae
Centolla	*Lithodes antarcticus*	Lithodidae
Centollón	*Paralomis granulosa*	Lithodidae

Tabla II Continuación

NOMBRE COMUN	NOMBRE CIENTIFICO	FAMILIA
Gamba	*Hymenopenaeus diomedeae*	Penaenidae
Jaiba	*Cancer* spp.	Cancridae
Picoroco	*Megabalanus psittacus*	Balanidae
EQUINODERMOS.		
Erizo	*Loxechinus albus*	Echinidae
TUNICADOS.		
Piure	*Pyura chilensis*	Pyuridae
ALGAS		
Anhfeltia	*Anhfeltia plicata*	Phyllophoraceae
Cochayuyo	*Durvillea antarctica*	Durvillaceae
Chasca	*Gelidium* spp.	Gelidiaceae
Chascón	*Lessonia nigrescens*	Lessoniaceae
Chicoria de mar	*Gigartina* spp.	Gigartinaceae
Huiro	*Macrocystis pyriteca*	Lessoniaceae
Lamilla o Luga	*Ulva lactuca*	Ulvacea
Liquen gomoso	*Gymnogongrus furcellatus*	Phyllophoraceae
Luche	*Porphyra* spp.	Bangiaceae
Luga-Luga	*Iridaea* spp.	Gigartinaceae
Pelillo	*Gracilaria* spp.	Gracilariaceae

III. USO DE ALGAS

En Chile se utilizan en forma comercial las algas señaladas en la Tabla II.

De estas tradicionalmente han sido utilizadas, el cochayuyo y el luche, fundamentalmente para la alimentación humana. Mientras que la ulva o lamilla, tienen importancia por su uso agrícola, lo mismo ocurre actualmente con el huiro, su uso es más reciente y tiene un destino industrial.

III-1. COCHAYUYO

Esta alga se ha utilizado tradicionalmente en Chile bajo dos formas de uso culinario, una como acompañamiento en las comidas tales como cazuelas, o guisadas directamente. Se usa indiscriminadamente la fronda y el talo. La primera de estas partes constituye lo que se conoce como cochayuyo seco blanqueado, y es transportada desde los sectores costeros a la zona central y cordillerana de nuestro país. Otra forma de uso es en fresco, aquí la fronda es recolectada, luego se lleva a una leve cocción, expendiéndose de inmediato en los mercados y plazas de ventas.

El procedimiento más utilizado en todo caso es el primero. Luego de ser recolectado en la zona litoral, se junta una cantidad adecuada extendiéndose en la playa para que el sol proceda a deshidratarlo, posteriormente se lava con agua dulce o se deja expuesto a la lluvia, volviéndose a asolear. Se elaboran a continuación los paquetes constituyendo con estos los fardos que en la zona de Chiloé Insular tienen 100 unidades.

En el litoral continental de la X, IX y VIII regiones, se elaboran en forma similar, pero se presentan en rodelas de 50 unidades (Tabla III). Una variación de esto lo presentan los paquetes utilizados por las comunidades indígenas de San Juan de la Costa, Puerto Saavedra, Quidico, Tirúa y Llico, que consumen el cochayuyo sin blanquear, siendo usados además como elemento de trueque con las reducciones indígenas del Valle Central y de las zonas andinas de la VIII y IX Región; además con los sectores agrícolas.

En cuanto a la utilización del talo, este se hace preferentemente en fresco, previo a un hervido, se conoce este producto con el nombre de ulte, usándose como complemento al plato tradicional de la VIII región, conocido como Mariscal (que es un plato preparado en base a mariscos crudos).

En relación con su recolección, existe una diferencia entre la zona continental y la región de Chiloé. En la primera la Durvillaea es recolectada en el sistema sublitoral rocoso preferentemente por varones, los cuales cortan la mata desde el talo; en cambio en el sector de Chiloé, estas se recolectan solamente en la temporada de primavera-verano, durante

Tabla III

	Recolección	Procesamiento	Distribución	Unidad
Cochayuyo	Lugareños Turistas	Secar, Empaquetar	Viaje de negocio, Compradores	Atado (1), paquete, rueda, rodela (50). Fardo (100)
Luche	Lugareños Turistas	Secar, Cocer, Hacer panes.	Viaje de negocio, Compradores	Pan, Puñado, Kg.
Pelillo	Lugareños Jornaleros Forasteros	Secar	Compradores	Kg.
Luga (Lua)	Lugareños Jornaleros Forasteros (Turistas)	Secar	Compradores	Kg.
Ulva (Lamilla)	Lugareños	—	—	—
Huiro	—	—	—	—

las grandes bajas o desplayes de sisigea, aquí los recolectores solo extraen la fronda.

Pareciera ser que los mayores productores de cochayuyo seco-blanqueado, se encuentra en las localidades de Cucao, Huentemo, Quiutil y Chauquín, en la región de Chiloé Insular, a pesar de que en las estadísticas oficiales aparece la VIII región con una mayor captura para el año 1985, siendo ésta cercana a las 1000 toneladas, pero estas fueron comercializadas preferentemente por el sector industrial. Como antecedente deberemos agregar además que la VIII región, según cifra oficiales del Servicio Nacional de Pesca (SERNAP), aportó durante 1986, un total de 250 toneladas de cochayuyo, que fueron exportadas. Indican estos organismos que no disponen de los antecedentes que corresponden a la utilización del luche bajo la forma tradicional. Sin embargo en la localidad de Perales en Vegas de Itata, existe una población de más de 100 recolectores de cocha-

Trueque	Venta	Uso	Crónica	Miscelánea
Trigo, Papas, Arvejas, Porotos. (Piñones)	Plata	Culinario, Industrial	Sí	Uso medicinal y ritual (rogativas mapuches de lluvias)
Trigo	Plata	Culinario	Sí	
—	Plata	Industrial	?	
(Antes con trigo)	Plata	Industrial (culinario)	Sí	
—	—	Abono	?	
—	—	—	?	

Según Kazuyasu Ochiai

yuyo de origen campesino-pescador, que recolectan, procesan y venden. Comercializan sin intermediarios un promedio de 20,000 unidades por año, siendo los lugares de venta en orden de importancia, las cuidades de Concepción, Talca y Linares (comunicación verbal del Sr. José Senón Hernández Toledo, pescador-campesino de Perales de Vega de Itata).

Ochiai (1987), comunicación personal, ha señalado que este recurso generó un camino denominado por este autor como "El Camino del Cochayuyo".

III-2. UTILIZACION DEL LUCHE

Esta alga se ha recolectado habitualmente a lo largo del litoral chileno para ser consumida tradicionalmente, ya sea en forma de guiso, mezclado con cebolla, frito o cocido, agregándosele papas.

La recolección de esta alga en la zona central y sur de Chile tiene diversas connotaciones, en la zona central, correspondiente a los litorales de VIII y IX región, constituye preferentemente una alternativa de obtención de recursos presupuestarios familiares y es esencialmente recolectada por las mujeres.

En los últimos 10 años, en los litorales de la VIII y IX región, ha habido una disminución en la recolección de esta alga, sin embargo en la zona de Chiloé insular esta continúa aún hoy día en forma intensa, cifra que no se refleja en las estadísticas oficiales. Esta alga forma parte de la dieta, especialmente de los habitantes de las localidades de la Isla Grande, Chiloé Continental, región de Puerto Montt y de Valdivia.

En todo caso debieramos indicar que el procesamiento de este recurso marino presenta diferencias en las costas de Chiloé Insular con la de la VIII y IX región. En este último lugar una vez que las mujeres y los niños han recolectado esta alga, la someten a una breve cocción, y así se vende en los mercados.

En el litoral de la VIII región, la recolección del luche se ha visto muy disminuida, pareciera ser por una baja en la biomasa de este recurso, sin embargo en la IX y la X región (Región de Los Lagos), y especialmente en la Región Insular y Melinka, esta es muy intensa, no disponemos de cifras confiables en este momento, pero las estadísticas de SERNAP hablan de 1 tonelada de luche extraida en la X región, fundamentalmente en Chiloé Insular, cifra que personalmente considero baja. Por otra parte se habla de una extracción en 1986 de 2 toneladas, nuevamente el mayor impacto se ve reflejada en la estadística de la X región. A modo de información podemos indicar que solamente en la localidad de Melinka, se producen 50,000 panes de luche promedio por año. Cada uno de estos puede pesar seco alrededor de 750 grs.

La recolección del luche en la zona de Chiloé la ejecutan tanto las mujeres, como los niños y varones, la forma de procesarlo es distinta a como se realiza el litoral de la VIII región, puesto que en la X región esta alga se somete como dicen los lugareños a un curanteo, vale decir se hace una cocción a presión (Fig. 2), con dos variantes.

El procedimiento es el siguiente:

Se hace un hoyo en la tierra, luego sobre él se deposita leña y en forma ordenada se colocan piedras, preferentemente de tipo magmático, las que pueden absorver gran cantidad de calor, luego que la hoguera y las brazas se extinguen, las piedras quedan calientes, y sobre ellas se coloca el alga, se tapa con sacos y hojas de nalca o pangue (*Gunnera* sp.) y sobre estas se ponen trozos cuadrados de pasto, denominados champas, finalmente se tapa todo con tierra y se forma una especie de marmita o termo. Esta cocción dura aproximadamente 2 horas (Comentario personal del Sr. Carlos Lincomán, Cacique General del pueblo Huilliche).

La segunda forma de curantear esta alga, es poner sobre las piedras una capa de caracoles negros de los géneros *Tégula* o *Prisogaster*, depositándose sobre estos el luche, continuándose con el procedimiento anteriormente descrito. La cantidad de alga obtenida con esta forma de curanteo, tiene sabor a marisco, que desde el punto de vista del usuario es de sabor más agradable (Fig. 2).

Otra forma de procesar el luche después de su recolección es deshidratarlo al sol y acopiarlo posteriormente a granel.

Esta actividad de recolección de luche es una gestión secundaria en relación a otra actividad como es el marisqueo y la pesca.

ESQUEMA DE UN CURANTO

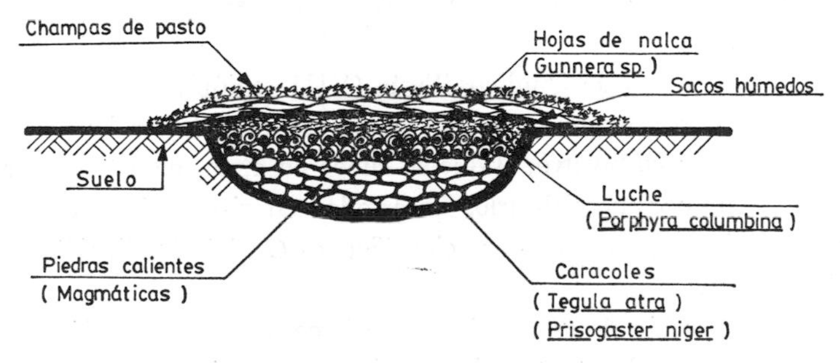

Fig. 2. Esquema de un curanto, forma de cocción, utilizado preferentemente en el litoral continental de la X Región y en la Isla Grande de Chiloé.

Los panes de luche son vendidos normalmente a intermediarios que lo van comercializando a lo largo de las ciudades del valle central de Chile, llegando incluso a Santiago. En todo caso el mayor consumo de esta, se realiza en la X región.

El volumen de venta de esta alga proveniente de la X región y específicamente de Chiloé Insular, es mucho más amplio que el volumen comercializado en la VIII y IX región de Chile, ya que en esta última zona la recolección es más baja. Su comercialización se hace preferentemente en los mercados de las ciudades de Concepción y Talcahuano.

IV. UTILIZACION DEL MARISCO

La denominación genérica de mariscos, considera a la pesquería que opera sobre diversas especies de invertebrados que incluye a las clases Molusca, Equinodermata, Arthropoda y Urochordata. Estos Taxa involucran las especies señaladas en la Tabla II, según Bustamante y Castilla, (1986). La explotación de estas especies han sufrido una evolución en los últimos 26 años, ya que han involucrado especies que se consideraban potenciales, disminuyendo la disponibilidad de las tradicionalmente usadas (locos, erizos, cholgas, piures, machas, almejas etc. . . .).

En todo caso el uso de los mariscos en el litoral de la VIII a la X región de Chile, se hace bajo la forma de producto seco, hervido-seco o curanteado-seco-ahumado. El procedimiento de elaboración para estos recursos es el siguiente, con las variaciones que se describen a continuación:

En los sectores de Quidico, Tirúa (VIII región), y Puerto Saavedra (IX región), el recurso más utilizado para este fin es la macha (*Mesodesma donacium*), molusco bivalvo, el que se cuece en agua, para posteriormente secarlo al sol y comercializarlos ensartadas en ristras de ñocha, que es una Bromeliaceae, cuyo nombre científico es *Greigia landbeckii*, en sartas de 6 unidades.

La recolección de este molusco, se hace utilizando el pié como herramienta, el pescador tantea el animal con el talón y lo extrae con los dedos del pié, depositándolo en un saco de malla denominado quiñe.

Fig. 3. Esquema de un candelero, pértiga de 6 m., con 8 puntas de acero en uno de sus extremos, con las cuales los pescadores de la Bahía de Concepción extraen la navajuela (*Tagelus dombeii*).

En una faena diaria, un recolector de estos puede llegar a extraer hasta dos mil unidades.

Otro recurso malacológico que se utiliza solamente cocido es la navajuela (*Tagelus dombeii*), este se recolecta preferentemente en la Bahía de Concepción. Se extrae esencialmente mediante un arte denominado candelero (Fig. 3), cada pescador recolecta por faena no más de 700 ejemplares, los que son llevados a tierra y sometidos a cocción en agua hervida por 5 minutos, posteriormente son desvalvados y ensartados en trozos de juncos (*Juncus* sp. o *Cyperus* sp.), de a 4 unidades.

Mientras el primero de estos bivalvos, la macha, es utilizada en guisos, sopas o caldos, la navajuela es consumida directamente aderezada con limón, cebolla y una salsa de ají (*Capsicum* sp.), en mariscales fríos (mariscos crudos) y ulte o bien hervido en su propio jugo.

En cambio en el litoral de la X región, tanto en su parte continental como insular, los mariscos son previamente curanteados, esta faena se realiza en la playa de la misma forma como se hace con el luche. Una vez que están cocidos son desvalvados, en el caso de los moluscos o extraidos del cenobio o peña en el caso del piure, para posteriormente ser ensartados en tiras de juncos, formando las sartas y luego los paquetes.

Estos son llevados posteriormente sobre los fogones donde son mantenidos por un tiempo a fin de recibir un tratamiento de ahumado. Luego de este tratamiento son puestos a la venta en ciudades y pueblos del Valle Central.

Los mariscos así elaborados son utilizados en la preparación de sopas, denominadas cazuela de mariscos secos, guisados con arroz o papas. Este es un plato típico en la cocina de la X región, preferentemente en la Isla Grande de Chiloé y provincia de Llanquihue.

V. UTILIZACION DEL PESCADO

El pescado seco-salado y ahumado ha sido de uso generalizado en la zona centro-sur de Chile. Podríamos señalar que existen dos formas clásicas de elaboración de productos pesqueros, una que está circunscrita al litoral de la zona central de Chile, con un fuerte énfasis en el litoral de la VIII región y preferentemente con una fuerte tradición en las localidades de Lota y Coronel, en la provincia de Concepción y Llico en la provincia de Arauco. Utilizañdose preferentemente peces magros, tales como la merluza común (*Merlucuis gayi*), tollo (*Mustelus mentus*) y blanquillo (*Prolatilus juguralis*), en forma de seco-salado. Para poder elaborar este producto los pescadores capturan el recurso preferentemente con anzuelos en la zona litoral.

Una vez acopiada la materia prima en la caleta, esta es charqueada o fileteada, haciendo lo que técnicamente se conoce como filete tipo mariposa, luego se coloca en cestas de mimbres donde es salado, este salasonado se mantiene por unos días para que se impregne la carne, posteriormente cada pieza se cuelga en cordeles que reciben el nombre de tendales, allí se mantienen expuesto al sol y al viento hasta obtenerse un producto salado similar al bacalao seco-salado, luego se procede a su acopio en un lugar seco, para su posterior comercialización.

Por distintas circunstancias, especialmente por la baja de la biomasa de este tipo de recurso, se ha visto muy disminuida esta actividad tradicional.

Hace unos años debido a la falta de elementos de refrigeración en los hogares chilenos, era preferido este producto que se conocía como bacalao, se consumía como charqui (se machacaba con ajo, pimienta y otros aliños en una piedra o se desalasonaba, para así elaborar una serie de platos, como por ejemplo el charquicán de pescada).

En la elaboración de productos seco-salados, existe una clara diferencia en cuanto al proceso de captura anteriormente utilizado por la gente de la X región, fundamentalmente por los chilotes. Aquí la elaboración de pescado seco se hace utilizando el calor del fogón de la cocina chilota, para esto se utiliza preferentemente el recurso robalo, (*Eleginops maclo-*

vinus). Este recurso era capturado mediante un arte tradicional conocido con el nombre de corral (Fig. 4), este corral era elaborado fundamentalmente con maderas, como el arrayán (*Myrceugenella chequen*) y la luma (*Amomirtus luma*).

Las varas de luma constituían las pértigas que soportaban un verdadero arco que en la parte central podía tener hasta 3 metros de altura, para terminar en los extremos en solo unos pocos centímetros.

En la parte central de este cerco existía un lugar que era denominado trampa. Este arte era colocada preferentemente en lugares donde hubiera un río o un pequeño arroyo, en donde se produjera una mezcla entre el agua salada y la dulce. Era instalada en forma colectiva o individual.

Gracias a este arte, los chilotes podía capturar las especies que más usaban para elaborar el producto seco-ahumado.

A diferencia de la elaboración de la zona central y especificamente de la VIII región, aquí el corte no se hace por la parte dorsal, sino que por la ventral y a parte de lo anterior se le coloca en el corte que se ha

Fig. 4. Corral para la captura de peces, ubicado en la localidad de San Juan de la Costa, en la Isla Grande de Chiloé.

hecho para mantener la forma de filete mariposa, unas pequeñas varillas que mantienen abierto el pescado. Una vez colocadas estas varillas este pescado se pone sobre el fogón, al humo y al calor, o sea existía una cocción y un ahumado que podría representar un ahumado en caliente. De este forma se mantenía unos 3 días y luego era acopiado para su distribución y transporte.

La verdad es que hoy en día es muy difícil encontrar este tipo de arte o mejor dicho no existen los corrales.

El Sr. Carlos Lincomán, Cacique General del Pueblo Huilliche, me ha señalado que nuevamente su pueblo volverá a construir este tipo de arte, puesto que hay dos variables que pueden ser tomada en cuenta, una de ellas es el costo, y la segunda es preservar las tradiciones.

Junto con la preservación de las tradiciones, además existe un manejo de los recursos pesqueros con este tipo de captura.

En la parte central del corral, donde existía la trampa, se regulaba la cantidad de peces que se iban a capturar. Estas trampas se cambiaban cada 15 días, cuando ocurrían las grandes mareas de desigueas, y esta regulación se hacía pensando en la utilización que la comunidad iba a hacer de los recursos capturados, tanto para preparar el seco-ahumado, como para el consumo.

En algunas localidades de la Isla Grande de Chiloé, hoy en día no se está utilizando el robalo para elaborar productos seco-ahumado, este ha sido reeplazado por el jurel (*Trachurus murphyi*).

Existen tal vez dos causas que han llevado a este cambio de las comunidades costeras, una podría ser la baja en la biomasa en algunos lugares de la disponibilidad del robalo, produciéndose lo que se denomina un cambio en la vulnerabilidad del recurso. La otra podría ser que el valor de una red de pesca está fuera de las posibilidades de los isleños, razón por la cual se han dedicado a la captura de un nuevo recurso que ha irrumpido en el litoral de la zona centro-sur de Chile en forma muy impactante, como es el jurel, y es interesante señalar que hoy día es muy difícil encontrar robalo seco-ahumado, en cambio es corriente encontrar jurel seco-ahumado.

Este nuevo recurso ha traido evidentemente una alteración el el sistema tradicional, ya que se ha cambiado de un pez magro a uno altamente graso. Este último no permanece como producto seco-ahumado el mismo tiempo que el robalo.

VI. UTILIZACION AGRICOLA DE LOS RECURSOS MARINOS

Tradicionalmente en Chiloé se han utilizado algas y algunos invertebrados marinos como fertilizantes.

Entre las algas utilizadas para este fin, debemos considerar a la Ulva lactuca, conocida en la zona de Chiloé como lamilla, y en la zona del litoral de la VIII región, como luga.

Los procedimientos de utilización de esta alga son variados. Se utiliza como un compuesto mediante la mezcla de esta con algunos recursos, fundamentalmente de origen animal.

Antiguamente en Chiloé se fabricaban unos hoyos en los que en ocasiones se colocaba paja, luego una capa de lamilla o luga, una capa de jibias (*Dossidiscus* spp.), un cefalópodo que varaba en grandes cantidades en los sectores de la Isla Grande de Chiloé, y así sucesivamente, luego se tapaba el hoyo, esta mezcla se podría, posteriormente era utilizada como fertilizante, principalmente en las siembras de papas.

Otra forma en que se utilizaban estos recursos, era cortando estas jibias en pequeños trozos que iban siendo depositados en los mismos lugares donde se sembrarían las papas, a fin de que hiciera el aporte en minerales y nutrientes.

Y por último otra forma de utilización de la lamilla era aplicarla al igual que las jibias, en forma directa en la tierra, antes de sembrar las papas, o en las laterales de las melgas, que es por donde escurre el agua. Se pone una cantidad de lamilla en cada mata, sin mezclarla con la tierra, dejando que se pudra en la superficie.

Dado que por distintas circunstancias de tipo ecológico, se ha producido una modificación en la varazón de las jibias; en algunas localidades de Chiloé, se está utilizando un compuesto hecho con lamilla y excrementos de animal, especialmente guano de cerdo. Se mezcla en la misma forma antes descrita, obteniéndose un rico compuesto para fertilizar las siembras de habas, arvejas y papas.

VII. MODIFICACIONES SUFRIDAS EN EL COMPORTAMIENTO DE LAS COMUNIDADES PESQUERAS

En la Tabla II, hemos señalado los recursos que son explotados por las comunidades ribereñas de las zonas costeras de la VIII a la X región de Chile. Con el correr del tiempo las actividades se han visto modificadas por varias causas, entre las que podemos citar:

—Las modificaciones en las técnicas de captura, como son el uso de los hilos nylón en la confección de las redes, y la aparicón de equipos de buceo autónomo

—Un incremento constante de la gestión demandante sobre las especies consumidas, fundamentalmente por el mercado nacional desde hace 25 años, para satisfacer la cocina tradicional chilena (Castilla y Becerra, 1976; Bustamante y Castilla, 1986; Morales y Gezan, 1986).

Esto trajo en los últimos años una modificación muy drástica en la disponibilidad de muchos de los recursos pesqueros utilizados por las comunidades costeras. Son notables las bajas del alga pelillo, de los moluscos, como locos, cholgas, choros, navajuelas, machas, y del equinodermo, erizo (Arrizaga y Veloso, 1986; Reyes, 1986a, 1986b).

Se podrá producir entonces, un cambio en la relacion que existe entre los recursos y la forma de trabajo de las comunidades costeras, ya que se observan los atisbos de dos tipos de modificaciones laborales:

a) transformación de recolectores, en obreros de centros de cultivo (proletarización).

b) organización de Sindicatos y Cooperativas, orientadas al cultivo de todo tipo.

Todo lo anterior va acompañado además de modificaciones en el uso de las zonas costeras, fundamentalmente en el litoral continental e insular de la X región, en donde las empresas privadas utilizan espacios importantes, que han modificado la tenencia de la costa (Morales y Gezan, Op. Cit.; Sant Ana, 1983; Pollnac, 1982; Junemann, et al., 1986).

Antecedentes históricos indican que la pesca artesanal en sus origenes fue una actividad esencialmente de subsistencia, realizada por las comunidades indigenas costeras: changos, chonos, mapuches, alacalufes, onas y yaganes.

Durante la conquista del Continente Americano, la instalación de los españoles significó un desplazamiento, y una asimilación e incorporación de nuevas técnicas extractivas que se mantuvieron en nuestro país sin variaciones significativas durante largo tiempo; producto esto de la casi absoluta hegemonía de la actividad agropecuaria.

A partir de la década del 40, con el impulso de la Corporación de Fomento (CORFO) dependiente del Ministerio de Economía, crece la inversión nacional y se incrementa la actividad tecnológica en el sector costero, intensificándose notablemente en los últimos 10 años (Cornejo, 1986).

Lo anterior debe estimular la creatividad de las comunidades costeras a fin de permitirles, una armonía de supervivencia en un criterio de ecodesarrollo (Morales, 1978). Para que no tenga vigencia el mensaje que dejó un cacique huilliche del litoral de Llanquihue en la X región "Ka Melei Pellu Ka Loko" esto es: En aquel lugar habían choros y locos.

VIII. CONCLUSIONES

1.—Al revisar la tecnología tradicional de extracción de los recursos costeros algológicos, malacológicos e ícticos, vemos que en general mantienen una misma técnica de recolección y captura (uso de anzuelos y líneas de mano, redes, rastras y arañas), con excepción de artes tradicionales como el corral en Chiloé, basado en los grandes desplayes que se producen en esa zona, y el candelero utilizado en el litoral de la Bahía de Concepción, donde se aprovecha la existencia de fondos fango-arenosos.

2.—Existe una diferencia muy marcada en la forma de elaborar los recursos marinos, mientras en el litoral de la VIII y IX región, estos son hervidos o secados al sol (charqueados), en la zona costera de la X región, el luche y los mariscos son preferentemente curanteados y luego secados y ahumados en fogones.

3.—El cochayuyo seco-blanqueado es el elaborado de igual forma a lo largo de todo el litoral estudiado, no existiendo diferencia en el proceso, (con excepción de las localidades de Quidico y Tirúa en el litoral de la VIII región, donde no es blanqueado), si este es ejecutado por poblaciones indígenas o campesinas. Lo que sí varía, es el sistema de empaque (Tabla III).

4.—La modernización de las técnicas y la intensa explotación de las zonas costeras, está modificando el comportamiento del uso de estas, por las comunidades ribereñas.

5.—En los años recientes se nota un cambio en las relaciones de trabajo de los habitantes de las zonas costeras, incentivándose por un lado la proletarización, preferentemente en el litoral de la X región, y por otro la organización de tipo comunitaria, no estando basada ya la actividad recolectora o de captura en la gestión familiar.

BIBLIOGRAFIA

ARRIZAGA, A. y VELOSO, C.
1986 "Los recursos explotados por el pescador en Chile: Posibilidades de Transferencia Tecnológica y situación actual". *Pesca Artesanal, Tecnología y Desarrollo*, A Arrizaga. Editor, 27–54 pp.

BARRIA, S.
1984 "Pesca artesanal, fuerza de trabajo y flota" Doc. Informativo No. 16 SERNAP. 49 pp.

BUSTAMANTE, R. y CASTILLA, J. C.
1986 "La pesquería de mariscos en Chile. Un análisis de 26 años de información estadística del desembarque (1960–1985). *Anales* 20. *Encuentro Científico sobre el Medio Ambiente* (CIPMA) 2: 24–28.

CASTILLA, J. C. y BECERRA, R.
1976 "The shell fisheries of Chile: An analysis of the statistics 1960–1973" In: *International Symposium Coastal Upwelling: Proceeding.* Coquimbo, Chile Nov. 1975. J. C. Valle, Editor. 61–90 pp.

CORNEJO, C.
1986 "Estrategia para la Transferencia de Técnicas de Cultivos Marinos hacia el Pescador Artesanal de Subsistencia de la VIII región". *Informe Final.* Beca WUS-AHC. In litteris. 54 pp.

GEZAN, L.
1987 *Sobrexplotación del alga pelillo.* OPDECH—Chile. 28 pp.

JUNEMANN, L. A., et al.
1986 *Diagnóstico sobre la situación socio-económica del pescador artesanal.* Dpto. de Acción Social del Arzobispado de Santiago, Chile. 48 pp.

MORALES, L.
1978 "Busqueda de una perspectiva de acción: El ecodesarrollo aplicado a la utilización de los recursos acuáticos". En *la Revolución Azul, Nueva Imagen,* México.

MORALES, L. y GEZAN, L.
1986 "La modernización de las pesquerías chilenas. Impactos y Proposiciones". *Anales* 2. *Encuentro Científico sobre el Medio Ambiente* (CIPMA) 2: 92–99.

POLLNAC, R. B.
1982 "Cambio Tecnológico y Organización Social entre los Pescadores Artesanales". Univ. of Rhode Island, USA, 465–479 pp.

REYES, E.
1985 "Tradición y Desarrollo de la Pesca Artesanal en Chile" *Chile Pesquero.* 30: 26–29.

REYES, E.
1986 "Qué pasó con el loco". Crónica de un colapso anunciado". *Chile Pesquero.* 36: 27–32.

SANT'ANA, A. C.
1983 *Pescadores Camponenses e Trabalhadores do Mar.* São Paulo: Editor Atica. 287 pp.

SERNAP
1986 *Anuario Estadístico de Pesca.* Ministerio de Economía, Fomento y Recontrucción—Chile. 136 pp.

Nguillatún: Una reseña de la ceremonia rogativa mapuche

Kazuyasu Ochiai
Universidad de Teikyo

Este informe se basa en la investigación etnológica de carácter de reconocimiento que se realizó en la zona mapuche chilena durante tres meses del diciembre de 1986 al febrero de 1987. Ya que para mí fue el primer viaje por Chile y me carecía el conomiento de la lengua mapuche, mi trabajo consistía del conocer el área, recolectar datos bibliográficos, ver y oir a los estudiosos, hablar con los Mapuches y observar las actividades suyas hasta donde me admitieran.

En este ensayo, quisiera discutir primero la importancia del estudio de los Mapuches de la Costa o los *Lafkenches*. Sigue una reseña bibliográfica sobre la ceremonia rogativa colectiva mapuche conocida como el *nguillatún*. Por último, quisiera añadir unos datos sobre la ceremonia que tuve la oportunidad de observer dos veces durante mi estadía en la Costa, gracias a la guía amable del Lic. Alejandro Herrera de la Pontificia Universidad Católica, Temuco.

1. MAR COMO UN AMBIENTE ETNICO MAPUCHE

El aprovechamiento de cochayuyo (*Durvillea antarctica*) es uno de los elementos principales del mar en el mundo mapuche (véase el artículo del Profesor Shozo Masuda en este volumen). Los recolectores y procesadores *lafkenches* mismos salen al viaje de comercio e/o intercambio de los atados de eata alga marina seca y cierta cantidad de pescados secos, principalmente con el trigo con la gente del interior. Las rutas de este viaje atraviesan el Valle Central y la Pre-Cordillera y se extienden casi

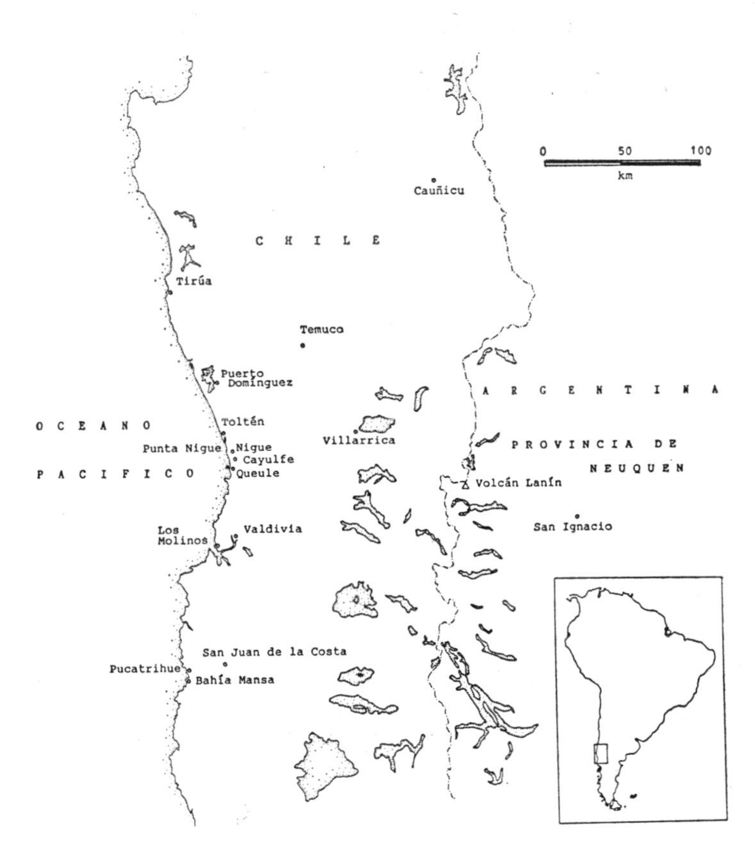

Mapa 1.

hasta la frontera con Argentina. Parece que los Mapuches alrededor de Queule mantienen este trueque con más vigor. En el rumbo de Tirúa, se observa ciertos cambios en esta costumbre debido a la mercantilización reciente y el uso industrial del cochayuyo. En la cercanía de Valdivia, por otro lado, Los Molinos, pueblo a la desembocadura del Río Valdivia, se goza de la posición clave de la comercialización del alga extraída por la gente de su alrededor que se exporta al mercado de Valdivia. No hay información sobre el trueque en esta area.

El viaje del trueque de cochayuyo conducido con las carretas de bueyes tarda a veces más de dos meses. La información en Tirúa nos enseña que durante el viaje los cochayuyeros mismos tienen que llevar la comida o comprarla en el camino y dormir bajo las carretas en el aire libre. Los informantes cerca de Queule dicen que ellos se alojan en las casas de los conocidos mapuches en el camino e intercambian su mercancía con comida.

Se quedan por estudiar las rutas del viaje, formas de intercambio, las relaciones sociales entre los productores-procesadores-vendedores de la Costa y los consumidores del Valle Central y la Pre-Cordillera y todos los procesos relacionados con el movimiento y el consumo de este producto marino.

Nuestro interés en el mar como un ambiente étnico no debe limitarse al aspecto material. En la ceremonia rogativa de lluvia en la Costa, por ejemplo, se pone cochayuyo al fuego para que truene. Este sonido se cree que llama el trueno y la lluvia.

Según el Lic. Rodrigo Valenzuela Fernández, los habitantes de San Juan de la Costa, tierra interior occidente de Osorno, creen que sus antepasados vinieron de Punta Pucatrihue cerca de Bahía Mansa y hacen ahí un ritual de ofrenda desde el 28 de diciembre y al regresar a San Juan, celebran el *nguillatún* en el 1° de enero (Valenzuela, comunicación personal, el 25 de febrero de 1987).

En la Sección 4 de este informe, se describirá sobre los *nguillatún* a la orilla del mar que observamos en las reducciones de Cayulfe y Nigue cerca de Queule.

2. VISTA GENERAL DEL *NGUILLATUN*

El *nguillatún* es el ritual colectivo público más elaborado que se observa entre los Mapuches, cuyo objetivo es por lo común el rogar a los Seres Supremos y a los dioses ancestrales por las buenas cosechas, el aumento de animales, la estabilidad de la nalturaleza y el bienstar de la gente en general, aunque hay differencias regionales como veremos más adelante. El *nguillatún* no tiene mucho caracter de la acción de gracias o la ceremonia sobre lo que ha pasado; es para pedir la fertilidad y prosperidad del futuro.

Aparte de la variación de nombres en castellano tales como la ceremonia de petición, invocación, rogación, rogativa, ruego, etc., la ceremonia se ha denominado y se ha transcrito en numerosas formas según regiones, epocas y autores: *gillatun* (Febres 1765), *nillatun* (Faron 1963a, 1964, Grebe, *et al.* 1972), *ñillatun* (Faron 1963b), *ngillatun* (Guevara 1898, Alonqueo 1985), *ngillathún* (Alonqueo 1979), *nguillatún* (Wilhelm de Moesbach 1959, Noggler 1982), *ŋillatun* (Cook 1946), *ŋillatún* (Bianchi, *et al.*, Borruat de Bun 1967), *ŋiʎatun* (Fernández Garay 1982), *millantún* (Wilhelm de Moesbach 1959), *villatún* (Bianchi, *et al.* 1961), *camaruco* (Fernández Garay 1982), etc. En este trabajo se usará *nguillatún* como el nombre genérico de la ceremonia.

No hay estudios etnohistóricos sobre el origen y el proceso de la formación de *nguillatún*. Cooper dice:

> "So far as the ŋillatun rite itself is concerned, . . . its characteristic features appear as difinitely aboriginal and peculiar to the *Araucanians*, and some of them, such as the use of the sacred *Drimys winteri* [maqui] and the (sacrificial) killing of animals, can be traced back through our dated historical sources as far as the earlier decades following the Contact. The ensemble of the modern rite may, of course, be much more recent" (Cooper 1946: 747).

La mención más antigua que tengo es del jesuita Andrés Febres quien dice en su *Arte de la Lengua General del Reyno de Chile con un Diálogo Chileno-Hispano Muy Curioso*: "*Gillatun*—pedir otra vez: it: *giliatun*, *gillatucan*—llamar al Demonio, ò al Pillan, lo qual hazen con un cigarro de tabaco" (Febres 1765: 496). Esta explicación, aunque es breve y contiene cierto prejuicio cristiano, es de sumo interés para pensar el pasado de la ceremonia, ya que unos elementos mencionados son aún esenciales en los *nguillatún* modernos.

Pillán, por ejemplo, es la deidad de la naturaleza quien sigue siendo uno de los objetos de ofrendas orales y materiales en *nguillatún* hasta el presente. Noggler dice: "En contraposicion a Ngenechén [*nguenechen* o el Ser Supremo], a quien sobretodo pedían alimento y larga vida, Pillán es el responsable de los dramáticos y catastróficos fenomenos de la naturaleza: erupciones volcánicas, tempestades e inundaciones; según una tradición, también el cuerpo humano se encontraba bajo la protección de Pillán" (Noggler 1982: 44).

Febres lo describe: "*Pillañ, pillan*—llaman al Diablo, ò à una causa superior, que dicen hace los truenos, rayos, relampagos, y rebentazones de volcanes, y à estos mismos efectos tambien llaman *Pillañ*" (Febres 1765: 593). El humo de cigarro que acompaña al llamamiento de *pillán* podría considerarse como una imitación del humo que el volcán produce. El aspecto principal del *nguillatún* es el ofrecimiento de la carne a los espíritus ancestrales en la forma de humo que sube del fuego en que se quema la carne (Faron 1963a: 150–151). El humo, sea de cigarro de la chamán (*machi*) (Guevara 1908: 306), sea de la carne quemada, ha sido un instrumento comunicatorio importante con los seres sobrenaturales en el *nguillatún* (Gundermann 1985b: 182).

No se sabe, sin embargo, como era el *nguillatún* en la época de la conquista española en en siglo XVI. Guevara, hablando de las rogativas para pedir lluvia, dice: "El *ngillatún* (rogativa) fue pues una ceremonia traída por los incas, por cuanto en ella se manifiestan todos los caracteres esenciales del sacrificio en el culto peruano" (Guevara 1911: 244, citado en Latcham 1922: 276). Aunque los Mapuches modernos ciertamente tienen el culto al sol o *anti* y lo manifiestan fuertemente en el *nguillatún* al tratar el este como una dirección especial, no es suficiente para relacionarlo directamente con el culto al sol o *inti* en Peru.

En cuanto a la forma del *nguillatún* que se observa actualmente, Luis Faron dice:

> "I suggest that it has attained this position and present complexity since the time the Mapuche have become immobilized on reservations and population density in the indigenous zone has increased. . . . there still exists the small family-based *nillatun*, conducted mainly for non-agricultural purposes [i.e., el culto ancestral], which

seems to me to reflect the persistence of the traidtional multipurpose ceremony which existed in the prereservation era'' (Faron 1963a: 144–145).

Faron piensa que antes existian los rituales familiares para sus ancestros particulares, los cuales se desarrollaron posteriormente como los rituales de los ancestros generalizados de la región, tal vez después de la última pérdida militar y bajo la institución del sistema de reducción establecido en 1884. En su opinión, los linajes se han profundizado a través de los años y la importancia de los ancestros-dioses se ha crecido como los objetos del culto público (Faron 1963a: 135, 153). La amplia variación regional de *nguillatún* puede ser el resultado del hecho de que entre los Mapuches no se ha creado división política autóctona más grande que esos linajes (Steward & Faron 1959: 273 274). Por otro lado, Faron discute, la participación de las chamanes (*machi*) observada en varios rituales de fertilidad entre los Mapuches chilenos es el resultado de la disminución de los competentes *nillatufe* o sacredotes rituales (Faron 1963a: 154–155). Así que el *nguillatún* refleja claramente el proceso histórico y político de la nación y el cambio socio-cultural que se ha ocurrido entre los Mapuches.

Aparte del proceso histórico, los Mapuches mismos tienen los mitos sobre el origen de *nguillatún*. He aquí dos versiones recopiladas en la Costa por Faron; la primera proviene de Toltén y la segunda del sur de Toltén:

> There were two men from this part (Tolten) who set out one day to cross the wide part of the river. The current carried them out to sea, and they turned over and drowned. There were many mourners, the relatives of these men, who felt great remorse at their untimely death. These men were well liked and were leaders (*lonko*) of their people. In Quilliche (between Villarrica and Tolten) there lived a powerful *kalku* (witch) who sent a message to the mourners. The message said that the *kalku* would promise, upon one condition, to return the two men to their families unharmed. The condition was this: the mourners had to come to the house of the *kalku* within four days after receiving the message (four and its multiples are

Mapuche sacred numbers). Because of the great distance and the lack of roads, the mourners were unable to arrive before the eighth day. The *kalku* said that they had delayed too long and that from then on the spirits of the two drowned men would be evil spirits in her command. She had taken them from the sea and placed them in the Volcano Villarrica, where she had her cave (*reñü*). She told the mourners that the spirits would remain there, and that from then on they would cause great harm to the people. They would create great floods and periods of drought, which would ruin the crops of their people and cause many animals to die. The mourners returned to the coast to await the witch's prediction. One day, four days after arriving in Tolten, two nameless birds appeared to the mourners. These birds nodded their heads in greeting and told the people that they would take the names of Tramaleufu and Winkaleufu, and would succeed in breaking the witch's control over them. This was on the condition that the people would thereafter stage *ñillatun* ceremony for their benefit each year on this day. They first used the word *ñillatun*. The people adopted the word and have held the ceremony every year since that time long ago. This is the way *ñillatun* originated among the Mapuche" [Faron 1963b: 247].

Este mito contiene los elementos esenciales que aparecen comunmente en los *nguillatún* actuales tanto de la Costa como del Valle Central y la Pre-Cordillera: una deidad de la montaña, *kalku* (que parece a *pillán* de otros casos), quien controla los espiritus de los muertos; los espiritus de los ancestros-líderes quienes pueden ser espíritus malignos y pueden causar, bajo el control de *kalku*, la irregularidad de la naturaleza; y la posibilidad de evitarla por ofrecer la ceremonia del *nguillatún* a los ancestros.

Una versión similar al siguiente mito sobre el origen del dios del mar y a la vez del *nguillatún* la oí cuando visité a Nigue:

"Many years ago there lived a man by the name of Manquián. He was a shellfisher, and he lived near the beach. One day, when he was in the water, his feet became stuck to two rocks, in the following manner. One foot stuck to a rock while the other was free. When

Manquián managed to free one foot, the other became fixed to the rock. This happened over and over again. Finally, both feet became stuck fast to two rocks. Manquián was unable to move from the place. He cried out to his people to help him.
Many of his people came to see him. Many shamans (*machi*) came to hold a great *machitun* [curacion practicada por las *machi*]. It was a very solemn occasion. The people burned many offerings of meat and sacrificed animals of all kinds. The *machitun* lasted three days, and during this time Manquián partook of the meat. Then Manquián began to turn gradually to stone. One day he turned to stone up to his ancles; the next day up to the middle of his calf, and so on. When he became stone up to his stomack, he was no longer able to eat, and he told the people to burn the meat so that the smoke would rise up to the sky and nourish his spirit, after he turned completely to stone and died. He told them to return to their houses afterward. They did his bidding. Manquián was turned to stone from head to foot. This stone Manquián, now a *ñenechen* (god) [*nguenechén*], is no longer visible from the shore. The people believe that he is lord of the sea, a fisher of souls and protector of his people. He has much power and we offer him meat every year, when there is *ñillatun*" [Faron 1963b: 247–248].

Este mito explica por qué y para quién la gente queman enteramente la carne de los animales sacrificados en los *nguillatún* de hoy día: es para nutrir y complacer el ancestro-dios del mar, Manquián, quien controla los espíritus de la gente. Faron piensa que Manquián es una manifestación local del díos del mar pan-mapuche, *Lafkenfucha*, y que este mito muestra la moralidad religiosa mapuche a base del culto ancestral (Faron 1963b: 248). Como lo describiré mas adelante, observamos el *nguillatún* en la Costa que contiene una ceremonia a la orilla del mar, en frente de la piedra de Manquián que actualmente está bajo agua, según dicen. Este ritual es único por ofrendar oración y la sangre del animal sacrificado al mar.

El significado del mar para los Mapuches parece ser algo negativo según Faron. El dice que el océano es la última barrera que los espíritus muertos tienen que cruzar en su viaje para llegar sanos y salvos a *nomelaf-*

ken o el otro lado del océano (Faron 1962: 1157). Para los *Lafkenches*, sin embargo, el sentido del mar donde se gana la vida pescando, recolectando moluscos y algas, puede ser diferente y más ambiguo. Este tema está por averiguarse.

Otro aspecto que se observa comúnmente en los *nguillatún* es su función de consolidar las relaciones entre las unidades sociales, i.e., reducciones, familias e individuos. En un *nguillatún* siempre existe un líder quien es, idealmente dicho, el jefe de la reducción. Si no es el jefe, es casi siempre el líder del linaje dominante de la reducción (Faron 1963a: 152). El organizador que desempeña el papel del anfitrión de la ceremonia manda invitación a los líderes de las reducciones que le invitaron en los años anteriores a sus *nguillatún*. La invitación y el agasajo en la ceremonia tienen que ser recíprocos. Los invitados dicen: "se nos devolverá la fiesta del año pasado" (Coña 1984: 381). Así se forma una red de relaciones religiosas y diplomáticas entre las reducciones. Por otra parte, las unidades familiares patrilineales de la misma reducción trabajan juntas para preparar y ejecutar el ritual. Observé también en dos *nguillatún* que los que habían salido a las ciudades (Santiago, per ejemplo) regresaron a sus reducciones temporalmente en estas ocasiones. Parece que el *nguillatún* es la ocasión para los Mapuches de confirmar su identidad étnica y social.

No debemos dejar de mencionar a los aspectos simbólicos de *nguillatún*. Se han analizado sobre los animales, banderas, colores, puntos cardinales, direcciones de movimientos, altares, bailes y la forma de la cancha (*cahuinhue*) misma donde se celebra el *nguillatún*.

Los puntos cardinales este y sur se consideran buenos y se relacionan con buen viento, buen tiempo, buena cosecha, bonanza, el sol, buena suerte, y los antepasados; mientras tanto el norte y el oeste son malas direcciones relacionadas con el viento norte, mal tiempo, lluvia, trueno, enfermedad, oscuridad, mala suerte en general y la muerte. Así en el *nguillatún* "todas las actividades se orientan primariamente hacia el este y secundariamente hacia el sur, dándose la espalda al oeste y colocándose defensas tanto en dirección hacia este último punto como hacia el norte" (Grebe, *et al.* 1972: 56).

En el *nguillatún*, los colores blanco y azul se relacionan con las direcciones este y sur y con la luna, estrellas y la Cordillera; estos colores traen buena suerte. El negro y el rojo, en cambio, se relacionan con el oeste, el norte, el mar y lo malo (Grebe, *et al.* 1972: 63, Cuadro 6).

Aparentemente Grebe no toma en cuenta las actividades de los *Lafkenches* con ocasión del *nguillatún* que, como se verá más adelante, muestran otros aspectos simbólicos. Sin embargo, Grebe es correcta al sintetizar: "El *nillatún* es el eje de la vida religiosa. En su ceremonial se reactualiza dinámicamente la cosmovisión, y, a su vez, dicha cosmovisión refuerza la cohesión social de la reducción y sus vecinos" (Grebe, *et al.* 1972: 71). Es decir, el *nguillatún* es la ocasión en que los Mapuches expresan su identidad cosmológica con sus actividades.

3. *NGUILLATUN* COMPARADOS

Para entender mejor el *nguillatún*, quisiera hacer una comparación regional y temporal sobre unos aspectos suyos utilizando los materiales publicados. Los materiales provienen de la Costa en los fines del siglo XIX (Coña 1984), del Valle Central en los principios del siglo XX (Guevara 1908) y en los 1950s (Faron 1963a), de la Pre-Cordillera en los 1970s y 1980s (Gundermann 1985a, 1985b), y de Argentina en los 1960s (Bianchi, *et al.* 1961; Borruat de Bun 1967). Se usarán otras publicaciones (e.g., Alonqueo 1979, 1985; Koessler-Ilg 1962; Noggler 1982) para comparar con los materiales arriba mencionados. Para nuestro objeto comparativo, se aplicará aquí en adelante el "presente etnográfico" a menos que no sea apropiado.

(*A*) *Motivos y momentos*

Uno de los motivos de organizar un *nguillatún* es evitar los peligros potenciales de la vida. Por eso uno tiene que prestar atención a los augurios. Coña quien nació en Puerto Domínguez dice:

> "El primer impulso viene de unas señales extraordinarias o visiones. Se hacen oír personas que dicen: 'pasan cosas extraordinarias en tal y tal lugar,—se nombra el lugar donde suceden,—se ha visto a un

> hombre que cuenta sucesos maravillosos, p. ej., saliendo del volcán ha bajado un toro negro que habla y dice que va a hacer desbordar el mar'. . . . Otro visionario cuenta que fué al cielo; otro que habló una vaca; otro que tenía una aparición y que le habló un espíritu enrostándole: '¿Por qué no celebráis la fiesta? ¿por qué no hacéis rogativas (o nguillatunes')?" [Coña 1984: 372]

Guevara escribe sobre el Valle Central que "el jefe de la familia", que parece ser el cacique de la reducción, habla a los miembros de su familia cuando cree oportuno celebrar el *nguillatún*: "Vamos a tener una cosa entre todos nosotros; tendremos una fiesta o *ngillatun*. Hace tiempo que no hemos tenido ninguno; por eso, quien sabe, no hemos tenido abundancia de trigo i han muerto animales, nuestros hijos e hijas" (Guevara 1908: 303). Los *nguillatún* que Coña y Guevara describen se celebran irregularmente. No tengo otros datos que los de Coña que informaran sobre los senales y visiones extraordinarios que motivaran la celebracion de *nguillatún*.

Aunque si existen los *nguillatún* a base irregular, parece que generalmente el *nguillatún* se celebra una, dos o tres veces anualmente a base regular (e.g., Gundermann 1985b: 172) o cada unos años, por lo menos segun los materiales publicados. En el Valle Central se celebra la ceremonia antes de la maduración de granos y mucho después de la cosecha (Faron 1963a: 151), mientras que en la Pre-Cordillera se realiza durante la primavera, el otoño y en momentos de la recolección de los piñones (Gundermann 1985a: 116), y se efectúa en noviembre en el vertiente oriental argentino (Borruat de Bun 1967: 410). En dos reducciones de la Costa donde yo estuve se celebra en enero, a pesar de que Guevara dice que no hacen *nguillatún* de petición de lluvia en el verano cuando la gente se dedica de preferencia a las faenas de la agricultura (Guevara 1908: 308).

Parece que es comun que el *nguillatún* se celebre en la época de la luna llena (Faron 1963a: 146; Gundermann 1985b: 176; mi observación el la Costa en 1987). Faron lo explica que en esa epoca el dios de la luna (*kuyenfucha*) es especialmente receptivo de las ofrendas de la gente (Faron 1963a: 146).

(*B*) *Organizadores*

Nguillatún se considera una ceremonia publica y colectiva. Según Coña, sin embargo, hacían peticiones y ofrendas tanto colectivas como personales en el *nguillatún* en la Costa en los finales del siglo pasado.

El anfitrión de la ceremonia se llama el dueño o la familia dueña. Las figuras centrales de la ceremonia incluyen el *nguenpin* o líder espiritual, el cacique de la reducción, los *nillatufe*, los músicos, etc. En varios lugares se menciona la existencia de *machi* quien "golpea frenéticamente su caja [tambor], completamente extática por el exceso de alegría" (Coña 1984: 382). La *machi* da la vuelta alrededor del altar y "abandona el tambor i sube rápidamente los tramos de la escala (*prahue*) [del altar principal]; apoya la espalda en las ramas atadas al palo i queda en actitud de extásis. Es el momento en que Ngúnechen ha penetrado al cuerpo de la machi" (Guevara 1908: 307). Como lo citamos antes, Faron piensa que la disminución de los sacerdotes competentes ha causado la participación de las *machi* en los *nguillatún*. Aparece *machi* en el *nguillatún* de la Pre-Cordillera (Gundermann 1985b: 182). Según los materiales consultados, sin embargo, no hay participación de las *machi* en Argentina.

(*C*) *Objetivos*

El objeto principal de la ceremonia en la Costa hace un siglo fue pedir la estabilidad de agricultura y la eliminacion del peligro de la naturaleza (Coña 1984: 371–372).

En el Valle Central piden lluvia, bonanza (Guevara 1908: 304), buena coseha y protección de la gente (Faron 1963a: 150). Alonqueo clasifica los *nguillatún* en cuatro categorías según objetivos: (1) *nguillatún* normal "para pedir, impetrar bienestar material y espiritual de la comunidad"; (2) *nguillatún kamarrikun* que es acción de gracias después de la cosecha; (3) *nguillatun ngellippún* "es de arrepentimiento expiatorio, de impetración de misericordia sobre las desgracias que han sufrido por los terremotos, avenidas provocadas por las grandes lluvias, heladas y las prolongadas sequías u otras calamidades que han padecido durante el año o durante los cuatro años" (el intervalo entre los *nguillatún*); y (4) *pichi nguillatún* que es "improvisado, de dolor, de expiación y es motivado por desgracias o calamidades imprevistas tales como terremotos, avenidas, deslizamientos de cerros, erupciones volcánicas, etc." (Alonqueo 1979: 26).

En la Pre-Cordillera, su objetivo es lograr "el éxito en la ganadería, la agricultura, la armonía social y la regularidad de la naturaleza" (Gundermann 1985a: 116).

En el *nguillatún* argentino de San Ignacio de la Provincia de Neuquén se propicia el logro de buenas cosechas, multiplicación de los ganados y bienestar para todos (Bianchi, *et al.* 1961: 223). Borruat de Bun sintetiza que en Linares de la Provincia de Neuquén se ruega (1) por la obtención de medios alimenticios, sobre todo de buena cosecha de piñones y por la proliferación de los ganados; (2) por el bienestar y riqueza; (3) por contrarrestar las fuerzas de la naturaleza; (4) por controlar el tiempo; y (5) por contrarrestar catástrofes naturales tales como incendios grandes y terrémotos (Borruat de Bun 1967: 411–412). Los rezos de *nguillatún* recopilados por Koessler-Ilg ruegan al dios, el dador del fuego y la casa, por la protección de los animales y semblados, la precipitación (lluvia y nieve pero nada de helada), la salud, la prosperidad, la tranquilidad y buenas cosechas (Koessler-Ilg 1962: 47–49).

Gundermann distingue los *nguillatún* para controlar el tiempo, los *nguillatún* de los piñones y los *pïntevun.* Los últimos "están estrechamente vinculados con las actividades productivas y el bienestar de la gente" y "están más directamente relacionados con roles rituales de los dirigentes tradicionales y no incluyen bailes" (Gundermann 1985b: 172).

Faron dice que diferentes peticiones se dirigen a los seres sobrenaturales distintos. Ruegan a los espíritus ancestrales por el bienestar haciendo ofrendas al fuego cerca del altar especial que se llama *llani,* mientras que al Ser Supremo o *nguenechén* piden buenas cosechas ofreciendo granos al fuego llamado *llupe* al lado del altar principal o *rehue.* Guevara no distingue estas dos categorías de seres subrenaturales sino los llama genéricamente "los espíritus supremos" (Guevara 1908: 303), pero sugiere la diferencia entre *nguenechén* y "los espiritus protectores" o *pillán* (Guevara 1908: 307). *Nguenechén* es un cognomento de *Fucha Chau* o Gran Padre. Dice que la *machi* encarna *nguenechén* y muestra la actitud de extasis cuando *nguenechén* penetra al cuerpo de ella (Guevara 1908:

307). Koessler-Ilg también registra que la *machi* en el extásis "se comunica con espíritus o con el propio *Nguenechén*, de donde extrae el conocimiento de cosas ocultas" (Koessler-Ilg 1962: 78). *Pillán*, por otro lado, es "alma, más bien espíritu de difunto; por ampliacion y superstición, además: fuego, trueno, temblor, volcán, diablo" (Wilhelm de Moesbach 1959: 191).

En el lado argentino *pillán* es el Señor de la Montaña y parece que desempeña el papel similar a los espíritus ancestrales del Valle Central. Borruat de Bun escribe: "Se pide a los cerros más altos 'pillán (nombre que dan al volcan Lanín), *Kalarí* (Id. cerro Clarín), a la cordillera toda, que no larguen *su fuerza*, que perdonen a los paisanos lo que no hayan hecho bien. Que si no han respetado los consejos de los mayores, las tradiciones, que los perdonen y no larguen *su fuerza*" (Borruat de Bun 1967: 411).

(*D*) *Rezos*

Los rezos son distintos de un lugar a otro y reflejan la situación ecológica en que la gente vive. Ellos, sin embargo, muestran ciertos patrones comunes también. He aquí varios ejemplos:

(1) Costa, fines del siglo XIX (fuente: Coña 1984):

"Aquí estás Padre, Cielo azul, Aplastador del río, Río lleno, tú nos has criado, te place que tus corderos sigan haciéndote rogativas; danos abundante sustento, toda clase de productos del campo para que seamos gente acomodada. Sénos propicio y ten compación; nos mandarás otra vez sol y lluvia, me piden mis corderos, dirás de nosotros, ¡Ooom!" (p. 377)

"Aquí estás, Aplastador del río, Río lleno, Cielo azul! Danos los productos del campo, favorécenos con todo muestro sustento" (p. 384).

"¡Ooom! aquí estás Dominador de la tierra. . . . favorécenos con todos los alimentos; hay todas clases de productos como trigo, arvejas y papas: nos las conservarás y dirás de nosotros: «Todavía me hacen rogativas mis corderos». Ten piedad con nosotros, porque tú nos has engendrado" (pp. 384–385).

"¡Ooom!, aquí estás, Dominador de la tierra, Cielo azul; danos nuestros sembrados; dirás respecto de nosotros «que vivan muchos años mis hijos, que tengan abundancia de animales mis corderos»; no nos induzcas en desgracias, ¡ooom!" (p. 390).

"¡Ooom! aquí estás, Padre; escucha nuestras oracioanes; no nos rechaces, Rey Padre, Anciana Reina, que estás sentado en tu mesa de oro; dirige tu mirada protectora hacia nosotros, danos buen tiempo y lluvia para que encontremos nuestro sustento y te haremos nguillatunes por toda nuestra vida" (p. 390).

(2) Valle Central, finales del siglo XIX (fuente: Guevara 1908):

"Estamos arrodillados, padre; hoi dia te rogamos que nuestros hijos no mueran, que produzcan las siembras i tengamos animales. Te rogamos que llueva, hombre venerable (*fúcha huentru*) para que crezcan el trigo i el pasto" (p. 306).

(3) Pre-Cordillera, los 1970s y 1980s (fuente: Gundermann 1985b):

"Te saludamos viejo rey sol, vieja reina sol, que están en medio de la tierra del cielo, en todo el mundo, que iluminas la tierra, dueño de la tierra, oh, oh padre!!!

Viejo del pehuén [piñones], vieja del pehuén, hoy pués nos hemos reunido tus hijos, ten piedad de nosotros, padre!. Déjanos arreglado un buen año para que dé buen grano de este sustento, dí, pues padre!

Viejo del pehuén, vieja del puhuén, dueño de la montaña que cuidas todo sustento y animal en esta tierra, padre! Que dé buen grano este sustento, dí, pues, padre! Que tengan abundante sustento nuestros hijos, para que vivan bien, dí, pues padre!

Viejo del pehuén, viaja del pehuén, viejo del lucero matutino, vieja del lucero matutino, ten piedad de todas tus criaturas, preocúpate de nosotros, pués, padre! Rey sol viejo, reina sol veija en medio de la tierra del cielo, que vivan bien todos nuestros hijos, dinos pués padre! ten piedad de nosotros no nos abandones, pues padre, rey sol viejo, reina sol vieja que estás en medio de la tierra del cielo, oh padre!

Si tus hijos están equivocados en algo, ponles buenos pensamientos, que tengan buenos pensamientos para que les vaya bien y tengan buena vida, dinos, pues padre!

Dueño de la tierra, señor de la tierra, oh padre, viejo del pehuén, vieja del pehuén, viejo del lucero matutino, vieja del lucero matutino, señor de la montaña que cuidas todo sustento y animal en esta tierra, procúpate de nosotros, pues, padre, oh padre!" (p. 174–175).

"Te saludamos dueño de la gente que estás en medio de la tierra del cielo, dueño del mundo, señor de la tierra. En este día tus criaturas han venido a rogar nuevamente, ten piedad de nosotros, pues, padre, déjanos arreglado un buen año que sigan estando bien tus hijos, pues padre, que estás en medio de la tierra del cielo, dueño de la gente, oh padre!!!

Viejo del pehuén, vieja del pehuén, viejo del lucero matutino, vieja del lucero matutino, señor de la montaña que cuidas todo sustento y animal en esta tierra. Que sigan estando bien que vuelvan a vivir bien tus criaturas dí, pues padre! Que tengan sustento abundante tus criaturas para que vuelvan a vivir bien, dí!, si hay alguna cosa mala, enfermedades malas, sácalas! Que estemos bien tus criaturas. Que tengamos buena ventura tus criaturas, dí, pues, padre! Que tengamos buen espíritu tus criaturas dí, pues, padre! Que vivan como gente las criaturas, dí! Que tengan fuerza espiritual las criaturas. Ten piedad de nosotros, no nos olvides, padre!

Dueño señor del mundo, dueño de la tierra que estás en medio de la tierra del cielo, oh padre! Que tus criaturas dejen de lado todas las cosas malas, dí, pues padre! Que tus criaturas sigan pensamientos rectos, dí! Que todas tus criaturas . . . tengan larga vida! Que haya más trabajo y gente pudiente, dí! Que sean inteligentes, dí, pues padre! Rey viejo, reina vieja, que estás en medio de la tierra del cielo, dueño del mundo, dueño de la tierra, oh padre" (p. 175–176).

(4) Vertiente oriental de la Cordillera (Neuquén, Argentina), los 1960s (fuente: Borruat de Bun 1967):

> "*Chao*, padre del cielo azul,
> *Nu-ké*, madre del cielo azul.
> Ud. que aquí me dejó, comida me va a dar,
> piñones me va a dar para vivir, Ud. que me ha dejado,
> comida, piñones, me va a dar . . . " (p. 414)
> "Bueno Dios, aquí en estos momentos lo vamos a rogar
> aquí le vamos a dar lo que Ud. ha dejado:

mudai [chicha] y todo lo que ha dejado . . .
así como ha dejado esta fiesta
para que podamos mirar a nuestro dios,
para que podamos rogar que nos dé todo sostén:
estos animales que nos ha dejado . . .
Señor, nuestro dios, *Chao*,
Y hay muchas clases de cereales:
trigo, cebada, arveja, que Ud. nos ha dado
para que podamos vivir tranquilos con nuestras familias.
No es de ahora que voy a tener esta fiesta . . .
por eso la hago cuando llega el tiempo: vuelta al año,
e invito a todos los vecinos . . .
Si tengo alguna falta, ruego señor me perdone . . .
quiero vivir tranquilo con mi hijo, con mi hija . . .
Tengo tanta familia!
Espero, señor Chao, me perdone . . . " (p. 417)

(5) Vertiente oriental de la Cordilleta (Neuquén, Argentina), los 1950s (fuente: Koessler-Ilg 1962):

"Tú, Rey Anciano, Tú, Reina Anciana que reinas en la Casa de Oro del Cielo Azul o Negro, arriba en las alturas. Nos has olvidado a nosotros, los pobres, porque te va bien. Nos has olvidado a nosotros y a nuestros animales. Siempre le hemos agradecido por regalarnos el fuego, por habernos mandado el alma de un antepasado que nos enseño a hacer una *ruka* [casa] y a usar el fuego para cocinar.

Por eso te hemos sacrificado corderos y corazones todavía palpitantes. ¿Por qué, entonces, te has olvidado ahora de los sembrados, de los animales y de nosotros, que somos hijos tuyos?

Siempre estamos sobre la tierra, porque tú lo quieres. Eres padre y madre para nosotros.

Y porque siempre le hemos agradecido, tienes que seguir ayudándonos, protegiendo nuestros animales y sembrados, para que crezcan y para que tengamos una buena cosecha. No somos nezquinos para darte lo que te corresponde. Escucha nuestras súplicas.

Evita las heladas, pero deja caer abundante nieve y lluvia cuando tu tierra se seca y el pasto está mustio.

Danos a nosotros, tus hijos, buena salud y también años prósperos, buenos meses, buenos días, buenas fiestas, para que podamos estar tranquilos.

Ojalá que ahora tú digas: 'Van a tener salud, ustedes, hijos míos, y sus animales van a tener salud y se multiplicarán. Sus sembrados no recibirán demasiada nieve ni demasiada lluvia, los ríos no saldrán de sus lechos, los arroyos no bajarán demasiado. Pues yo soy el Dominador, el Padre.

Muchos años van a vivir mis hijos, porque yo los he engendrado y los he dejado crecer para que siempre me ofrezcan sacrificios, para que nunca puedan decir: «Tu eres un mal padre, una mala madre, un traicionero *Pillañ* de la cordillera nevada»'.

Escúchanos, pues; por amor a tí estamos reunidos, tú, el de las dos caras, a tí nos dirigimos para decirte lo que queremos. Nada malo hemos hecho contra tí, que estás sentado en la Casa de oro en el Cielo Azul.

Hemos cuidado la tierra que habitamos; y, como nos has llevado a nuestros padres, elevamos nuestro ruego para que nos des abundante cosecha, pues mucho ha crecido nuestra familia.

Con el corazón del cordero te demostramos nuestro amor, como lo hicieron nuestros bisabuelos, los abuelos, los padres y todos los ya idos que te ofrecían sacrificios. Acepta, pues, nuestro sacrificio, que demuestra que amamos tu corazón" (pp. 47–48).

"Estamos arrodillados, *Fucha Chao* [*nguenechen*], hoy día. Te rogamos que nos perdones, que no se mueran nuestros hijos, que sean útiles. Te rogamos que llueva para que las siembras produzcan, para que tengamos animales, *Inga*. 'Que llueva', dirás, Gran Hombre, gran Cabeza de Oro; 'que llueva', dirás, Mujer y Reina del Cielo Azul, Mujer Grande; a los dos rogamos como personas grandes y las más antiguas; ayúdennos en todas nuestras cosas: defiéndannos de que nos hagan daño, de que nos hagan algún mal. Estamos arrodillados, mirando para arriva, dos veces estamos arrodillados. 'Que no se enfermen nuestros hijos', diga así usted, gran Cuchillo de Oro" (pp. 48–49).

"Te saludo, mi Dios, quiero saber como te va. Quiero saberlo, porque somos amigos y todo lo que tenemos te lo debemos, Dominador de la gente, Cuchillo de Oro, Gran Padre. Bueno es el contenido de nuestras almas, por tu ayuda es bueno y sin malas intenciones, Gran Dueño de la gente, *Nguenechén* nuestro. Siempre somos corderos tuyos" (pp. 64–65).

(*E*) *Lugar*

El lugar donde se celebra el *nguillatún* es en general una planada amplia pero en el Valle Central se efectúa en la cercania del río también. Guevara dice:

> "Hasta época mui reciente celebraron los araucanos una especie de rogativa, a la orilla de los ríos, incluida en el término jenérico de *ngillatun*.
>
> En ciertos parajes en que las aguas caian desde alguna altura o se deslizaban por sus cauces con mucha rapidez, el ruido de la caida o de la corriente se trasmitia con mas intensidad en dias de especial estado atmosférico. Espresaban este sonido, augurio de lluvia, con la palabra *llaullahuen*, i el sitio en que lo oian les inspiraba un supersticioso temor" (Guevara 1908: 309–310).

En Neuquén en el vertiente oriental de la Cordillera, la ceremonia tiene lugar en un mallín. Durante la ceremonia hacen idas y regresos al galope entre el mallín donde se encuentra el altar principal y la colina cercana (Bianchi, *et al.* 1961: 227–228), hecho bien peculiar de los Mapuches argentinos ya que no hay tal description en cuanto a sus contrapartes chilenos. La rogativa en Aucapán tiene lugar en lo alto de una cumbre, lo cual es excepcional en esta región (Borruat de Bun 1967: 413).

En la Costa observé una ceremonia a la orilla del mar incorporada en el *nguillatún* como veremos más adelante.

La forma de la cancha ritual, sin embargo, se considera siempre circular. Faron dice: "Sometimes they are constructed so as nearly to encircle the ceremonial field; sometimes they are aligned along one side or more of the field. The field itself, regardless of the appearance lent it by the arrangement of the *ramadas*, is considered to be circular" (Faron 1963a: 147). Este concepto especial se visualiza cuando, por ejemplo, los jinetes repetidamente corren circularmente a la cabalgata alrededor del altar principal para quitar malos espiritus de la cancha. Esta ceremonia se llama *awün* (*avün*, *avïn* o *awn*). En ciertos lugares en la Pre-Cordillera (Gundermann 1985a) y en la Costa (mi observación), el baile tiene lugar circularmente alrededor del altar. También, las ramadas forman una circunferencia, en el centro de la cual se sitúa el altar.

(*F*) *Ramadas*

Sobre las ramadas, se observa una diferencia regional y temporal. Es curioso que Coña no mencionara nada a las ramadas en su descripción detallada del *nguillatún* de la Costa en los fines del siglo pasado. Yo observé dos *nguillatún* en la Costa casi un siglo después y vi las ramadas que se alineaban como un círculo abierto al oriente, la dirección principal en esta ceremonia (Fotografía 2). Ya que en la época de Coña el *nguillatún* duraba sólo un día y es posible que no haya sido necesario construír las ramadas para dormir en la cancha.

En el Valle Central de la casi misma época que Coña el *nguillatún* duraba dos días y una noche pero parece que la gente no construían sus ramadas para dormir: en la fotografía que acompaña la descripción de Guevara (Guevara 1908: 309, Figura 36) se ven muchos concurrentes pero ninguna ramada. Guevara dice que sólo el cacique y las *machi* dormían abjo techo en la casa del jefe dueño de la fiesta (Guevara 1908: 308). En la misma región, como medio siglo después, las ramadas a veces se construían lado a lado para que casi encircularan la cancha ceremonial; a veces se alineaban a un lado o más de la cancha (Faron 1963a: 147).

En la Pre-Cordillera, el campo ritual se forma por "un conjunto de ramadas dispuestas en una herradura abierta al oriente" (Gundermann 1985b: 172, cf. p. 178, Fotografía 1). No construyen ramadas en la ceremonia de *pïntevun* que pide la suerte en las actividades productivas y el bienestar de la gente (Gundermann 1985: 178, Fotografía 2).

En el caso de los *nguillatún* en el vertiente oriental de la Cordillera, se usan tiendas o toldos en vez de ramadas. En San Ignacio, Neuquén, "se instalaron tiendas que sirvieron de alojamiento durante los tres días de su duración. Estaban ubicadas unas junto a otras, sigiendo un arco muy abierto, casi en linea recta, con la abertura orientada hacia el naciente" (Bianchi, *et al.* 1961: 220).

(*G*) *Danza*

Junto con las ofrendas tales como la carne y granos quemados en el fuego, la danza es uno de los elementos esenciales de *nguillatún*. En la Costa, "Mujeres y hombres forman filas distintas; se tienen frente a frente. . . . efectúan los brincos de su baile . . . Todos llevan en la mano un ramo de maqui llamado tambien rehue [altar]" (Coña 1984: 381–382). Después ejecutan repetidamente "el baile grande" que incluye pasos lentos y brincos de idas y regresos (Coña 1984: 383–386). Coña dice: "Durante el baile mujeres y hombres andan separados unas de otros; nunca se juntan los dos sexos" (Coña 1984: 394). Según mi observación en la Costa, mujeres y hombres forman dos círculos alrededor del altar principal—mujeres adentro—y giran a la misma direccion contraria de la manecilla de reloj, cogidos de manos. Algo parecido se observa en la Pre-Cordillera. En este caso las mujeres y los hombres, mirando hacia el altar central, toman las manos de los del mismo género que están a sus lados (Gundermann 1985a: 117, Fotografía 1). En el Valle Central, bailan con los ramos de maqui y a veces trigo, cebada o maíz (Faron 1963a: 149). Los hombres y mujeres bailan sin mezclarse. A parte del baile común o *purun* que tiene pasos rapidos y lentos y se ejecuta por los hombres y mujeres alrededor del altar, los hombres danzan un *lonkopurun* especial que dramatiza la relación entre los caciques actuales y los predecesores y muestra cómo los caciques ancestrales ayudan a sus descendientes a luchar contra las fuerzas malas (Faron 1963a: 149).

La danza más peculiar es la danza de aves y pájaros. Gundermann (1985a) describe detalladamente esta danza en Cauñicu de la Pre-Cordillera. *Tregilpurun* o la danza del pájaro queltehue que se repite más de veinte veces por cinco danzantes masculinos quienes hacen la pantomima del movimiento del pájaro moviendo la cabeza hacia adelante y atrás y moviendo sus brazos cubiertos en las mantas como alas. El concluye, despues de haber analizado el simbolismo y la semiótica de la danza, que el *tregilpurun* expresa las características sociales de la sociedad mapuche tales como la dominación masculina sobre el otro genero y el orden social a base de la edad. Gundermann ve una relacion entre *tregilpurun* y el *choikepurun* o la Danza de Avestruz Americano que se practica en Argentina (Gundermann 1985a: 119). El dice que estos bailes "en la medida en que para los mapuches del Valle Central y la Costa chilenos sus cultores son los mapuches cordilleranos y argentinos" (Gundermann 1985a: 123). El concluye que las poblaciones antiguas de la Cordillera de los Andes y de la pampa, probablemente no mapuches, crearon y practicaron estas danzas (Gundermann 1985a: 123). Por cierto carecen datos sobre esta danza en la Costa o en el Valle Central.

En el caso de los *nguillatún* en el vertiente oriental de la Cordillera, aparece un alazán blanco que "ostenta pinturas sobre las patas, realizadas en color verde, que esquemáticamente representan patas de avestruz" (Bianchi, *et al.* 1961: 225). Hay una danza llamada *loncomeo* en que los bailarines *kurrufei* que se ponen vestimenta representativa del avestruz imitan la vida del ave (Bianchi *et al.* 1961: 229). Esta danza tiene cinco partes:

> "En el *primer movimiento*, los bailarines, encogidos y con sus ponchos sostenidos con ambas manos a la altura de la cabeza, imitan los movimientos del avestruz dentro del huevo. Al finalizar el movimiento los bailarines, uno a uno, van dejando el poncho junto al toldo de los *pihuichenes* [dos oficiales adolescentes]. *En el segundo*, con pequeños saltitos y movimientos de brazos hacia arriba simbolizan la routra del cascarón y salida del pichón. *En el tercero*, la charita comienza a caminar; *en el cuarto*, los avestruces jóvenes corretean por el campo y *en el quinto*, los avestruces adultos se dispersan por la llanura" (Bianchi, *et al.* 1961: 229).

Cooper piensa que las danzas imitativas de avestruz, puma y otros animales parecen ser más modernos y su origen está en el lado oriental de los Andes (Cooper 1946: 738). Avestruz como elemento cultural que proviene del lado oriental de la Cordillera aparece en la Costa chilena también. Coña registra, por ejemplo, una danza que se asemeja a la de avestruz: "En el baile chico doblan su cuerpo hacia adelante y atrás y mecen la cabeza a ambos lados sin moverse de su sitio" (Coña 1984: 394). En los *nguillatún* en la misma Costa observé personalmente los caballos blancos que están pintados lineas con la sangre del cordero expiatorio. Durante el ritual a la orilla del mar, los bañan y quitan la sangre en el mar.

4. *NGUILLATUN* DE LA COSTA EN 1987

Los *nguillatún* que se celebraron en Cayulfe y Nigue entre 14 y 16 del enero y 19 y 21 del mismo mes del 1987 respectivamente eran básicamente iguales de las otras rogativas modernas arriba mencionadas. He aquí algunas observaciones de la ceremonia:

Para hacer esta ceremonia, tienen que pedir una autorización a la municipalidad. Dos carabineros están presentes en el sitio ya que es la ocasión de congregarse un número indefinido de gente.

Tanto en Cayulfe como en Nigue, sólo las mujeres ancianas se decoran con la vestimenta étnica con adornos de plata. El vestido de los hombres es del tipo mestizo.

Los "Sargentos" con palos largos en sus manos gritan "!Ya, pues!" para que los que están en las ramadas salgan a bailar. Primero dos ancianas descalzas con ramas de maqui en sus manos empiezan a caminar cogidas de manos alrededor del altar principal a la dirección contraria de la manecilla del reloj. Poco a poco otros empiezan a participar como la danza de "snowball" (Fotografía 2). Forman pares de un hombre y una mujer cogidos de manos. La mujer caminan adentro alrededor del altar principal. A veces unos jóvenes sin sus compañeros o compañeras andan juntos. Los muchachos buscan muchachas diciendo "Te acompaño" en castellano. Algunas muchachas tímidamente toman la mano ofrecida de los muchachos, otras se desprenden de las manos de ellos, y aun otras los dejan coger sus manos de mala gana. Hay muchachas, sus manos estando cogidas por los muchachos, no se desprenden de la mano de otra muchacha, formando una cadena de muchacha-muchacha-muchacho.

El ritmo del baile caminado es dado por el tambor (*cultrun*) que toca la esposa del *nguenpin*, las trompetas del tubo metálico con el cuerno de toro al cabo (*trutruca*) y las flautas de madera (*pifulca*) que los hombres tocan bailando. Al cambiarse el ritmo, se empieza la caminada rapida con brincos. Los Sargentos arreglan la distancia entre los bailarines con sus palos largos y tratan de no dejarlos caminar sin que tuviesen sus compañeros del genero opositor.

Después de esta danza que dura como una hora, forman dos filas detras del altar principal mirando hacia el oriente—hacia la apertura de las ramadas alineadas en la forma de herradura—con la fila de las mujeres estando adelante. Los Sargentos y dos portadores de banderas del color blanco y azul están entre las filas y el *nguenpin* que da una oracion. Los Sargentos están mirando a los bailadores o sea al oeste. Después de la oración, los Sargentos gritan "¡Ya!" y todos brincan cuatro veces sin moverse del lugar. Después de repetirse cuatro veces el juego de la oración y los brincos, todos regresan a sus ramadas. Se repiten este conjunto de baile, oración y brincos cuatro veces cada día. Según Faron cuatro y sus múltiples son números sagrados entre los Mapuches (Faron 1963b: 247).

Durante la oración en la sesión de la mañana, *nguenpin* llama unos hombres que matan con cuchillo el cordero expiatorio (Fotografía 3). Reciben la sangre en una batea y el corazón sacado se cuelga en el maqui del altar principal. La cabeza y la piel con el intestino adentro se queda junto con el altar. Ponen la víctima en la fogata preparada al sur-oriente del altar principal. Ahora la danza se efectúa más ámpliamente girandose alrededor del altar principal y el fogón (Fotografía 4). Dicen que en la oración el *nguenpin* con un ramo de maqui y el plato con la sangre del cordero expiatorio reza por la bonanza y la paz del mundo. Mientras tanto, todos se quedan arrodillados. Se repite este proceso entero por cuatro veces. Dejan quemarse toda la carne y huesos.

Antes de que el fuego consuma el animal en su totalidad, los bailadores forman dos filas como antes pero esta vez en el lado norte del altar principal mirando al sur. Después de repetirse la oración y brincos por cuatro veces, el *nguenpin* hace un corto discurso a los bailadores.

En el último día, como a las dos de la tarde, muchos montan a caballo para ir a la playa cerca de Punta Nigue que está a unos kilómetros de distancia de Cayulfe y como a un kilómetro de la cancha de *nguillatún* de Nigue. En la playa se repite la misma ceremonia a menor escala de la que acaba de efectuarse en la cancha de *nguillatún*, añadiendose unas acciones únicas a la orilla del mar. Dicen que esta playa es donde se encontraba antes Manquián petrolizado que aparece en el mito recopilado por Faron antes mencionado.

Llegando a la playa, el *nguenpin* planta un ramo de maqui que simboliza el altar, alrededor del cual los jinetes a caballo, con mujeres montados detras, giran a pasos lentos. Luego las mujeres se bajan de los caballos y empiezan a caminar alrededor del maqui (Fotografía 5). En el caso de Nigue, los hombres también caminan junto con las mujeres (Fotografía 6). Alrededor de los caminantes, andan los jinetes a caballo. Mientras tanto, corren los dos caballos con rayas pintatadas con la sangre del cordero expiatorio a lo largo de la orilla haciendo una alta rociada de agua. Dicen que esto es para que los caballos suden. Estando aparte de las actividades alrededor del maqui, los jinetes de estos caballos empiezan a bañar los animales con el agua del mar para que el mar lleve la sangre sobre su piel.

Junto con el maqui plantado en la arena están un jarro de chicha y una gallina atada. Ahora empiezan el baile caminado de hombres y mujeres sin caballos. Después del baile, hacen dos filas como hacian en la cancha de *nguillatún* al lado norte del maqui mirando al sur (Fotografía 7). Oración del *nguenpin* y brincos de los bailadores y Sargentos se repiten cuatro veces. Después, forman dos filas mirando al mar o al poniente y se adelantan hasta la orilla (Fotografía 8). El *nguenpin* arrodillado hace cuatro oraciones. Todos se quedan arrodillados mientras tanto. Dicen que el *nguenpin* ruega, entre otros, por la abundancia de los productos marítimos tales como los pescados, moluscos y algas, y de la buena cosecha del trigo que no se planta en esa zona pero si es el objeto de trueque.

Después, hacen filas hacia el oriente y el *nguenpin* arrodillado con la gallina en las manos hace oración con el ritmo del tambor que toca su esposa. El *nguenpin* degolla la cabeza de la gallina con el cuchillo del Sargento y la cuelga al maqui. El Sargento mueve la gallina muerta sin cabeza sobre la arena, picándola con su palo largo, alrededor del fuego preparado a unos metros hacia el oriente del maqui. Los bailadores lo siguen y giran. El Sargento pone la gallina al fuego y la deja allí hasta que las llamas la consuman totalmente.

Al teminar todo, regresan a caballo o a pie a la cancha de *nguillatún* donde ya habrán matado el último cordero expiatorio.

Las diferencias notadas entre los *nguillatún* de Cayulfe y Nigue son: (1) el tamaño de la cancha y el número de ramadas son más grandes en Cayulfe; (2) el número de participantes al ritual en la playa es, sin embargo, más grande en Nigue; (3) el *nguenpin* de Nigue echa al fuego granos de trigo, cebada, etc. tanto en la cancha como en la playa (Fotografía 1); (4) en Nigue, queman los corderos expiatorios sin despellejarlos después de sacar su sangre y su corazón; (5) los de Nigue no miran hacia el sur en la playa; y (6) el *nguenpin* de Nigue lava la batea llena de la sangre del cordero en el mar mientras que los demas bailan alrededor del maqui plantado (Fotografía 6). Hacen adivinación segun cómo olas llevan la sangre. En 1987, la sangre se fue al mar en la forma de una faja larga roja, lo cual, según la gente, es el signo de que el dios se quedó contento y recibió la rogativa positivamente. Ninguna referencia sobre *nguillatún* de la Costa, el Valle Central, la Pre-Cordillera o la vertiente oriental de la Cordillera, según sepa, describe el arquetipo o la forma adaptada de este rito a la orilla del mar. Se podría decir que es el ritual que se ha desarrollado en el ambiente de la Costa.

5. NOTAS FINALES

Como hemos visto, el significado socio-cultural del mar y de los habitantes de la Costa en el estudio mapuche no es nada menor. El interés no debe limitarse al aspecto material y cultural. Como indicamos arriva, el estudio concreto y detallado del viaje de cochayuyo, por ejemplo, podría iluminar nuestro entendimiento de las relaciones históricas culturales entre los *Lafkenches*, *Lelfunches* (los Mapuches del Valle Central) y *Pehuenches* (los de la Pre-Cordillera). Siguiendo el mismo interés y tomando el *nguillatún* como un ejemplo, he intentado en este informe bosquejar la zona mapuche como una totalidad del proceso social, político, histórico, ecológico y cultural.

REFERENCIAS

ALONQUEO, Martín

1979 *Instituciones religiosas del pueblo mapuche.* Santiago: Pontificia Universidad Católica de Chile.

1985 *Mapuche ayer-hoy.* Padre Las Casas: Imprenta y Editorial "San Francisco".

BIANCHI, Mabel R. de, Martha BORRUAT DE BUN, & Ana María MARISCOTTI

1961 "Las parcialidades araucanas del Neuquen meridional: contribución a la etnografía de los Mapuche argentinos." *Cuadernos del Instituto Nacional de Investigaciones Folklóricas* 2: 199–234. Buenos Aires.

BORRUAT DE BUN, Martha

1967 "El ŋillatun en la tribu Linares, una comunidad mapuche del sur del Neuquén." *Runa* 10: 1–2: 407–421.

CONA, Pascual

1984 *Testimonio de un cacique mapuche.* Santiago: Pehuén Editores.

COOK, John M.

1946 "The Araucanians." Steward, Julian H., ed., *Handbook of South American Indians*, Vol. 2, pp. 687–760, Washington, D. C.: Smithsonian Institution, Bureau of American Ethnology.

FARON, LUIS C.

1962 "Symbolic values and the integration of society among the Mapuche of Chile." *American Anthropologist* 64: 1151–1164.

1963a "Death and fertility rites of the Mapuche (Araucanian) Indians of central Chile." *Ethnology* 2: 135–156.

1963b "The magic mountain and other origin myths of the Mapuche Indians of central Chile." *Journal of American Folklore* 76: 245–248.

1964 *The hawks of the sun.* Pittsburgh: University of Pittsburgh Press.

FEBRES, Andrés

1765 *Arte de la lengua general del reyno de Chile, con un diálogo chileno-hispano muy curioso.* Lima.

FERNANDEZ GARAY, Ana V.

1982 "Rogativas mapuche." *Amerindia* 7: 109–144.

GREBE, María Ester, PACHECE, Sergio & SEGURA, José

1972 "Cosmovisión mapuche." *Cuadernos de la Realidad Nacional* 14: 46–73, CEREN, Pontificia Universidad Católica, Santiago.

GUEVARA, Tomás

1908 *Psicolojía del publo araucano*. Santiago: Imprenta Cervantes.
1911 *Folklore Auarcano*. Santiago.

GUNDERMANN K., Hans
1985a "Interpretación estructural de una danza ritual mapuche." *Chungará* 14: 115–130.
1985bz"El sacrificio en el ritual mapuche: un intento analítico." *Chungará* 15: 169–195.

KOESSLER-ILG, Bertha
1962 *Tradiciones araucanas*. Tomo I, Universidad Nacional de La Plata, La Plata.

LATCHAM, Ricardo E.
1922 "La organización social y las creencias religiosas de los antiguos Araucanos". *Publicaciones del Museo de Etnología y Antropología de Chile*, Tomo III, Nums 2, 3, y 4, pp. 245–868.

NOGGLER, Albert
1982 *Cuatrocientos años de misión entre los Araucanos*. Padre Las Casas: Imprenta y Editorial "San Francisco".

WILHELM DE MOESBACH, Ernesto
1959 *Voz de Arauco: Explicación de los nombres indígenas de Chile*. Padre Las Casas: Imprenta y Editorial "San Francisco".

Foto. 1: El *nguenpin* de Nigue, mirando al oriente, echa granos al fuego en la playa, mientras que otros efectúan el baile caminado alrededor del fuego. El hombre a su lado es el Sargento. (21 de enero de 1987)

Foto. 2: La cancha de *nguillatún* de Nigue. La cabalgata hace *awun* alrededor de las ramadas, en el centro de las cuales se efectúa el baile caminado alrededor del altar principal o *rehue*. (20 de enero de 1987)

Foto. 3: Matando el cordero expiatorio en Nigue. Los bailadores arrodillados a la mano derecha miran al oriente mientras que los jinetes arrodillados muestran sus espaldas mirando al sur. (20 de enero de 1987)

Foto. 4: El baile caminado alrededor del altar principal y la fogata donde se está quemando el cordero expiatorio. (20 de enero de 1987)

Foto. 5: El primer baile al llegar de Cayulfe a la playa cerca de Punta Nigue. Mujeres giran alrededor de una bandera blanca donde se encuentran el *nguenpin* y el músico de *trutruca* mirando al oriente. de (16 enero de 1987)

Foto. 6: El baile de los de Nigue en la playa cerca de Punta Nigue. A la orilla del mar, el *nguenpin* está derramando la sangre del cordero expiatorio. (21 de enero de 1987)

Foto. 7: Los de Cayulfe mirando al sur. El *nguenpin* está tocando su *cultrun* y el Sargento está dirigiendo los brincos de los bailadores. (16 de enero de 1987)

Foto. 8: Los de Cayulfe mirando al poniente a la orilla del mar. Se ve el maqui detrás de ellos. (16 de enero de 1987)

Algas y algueros en Chile

Shozo Masuda
Universidad de Tokio

1. EL INTERES POR LAS ALGAS EN CHILE

Chile, junto con Perú, representan dos países sudamericanos cuyos habitantes han mantenido constantemente la costumbre de consumir ciertas especies de algas como alimento. Chile constituye una región climatológica y topográficamente distinta de la peruana, y en las épocas prehispánica y colonial desarrollaba sus propias características culturales. A pesar de esto, Chile comparte con Perú el gusto de apreciar el sabor de las algas marinas desde una época muy antigua. Hay tres tipos de algas marinas que se aprovechan como alimento en Chile y Perú, y todos se llaman por un apelativo *cochayuyo*, palabra Quechua que quiere decir "la yerba acuática".

Gigartina chamissoi: cochayuyo o mococho (*Norte del Perú*)
En la costa norte y central del Perú, lo que se llama el cochayuyo corresponde a la especie que se llama científicamente *Gigartina chamissoi* (Acleto 1971: 58–61). Está formada por frondas largas, que tienen frecuentemente ramificaciones laterales, que son "generalmente dísticas o pinnadas, ocasionalmente subdicótomas, abundantes, las ramas laterales se originan sucesivamente y son de diferente tamaño y longitud según la edad". Su color es verde-oscuro o marrón. Alcanza hasta 40 cm de altura. Se concoe también por el nombre vulgar de *mococho* en el norte del Perú. Se encuentra desde la costa norte del Perú hasta la isla Chiloé, pero se utiliza como alimento solamente en la zona entre Chiclayo y Chancay. En el sur del Perú y en Chile, los habitantes la ignoran. En Chile se llama "chicoria del mar", pero no se aprovecha para alimento.

Porphyra columbina: luche (*Chile*) *o cochayuyo* (*Sur del Perú*)
Esta especie existe muy extensamente en toda la costa chilena y peruana. En Perú, esta alga, que se recolecta y se come desde el Departamento de Ica hacia el sur, y se difunde por los pastores de la puna (Masuda 1986: 236–237), se llama el cochayuyo. En Chile tiene otro apelativo "luche" o "luchi", y se extrae y se prepara como "pan de luche" para el consumo general como alimento. Tiene "forma laminar parecida a una hoja de lechuga, con bordes ondulados y con la lámina a veces dividida" (Castillo, Santelices y Becerra 1976: 78). Se la refiere como "luche rojo" por su color, en contraste con el "luche verde", que corresponde a *Ulva lactuca* o *rigida*. Aunque ambas especies se parecen morfológicamente y son consumidas juntas, su biología son distintas.

Durvillea antarctica: cochayuyo o collofe (*Chile*)
En Chile, el cochayuyo no corresponde a *Prophyra columbina* ni a *Gigartina chamissoi*, sino señala otra especie de alga, que es *Durvillea antarctica*. Es de color pardo y está formada de un disco adhesivo que la fija a las rocas. Del disco crece un tallo, del cual se ramifican muchas cintas alargadas. Llega hasta 5 metros de longitud. Vive en los roqueríos expuestos de Chile Central y Sur, "extendiéndose hasta Valparaíso por el Norte y hasta las islas subantárticas por el Sur (Castillo, Santelices y Becerra 1976: 84). Su disco adhesivo y parte inferior del tallo se llama "ulte" o "huilte". En la X región a veces se llama "collofe" o "collov", apelativo derivado del idioma mapuche.

Es notable la escasez de referencias existentes en la documentación histórica sobre el tema de las algas. El Padre Bernabé Cobo, en su *Historia del Nuevo Mundo*, dedica un capítulo a la descripción de cochayuyo. Dice que "son unas hojitas como lentejas, las cuales carecen de tronco y raíz; nacen siempre en lugares muy húmedos, y por eso les dan nombre de cochayuyo, que quiere decir la yerba de la laguna o charco" (Cobo 1956 [1653]: Lib. 4, C. XLI). Probablemente se refiere a las algas de agua dulce del genero *Nostoc*, que es diferente de las del mar. María Rostworowski, hablando del trajín entre costa y sierra en la época colonial, incluye las algas marinas entre los productos de intercambio alimenticio.

Según ella, un documento del final del siglo XVIII señala que el cochayuyo "véndese seca, amasada en forma de tortitas en las plazas de las ciudades" (Rostworowski 1981: 91). Estos dos casos son todo lo que he podido encontrar en cuanto a la evidencia documentada de las algas en el Perú.

En cambio, hay numerosos referencias al cochayuyo o al luche en los libros y documentos referentes a Chile. Por ejemplo, Alonso de Ovalle, cronista del siglo XVII, nos proporciona informaciones en su *Histórica relación del Reino de Chile* (1646) como sique:

> "La abundancia y fertilidad de este Reino no solamente se ve y goza en sus tierras y valles, sino también en toda su costa, y en las peñas y riscos donde azota el mar. Será dificultoso dar a entender esto por menor, porque aunque en otras partes se cría en las peñas del mar algún marisco, pero tanto, tan crecido y de tan diferentes especies como en Chile, no sé en qué parte del mundo; y así, por no tener ni palabras ni símiles con que darme a entender, me contentaré con decir algo de lo más común y inteligible. Críase, lo primero, en toda la costa, una yerba a manera de escarolas, que llaman *luche*, la cual se arranca en las peñas donde crece como la yerba ordinaria en la tierra, y se coge en la primavera, cuando está más crecida, y, puesta a secar al sol, se hacen unos panes grandes que se estiman por gran regalo la tierra adentro, particularmente en el Perú, en Cuyo y Tucumán, porque sirve para muchos géneros de guisados en que se come. Críase esta yerba en lo más alto de las peñas, que no están siempre dentro del agua" (Ovalle 1969 [1646]: 59–60).

Hoy todavía el "pan de *luche*" sigue siendo vendido en los mercados en casi todas las partes de Chile. Es notable que parece haberse llevado en aquella época a las regiones alteñas de los Andes y al otro lado de la Cordillera como mercancía. Ovalle se refiere también al cochayuyo.

> " . . . al pie de ellas [luche] se crían unas raíces de donde nace un tronco como la muñeca, que llaman *ulteu*; éste se corta y estando un poco al fuego se monda como un troncho de lechuga o como el de alcachofa, aunque tiene muy diferente sabor. De estos troncos nacen vainas muy largas, de más de tres y cuatro varas, y algunas

> anchas de cuatro, seis y ocho dedos; éstas llaman *cochayuyo* . . ." (Ovalle: 60).

Ovalle escribe *ulteu*, pero es evidentemente errata por *ulte*, el tallo o tronco del cochayuyo. El troncho es arcaismo, y quiere decir "la vara, o espiga, que tienen las hortalizas, y en que producen las hojas, la cual corresponde a tronco en los árboles," según *Diccionario de Autoridades*.

En el párrafo que sigue, Ovalle distingue dos tipos de cochayuyo.

> " . . . son de dos suertes o especies, y aunque son casi de una mesma figura y y color, hacen los indios muy gran diferencia de las unas a las otras, porque las buenas las cortan y secan y hacen provisión de ellas para la Cuaresma, y las malas las dejan en el mar, el cual las arranca de las peñas y arroja a la playa, de que se suelen hacer muy grandes montones, pero inútiles y de ningún provecho" (Ovalle: 60).

Lo que se refiere como "las malas" corresponde a *Lessonia nigrescens*, que se llama popularmente *berga* o *chascón*, o a *Macrosystis integrifolia*, cuyo apelativo popular es *huiro*. Ambas especies no se han utilizado como alimento, pero desde hace algún tiempo que se reconoce la importancia económica para las industrias de extracción de alginatos, y se recolectan y exportan en cantidad en estos días.

Fuera de Ovalle, hay otras varias menciones sobre algas en Chile. Jorge Juan y Antonio de Ulloa (1748), Juan Ignacio Molina (1776), Eduard Pöppig, (1835), y Vicente Pérez Rosales (1857), todos hacen mención al luche y cochayuyo. Lo que sigue es la información que proveen Juan y Ulloa.

> "[El cochayuyo] significa *Yerbe de la Mar*, o *de Laguna*; porque los *Indios* no distinguian por el nombre las Lagunas Terrestres del mismo Mar, y assi indiferentemente llamaban a unas, y otras *Cochas*. Esta Planta es a modo de un *Bejuco*; su tronco que no tendrá mas gruesso, que el de media pulgada, es parejo tanto por el nacimiento, como en su extremidad; tiene de largo de 20. a 30. Tuessas, que hacen de 50. a 70. varas; a cada media vara de distancia, o poco mas echa una hoja larga de vara y media a dos varas; su ancho, que también es parejo en toda ella, no excede de dos y media a tres pulgadas; es muy lisa,

y la hace lustrosa un licor viscoso, que la cubre por todas partes: lo mismo sucede con el tronco, el qual es sumamente flexible, y algo fuerte; su color verdoso, pálido, y el de las hojas algo vivo. Dividese esta Planta, o echa varias ramazones tan gruessas, como la principal, y de su mismo largo; y las ramazones van produciendo succesivamente otras muchas, de suerte que un solo Pie es bastante para cundir mucho espacio: en los nudos, de donde brota cada rama, es donde se pegan las especies de Mariscos, y alli se nutren, procrean, y permanecen aumentando cada vez mas la cantidad de los que primero se unieron a ella: las puntas, o extremidades de estos *Cochayuyos* sobrenadan, y cubren el Agua de aquel parage, en que los hay, tapizandola como sucede en las Lagunas, donde se mantiene rebalsada el Agua mucho tiempo: en el parage, que brota cada hoja, echa una Fruta semejante en la figura, pero en el tamaño algo mayor, a los *Alcaparrones*; muy lisa, y lustrosa por de fuera, y con el mismo color, que el trono, del qual no se distingue en él" (Juan y Ulloa 1748: II, 327).

Ovalle dice que las algas se aprovechaban para hacer comidas durante la Cuaresma. Juan Ignacio Molina, en su *Compendio de la historia geográfica, natural y civil del Reino de Chile* (1776), señala que los naturales comen el luche frito o cocido y, que el cochayuyo "se comen como el luche, principalmente en días de abstinencia" (Molina 1879 [1776]: 12). Según Oreste Plath, "el cochayuyo con papas y cebolla frita" figura entre las comidas preparadas en la época de la Semana Santa, junto con "las entradas de cholgas o machas; los caldillos de pescado; de huevo; las tortillas de papa; las empanaditas de loco, de queso" (Plath 1973: 336).

Plath también informa que, en la ocasión de la fiesta de la Cruz de Mayo, una de las "celebraciones que el pueblo tiene junto a su corazón", se hacen fogatas en los campos, "a base de cicuta seca, paquetes de cochayuyo y cuanto pueda detonar, con el objeto de *buscar* [al niño Jesús], cuando se perdió y fue hallado en el interior del templo, discutiendo con los doctores de la ley" (Plath 1973: 357).

El uso de luche y cochayuyo pertenece, sin duda, a la tradición cultural de los indígenas andinos. Entre los mapuches, el cochayuyo se llama *collov*, de donde se ha derivado la palabra españolizada de collofe

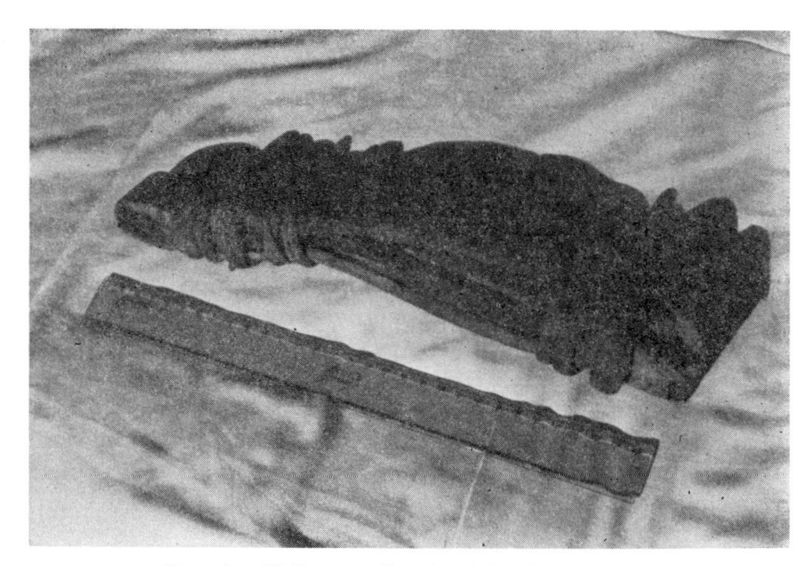

Foto 1. El "paquete" o "atado" del cochayuyo.

o coyofe. Pascual Coña, cacique mapuche del siglo pasado, dice que los indígenas acuden al mar "a recoger lo que bota. Diversos mariscos comestibles se encontraban allí: collofes con sus tronchos y huiltes y además lua y luche" (Coña 1973: 32). Según el detallado informe sobre los alacalufes por Joseph Emperaire, el luche y el cochayuyo eran consumidos crudos por los habitantes de los archipiélagos "durante los siglos pasados y tal vez hasta época reciente", "con una clara preferencia por el cochayuyo", aunque no hacen caso de ellos en la actualidad (Emperaire 1963: 128).

La consistente popularidad de las algas en Chile se refleja evidentemente en la variedad de nombres vulgares que se les ha atribuido, que es muy contrastante con la escasez de motes en el Perú. Cochayuyo o collofe (*Durvillea antarctica*), berga o chascón (*Lessonia nigrescens*), huiro o canutillo (*Macrosystis integrifolia*), liquen gomoso (*Chondrus canaliculatus*), champa o chasca (*Gelidium lengulatum*), choicoria de mar (*Gigartina chamissoi*), pelillo (*Gracilaria lemanaeformis*), luga-luga (*Iridaea lamina-*

rioides), luche o luche rojo (*Porphyra columbina*), y luche verde o luchecillo o lechuga de mar (*Ulva lactuca*) son los nombres más populares en Chile. En cambio en Perú, se usa el nombre genérico de *cochayuyo* tanto para *Porphyra columbina*, como para *Gigartina chamissoi*, menos un apelativo vulgar *mococho* que se aplica a éste.

2. LA UTILIDAD DE LAS ALGAS COME ALIMENTO

En casi todas las partes de Chile, las algas marinas han formado parte del alimento humano. En los mercados de las ciudades chilenas, es fácil hallar el luche y el cochayuyo. La costumbre de comer las algas ha echado raíces en la población mestiza de Chile. El cochayuyo se vende secado, y el huilte, parte inferior del tallo del cochayuyo, se vende fresco. El luche se prepara en la forma de "pan", como en los tiempos de Alonso de Ovalle. En Perú, la receta de platos con las algas es simple, siendo más popular la sopa de cochayuyo y el picante de cochayuyo. En la receta chilena hay más variedades. Un libro de cocina chilena publicada en 1933 menciona siguientes platos de las algas: Cochayuyo Cochoa, Cochayuyo Cornelia, Cochayuyo Chilote, Cochayuyo Delicioso, Cochayuyo Lilense, Luche a la Criolla, etc. La receta para Cochayuyo Cochoa, por ejemplo, es como sigue.

Los materiales necesitados son un paquete de cochayuyo, dos cucharadas de mantequilla, dos cucharadas de color, una cebolla, un ramo de olores, seis tomates, seis papas, una taza de leche, tres choclos, sal y pimienta. El cochayuyo se remoja por tres horas en agua hirviendo. Se raspa, se cuece y se corta en pedazos. Friéndose en mitad mantequila y mitad color, bastante cebolla picada muy fina, se le agrega el cochayuyo y toda clase de colores, con sal y pimienta. Luego una capa de cochayuyo se arregla en una fuente de greda, con los tomates pelados y cortados sobre ella, y se agrega una capa de choclo tierno y así sucesivamente hasta terminar. Se le echa la leche y se deja hervir reposadamente. Aparte se cuecen las papas y estando casi cocidas, se echan en la fuente del cochayuyo para que se impregnen del jugo. A veces se añade miga de pan rallado para espesar el guiso (Budge de Edwards 1933: 114–115).

El Luche a la Criolla se cocina con medio kilo de luche, seis papas, un cuarto kilo de zapallo, dos choclos, porotitos, tres tomates, una taza de leche, una cebolla, sal, pimienta y color. Primero se seca el luche al horno por un momento. En un poco de agua se cuecen verduras, papas, zapallo y porotitos. Se fríen en color una cebolla picada menuda, los dos choclos picaditos y los tomates. Se cuecen. Luego se le agrega el cochayuyo y se le pone un poco de leche, sazonándose con sal y pimienta (ibíd: 136).

Lo siguiente es la receta de Fricassé de Cochayuyo. Se preparan dos atados de cochayuyo, una cucharada de color, media cebolla, tres cuartos de taza de jamón picado, dos huevos, cuatro papas fritas picadas, trocitos de pan frito, caldo o leche, sal y pimienta. Primero se cuece el cochayuyo con un poco de vinagre, se pela y se pica en trocitos chicos. La cebolla se pica menuda, se fríe en una cucharada de color, se le une el cochayuyo con el jamón, también picado menudo. Aparte se fríen las papas cortadas en daditos y también pan cortado en la misma forma. Finalmente se junta todo, se rocía con un poco de caldo para que no quede seco. Al servir se aliña con dos huevos (ibíd: 128).

Aunque se presencia la costumbre culinaria de las algas en todas partes de Chile, es en las Regiones VIII, IX y X que encontramos la mayor cantidad de comercio y consumo de las algas. Los cochayuyeros abundan de Quidico-Tirúa de VIII Región para el sur, y el alga se produce en la mayor cantidad en y alrededor de Casa de Piedra, que se encuentran entre Tirúa y Puerto Saavedra, la zona entre Tolten y Chanchano, en Bahía Corral en la desembocadura del Río Valdivia, en Bahía Mansa de X Región y en la costa occidental de Isla Chiloé, sobre todo en Bahía de Cucao. Los algueros son agricultores o pescadores que complementan el ingreso con la venta del cochayuyo. Recolectan el cochayuyo en el mar, lo secan y preparan lo que se llama el paquete o atado, envolviendo el tallo con las cintas alargadas cerca del ápice. Un informante cerca del Punta Casa de Piedra dice que hace una "rodela" con 50 paquetes del cochayuyo, y la vende por 150–200 pesos a los compradores (en 1987). Se dedica a este trabajo entre los meses de octubre hasta marzo, porque marzo corresponde al tiempo de la cosecha de trigo, y los cochayuyeros

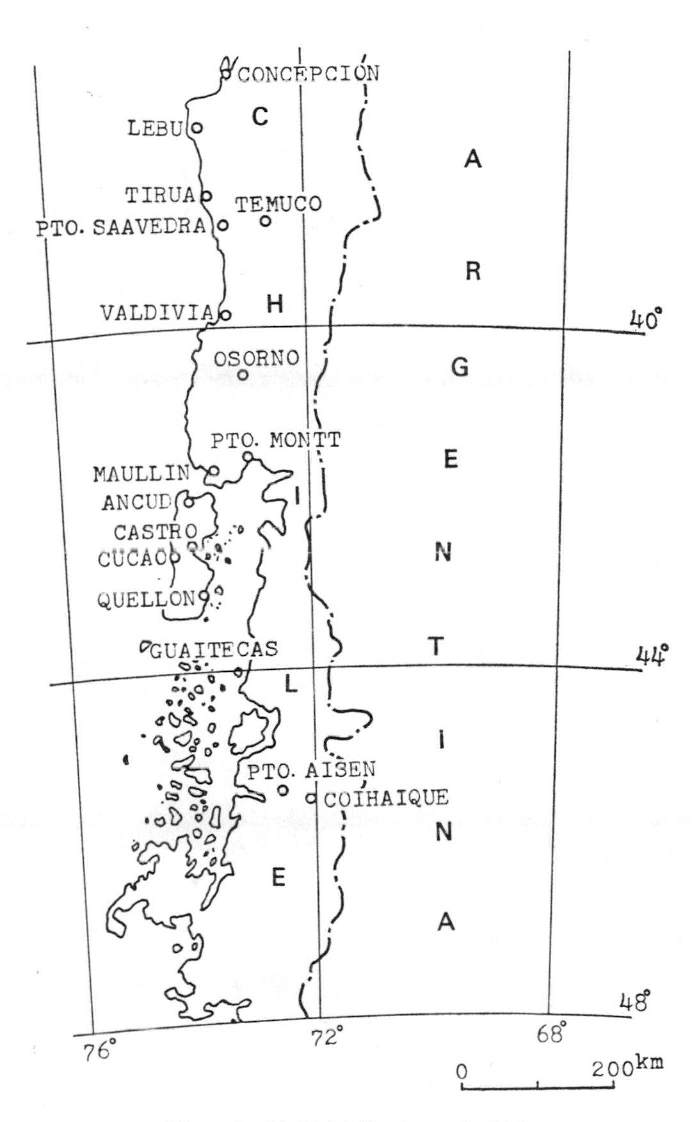

Mapa 1. VIII-XI Regiones de Chile

Foto 2. Un alguero que está colocando los cochayuyos cortados. Pucatrihue, X Región de Chile.

Foto 3. Una anciana que está preparando el "paquete" del cochayuyo. Lonkollén, X Región de Chile.

Foto 4. Los cochayuyos extendios sobre el suelo para asolear. Cerca de la Punta Casa de Piedra' IX Región de Chile.

Foto 5. Dos carretas cargadas de cochayuyos cosecheados. Cerca de Tirúa, VIII Región de Chile.

Foto 6. Los "fardos" amontonados. Cucao, Isla Chiloé, X Region de Chile.

quieren comprarlo con el dinero derivado de la venta de algas.

En la costa occidental de la Isla Chiloé, viven muchos cochayuyeros, en los pequeños caseríos de Cucao, Chanquín, Huentemó, Cole Cole, etc. La vida en aquella parte es muy severa, y los habitantes subsisten de algas el y ciprés. Cuando los cochayuyeros sacan buena cantidad, extienden el alga en la playa para secar. Viene la lluvia, y el cochayuyo blanquea. Después vuelven a asolearlo. Cuando esté bastante seco, hacen muchos paquetes, y con cien paquetes se hacen "fardos". Según la información de Mario Uribe Velásquez, una familia de Chanquín "hace en el año más o menos cien fardos", es decir, 10,000 paquetes (Uribe Velásquez 1982: 138). Un fardo se vende a cien pesos, así que la familia consigue 10,000 pesos anualmente por la venta del cochayuyo (en 1979). Un informante de Cole Cole con que conversamos en Cucao en 1987, había transportado allí 25 fardos en caballos. Dice que se necesitaba un mes para hacerlos. Vende un fardo por 1,000 pesos a los compradores, pero tiene que pagar 100 pesos por el transporte entre Cucao y Castro. Se dedica a la producción del cochayuyo durante 6 meses entre octubre y marzo, y gana unos 150,000 pesos al año. Practica la agricultura también, cultivando papa, tomatc, lcchuga y un poco de trigo, pero debe complementarlo, comprando la harina con el dinero ganado de la venta del cochayuyo.

Naturalmente abundan los platos de las algas en la lista culinaria de la isla Chiloé. Es muy común que las amas de casa cocinen el guiso o la cazuela de las algas a su estilo. Las algas se agregan a sopas. Se hace la ensalada de cochayuyo. Hay "cochayuyo frito" y "luche frito". El "pastel" de cochayuyo se prepara casi de igual manera que el pastel de choclo. Una informante de Castro, Chiloé, dice que se puede hacer la croqueta, flan o cualquier cosa aprovechando las algas, según la capacidad y la creatividad de los que cocinan. Un libro sobre el arte culinario de Chiloé nos revela la receta de "guiso chilotc dc cochayuyo" como sigue:

Se cuece un atado de cochayuyo con una cucharada de vinagre para que se ablande, luego se lo muele a máquina. Se pica la cebolla a cuadritos y se fríe en aceite o manteca, luego se agrega el cochayuyo. Mientras tanto, se pelan las papas, cortándolas en trocitos y se las fríe. Cuando se doren, se retira y se vacía sobre el cochcayuyo. Luego se pone a freír el pan, picado en cuadritos y se lo vacía en la olla, agregando los huevos duros antes de servir (Cárdenas Pérez s/f, p. 9).

La isla Chiloé tiene celebridad por su importante producción de papas desde tiempos remotos. Algunos etnobotánicos piensan que el cultivo de papa se habría originado en esa isla. Los chilotes dependen mucho de la papa como alimento, fenómeno único en el austro chileno, como vemos en las comidas tales como curanto, milcaos, chapaleles, chochocas, chopón o tropón y dechi. Las algas se usan en algunas de las comidas de papa, la más popular será lo que se llama "luche con papas". Se prepara fácilmente cociendo el luche, las papas y zanahorias en una olla con los condimentos apropiados. Se considera como un guiso sano y nutritivo. Según la informante arriba mencionada, el orégano es la base condimental para las comidas de cochayuyo, y la hierbabuena para las del luche.

En Chiloé, parece que hay la creencia de que las algas son alimentos muy buenos para la salud. Hay una comida que se llama "moyocán" y se prepara con papas, luche y algunos mariscos como cholgas, piures,

Foto 7. La "rueda" de cochayuyo mostrada en una tienda. Angelmó, X Región de Chile.

navajuelas, etc. Cárdenas Pérez señala que esta comida se sirve al desayuno y que "los antiguos habitantes de las islas del Archipiélago, se servían diariamente este guiso y según la leyenda nunca se enfermaban y vivían sobre los 100 años" (ídem, p. 27). Se cree que el cochayuyo es bueno para la alta presión y se prepara la "aguita del cochayuyo". A veces el cochayuyo se reduce a polvos para el uso medicinal.

Es verdad que hoy persiste la idea de que las algas son ingredientes culinarios de las gentes pobres. Hay una comida típicamente chilote que se llama "charquicán", cuyos ingredientes son papas, cebolla, zanahorias y carne. Pero cuando falta la carne, se prepara con luche y se llama "luchicán". Hemos encontrado muchos informantes que decían que el luchicán o charquicán es la comida barata de los pobres. Sin embargo, la costumbre de aprovechar las algas como alimento ha penetrado poco a poco en las clases medias de aquella región, y hoy en día forma parte de

Foto 8. Las "rodelas" de cochayuyo amontonadas verticalmente. Lonkollén, X Región de Chile.

la cultura folklórica de la isla Chiloé. Cualquier recetario chilote de hoy hace mención de muchos platos con algas.

En la isla Chiloé hay una costumbre que se llama la "minga", palabra evidentemente derivada del vocablario Quechua que significa el intercambio mutuo de labor en varios tipos de trabajo. En Chiloé, un grupo de campesionos ayudan voluntariamente a efectuar trabajos agrícolas de otros, quienes, a su vez, colaboran en sus faenas del campo. Según Renate Cárdenas y Carlos Alberto Trujillo, figuran las "cazuelas de luche y cochayuyo" entre las cosas que el dueño de la minga retribuye a sus colaboradores, el vino, la chicha, la carne ahumada, el asado de cordero o vaquilla, estufados, chuchocas o tortillas al rescoldo (Cárdenas y Trujillo 1985: 76).

Es evidente que en la actualidad la isla Chiloé sigue siendo la principal región productora del cochayuyo. En la costa occidental de la isla,

Foto 9. La "rueda" de cochayuyo, panes de luche, y mariscos secados. Angelmó, X Región de Chile.

sobre todo de Cucao para el norte, los habitantes dependen mucho de la recolección y el comercio del cochayuyo para su subsistencia. El cochayuyo de Chiloé no solo se consume en la misma isla, sino también llega hasta Puerto Montt y Santiago. Otro lugar que proporciona gran cantidad del cochayuyo a Puerto Montt es la región de Bahía Mansa de la X Región, Pucatrihue, Lasquehue, Maicolpue, etc. Allí se hacen paquetes de cochayuyo, y con 250 o 300 paquetes se hace una "rueda". La "rueda" en Foto 7 consiste de 250 paquetes y cuesta 7,500 pesos chilenos (1987). Cada región tiene su estilo de empaquetar los productos secados. Ya hemos visto que en Cucao, hacen un fardo que consta de 100 paquetes (Foto 6). En la región de Niebla, Los Molinos, etc. cerca de la desembocadura del Río Valdivia, se hace una rodela de diez paquetes, y se amontonan cinco de ésta verticalmente para hacer una unidad (Foto 8).

El luche también ha sido uno de los productos importantes en la isla Chiloé. Cárdenas y Trujillo, en su *Apuntes para un diccionario de*

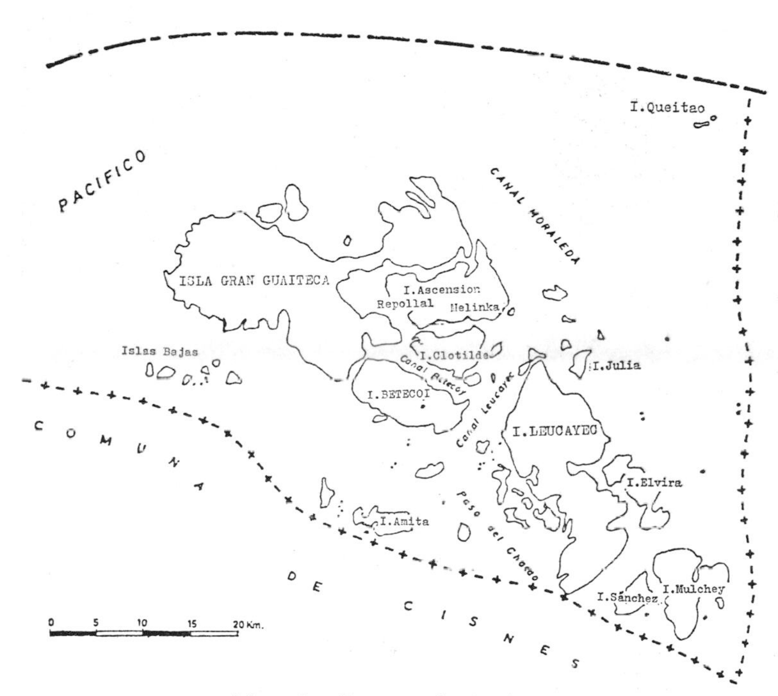

Mapa 2. Comuna de Guaitecas

Chiloé, mencionan la forma verbal de luche: *luchear*. Quiere decir recoger luche, y según los autores, "esta acción se transforma en faenas colectivas de extracción, una o más veces al año, cuando viajan en lanchas, botes o a caballo, grupos de personas, que a menudo pernoctan uno o varios días en los lugares donde esta alga abunda" (Cárdenas y Trujillo 1985: 70). En nuestra investigación de 1984, los informantes se referían a Guabún, Pumillahue (noroeste de la isla), así como a Laitec, Cailín, Tranqui, Chaullín, etc., isolotes que están al lado oriental de la isla, como lugares de mayor producción de luche. Pero ya en aquella época, estaba comenzando la extracción de luga luga (*Iridaea laminarioides*) para la exporatcion, complementando la reduciendo producción de pelillo (*Gracilaria lemanaeformis*). Ambas especies están codiciadas industrialmente para la produc-

Foto 10. Melinka, Islas Guaitecas, XI Región de Chile.

ción del fitocoloide del alginato. Naturalmente los algueros de luche se mostraron atraídos hacia la explotación de las algas más lucrativas, dedicándose a la recolección de luche sólo para su propio consumo. Actualmente quizá el mayor suministador de luche sería el grupo de algueros que viven en las islas Guaitecas, especialmente los de Melinka.

3. LAS ISLAS GUAITECAS

Las islas Guaitecas están situadas unos 60 kilómetros al sur de la isla Chiloé, y consisten de siete islas principales, es decir, Gran Guaiteca, Ascensión, Clochilde y Betecoi, Leucayec, Elvira y Mulchey. Aunque todas las islas de Guaitecas forma una Comuna que pertenece administrativamente a Coihaique del continente, la única isla habitada es la de Ascensión, donde hay dos pueblos, Melinka y Repollal. Melinka tiene unas 200 familias, mientras que Repollal tiene 27 familias. La población total de la Comuna es de 1207 personas (Febrero de 1987).

Sufrió los daños del gran terremoto de mayo de 1960, y unos 200 habitantes se trasladaron a Puerto Aisén.

No se sabe exactamente la fecha del primer poblamiento de Melinka. Tel vez coincida con la fecha del surgimiento de Quellón de la isla Chiloé en la segunda mitad del siglo pasado, cuando la Compañía Braun y Branchard de Punta Arenas empezó la explotación forestal en Chiloé y Guaitecas a través de la Sociedad Austral de Madera. Entrando en este siglo, surgió la figura de un empresario maderero llamado Ciriaco Alvarez, apodado El Rey de las Guaitecas, quien dominaba la vida social y económica de la región. Melinka funcionaba como centro de recogida y envío de productos madereros, y había una población flotante de obreros, mayormente los chilotes, que vivían temporalmente allí. Se supone que poco a poco creciera la gente que se arraigaba, ocupándose en la corta y transporte del ciprés bajo la vigilancia del patrón, que solía llamarse habitador. Un informante de 80 años de edad dice que hubo aproximadamente 15 habitadores en Melinka en la época de auge de industria maderera. Las maderas preparadas se enviaban a la costa norte de Chile, o sea a Antofagasta e Iquique y al Perú como material de construcción. Bajo el regimen de monocultura maderera, Melinka dependía casi totalmente de la importación en cuanto a alimentación. Para complementar el reducido ingreso, los primeros melinkanos empezaron a dedicarse a la recolección de mariscos como almeja y ostra, y a la pesca. Parece que la industria maderera comenzó a decaer hace unos 40 años. Come se prohibió la tala de cipreses para su protección, los melinkanos encontraron el nuevo medio de subsistencia en la extracción de luche y cholgas. Prepararon el luche "curanteado", es decir, pan de luche, y cholgas secas para exportar a Chiloé y a Puerto Montt. Confeccionaban el pan de luche por aquel entonces de acuerdo con el método de cocinar el curanto, comida característica de aquella región, que se prepara cociendo carne, mariscos, papas, etc. con piedras candentes en un hoyo tapado con tierra. Hoy ya no se recurre a este método, y el alga se seca en un molde cúbico de lata colgado sobre la estufa para hacer pan. Sin embargo, los ancianos dicen que el luche curanteado tenía un sabor mucho mejor.

En fin, la recolección de luche parece ser un fenómeno relativamente reciente. Al decir de todos, habría comenzado hace 25 o 30 años en Melinka, si bien los testigos de Repollal afirman que se remonta a una época más antigua. Por ejemplo, una señora de 67 años atestigua que en la época de sus abuelos, florecía la confección de pan de luche, y que gran número de pan se transportaba a Chonchi en lanchas. Se trata de las décadas de los 20 y 30. Los de Repollal tienen la fama de ser navegantes expertos, y anteriormente cazaban a menudo lobos marinos en chalupas con vela. Para ir a una isla llamada Guanblín, habitat de lobos marinos, atravesaban el montañoso istmo de San Rafael de la isla Gran Guaiteca, y salían remando al mar bravo.

Aun pasada la época de cipreses, dicen que la presencia de habitadores seguía siendo preponderante. Alquilaban botes y chalupas a los algueros, y les proporcionaban los víveres y ropas, a cambio de luche y cholgas que recogían. Hubo muy pocos patrones que pagaban los productos al contado. Hasta la década de los 60, la entrega en especies era muy común, según cuentan los informantes.

La explotación excesiva de los recursos ha ocasionado el agotamiento de luche y cholgas en y alrededor de Melinka. En la actualidad, los algueros y mariscadores de Melinka y Repollal tienen que viajar a las islas del sur para recogerlos. Además, hace unos cinco años que empezó la intervención de la industria pesquera en las islas Guaitecas, y la explotación de centollas, jaibas, erizos y pelillo se comenzó en gran escala. Naturalmente muchos habitantes acuden a los trabajos ofrecidos por la industria, marginando el modo tradicional de confeccionar el pan de luche y cholgas secas. Un comprador de algas nos cuenta que habría unas 20 familias melinkanas que todavía se dedican a los trabajos de luche. Son mayormente las mujeres y los viejos que recolectan y curantean el luche. Una informante cuenta que un saco grande de luche pesa unos 40 kilogramos y de un saco se puede fabricar 25 panes, los cuales se venden por 1,400 pesos, es decir, con el precio de 56 pesos por pan (Febrero de 1987). Por otro lado, un corredor de Quellón, Chiloé, nos afirma que su precio de venta para los minoristas fluctúa entre 120 y 200 pesos por pan. El precio al por menor en Puerto Montt estaría entre 200 y 300 pesos. La extracción de luche comienza en el mes de agosto y termina en marzo. Durante los meses de agosto y septiembre está en alza, porque es el tiempo de escasez. Pero en noviembre empieza la bajada del precio. El mismo informante calcula que la cantidad de pan de luche que se exporta de Melinka alcanzará anualmente a 50,000 o 70,000, lo cual significar una venta anual de 8,000,000 a 11,000,000 pesos para los compradores, y un ingreso de 2,800,000 a 4,000,000 pesos para los algueros. En otras palabras, cada familia de algueros consigue entre 140,000 y 200,000 pesos anualmente. Es un ingreso considerable para los melinkanos.

4. ALGAS COMO FERTILIZANTE Y FORRJAE

El uso de algas como fertilizante es global. En Japón y China, el *Sargassum* se ha utilizado en los campos de cultivo para mejorar el suelo desde hace mucho tiempo. Entre los países europeos, Francia tiene una larga tradición de aprovechar las algas pardas y rojas como abono en grandes cantidades. En Irlanda, las Hébridas, Escocia, y algunas partes de Inglaterra, el uso de algas como fertilizante se sigue practicando hoy todavía. En el hemisferio austral, Nueva Zelanda se ha servido de muchos tipos de algas como abono, *Macrocystis*, *Sargassum*, *Lessonia*, *Ecklonia*, *Carpophyllum*, *Cystophore*, etc.

En Chile también, las algas se usan extensamente como fertilizante. La *Durvillea antarctica* no sirve como abono porque contine bajo porcentaje de potasio y nitrógeno. En cambio, *Macrocystes*, que contiene 17% de potasio y 2% de nitrógeno, es bueno como fertilizante. Hay información de que el huiro (*Macrocystes integrifolia*) se usa como abono en la X Región de Chile, pero no nos hemos podido asegurar de esto. Por otro lado unos informantes de Malinka lo afirmaban. Parece que el sargaso (*Sargassum*) se aprovecha como abono en las Guaitecas. En la isla Ascensión y Chiloé, es muy común escuchar el nombre de lamilla como buen abono. Algunos dicen que es una especie de alga del color verde. Según A. H. Llaña, la lamilla está formada principalmente por los géneros de *Enteromorpha* y *Ulva* que han entrado en putrefacción (Llaña 1948). Tuvimos la impresión de que lo que se llama lamilla es *Ulva lactuca*. En relación con *Ulva*, el Dr. Alberto Arıizaga nos dio una información interesante de su uso para preparar el abono. Primero, se tienden pajas y cascabillos de trigo en el fondo de un hoyo excavado en la tierra y sobreponer cantidad de *Ulva*, y finalmente poner algunos pescados y jibias encima de todo, tapándolos luego. Una ves podridos, se consigue el abono (comunicación personal). La jibia es una especie de calamar grande que habitaba en cantidad en las costas de la isla Chiloé. Este método ya ha caido en desuso, ya que ha disminuido la jibia, y el precio del pescado ha subido tanto.

En algunas partes, el cochayuyo se utiliza como forraje para chanchos. Cuando hacen los paquetes del cochayuyo secado, los residuos cortados sirven de cebo para los cerdos. El "yapín", forraje tradicional de Chiloé para los cerdos, correspondería a *Iridaea boryana*. Una campesina de Guabún, Chiloé, estaba extendiendo "yapín" en su terreno para asloear, y dijo que lo vendía a 15 pesos a kilo. Ella distinguía claramente "yapín" de la luga luga, alga del mismo género (*Iridaea laminarioides*), y vendía ésta en el estado secado a 20 pesos por kilogramo.

5. EL VIAJE DE COCHAYUYEROS

Uno de los temas más fascinantes acerca de las algas andinas será el del comercio de cochayuyo que practican los pastores de la puna de la región extremo sur del Perú. En la época cuando se forman las *lomas*, específicamente en el mes de agosto, descienden los pastores hasta la zona costal con su recua de llamas, y dejándolas en el pastizal de las *lomas*, ellos mismos recolectan algas y mariscos. Cuando se acumula suficiente cantidad del cochayuyo (*Porphyra columbina*), lo asolean para secar, y salen en viaje de regreso. Usan el cochayuyo así conseguido para su propio consumo, pero la mayor parte lo usan como medio de trueque para la obtención de los recursos naturales necesarios para la subsistencia. La trayectoria de los pastores de puna cubre las variadas zonas de los Andes, desde la costa Pacífica hasta la vertiente oriental de la Cordillera (Masuda 1986).

En Chile también se nota la costumbre de organizar el viaje de comercio de algas desde hace mucho tiempo. La información ya citada de

Foto 11. *Ngillatún* de los lafkenches. Cerca de Queule, IX Región de Chile.

Alonso de Ovalle sugiere que tal vez hubiese el comercio transandino de algas en la época temprana de la Colonia, ya que dice que los "panes grandes" de luche "se estiman por gran regalo . . . en Cuyo y Tucumán." No se precisa cómo se organizaba el comercio, quiénes intervinieron en eso, ni cuál era el medio de transporte del viaje. Será un tema de estudio para el futuro, investigar los documentos que puedan encontrarse en los archivos sobre el comercio indígena de la época colonial.

En la época moderna, se ha atestiguado una especie de tráfico alguero llevado a cabo por los costeños en algunas partes de Chile. La región más notable en cuanto a este tema es la IX Región de la Araucanía. Nos referimos a los "cochayuyeros" mapuches.

Los "lafkenches", grupo de mapuches que viven en la franja costal del sur de Chile, a veces complementan sus productos agrícolas con la cosecha del mar. Recolectan las algas, mariscos y pescan. La impor-

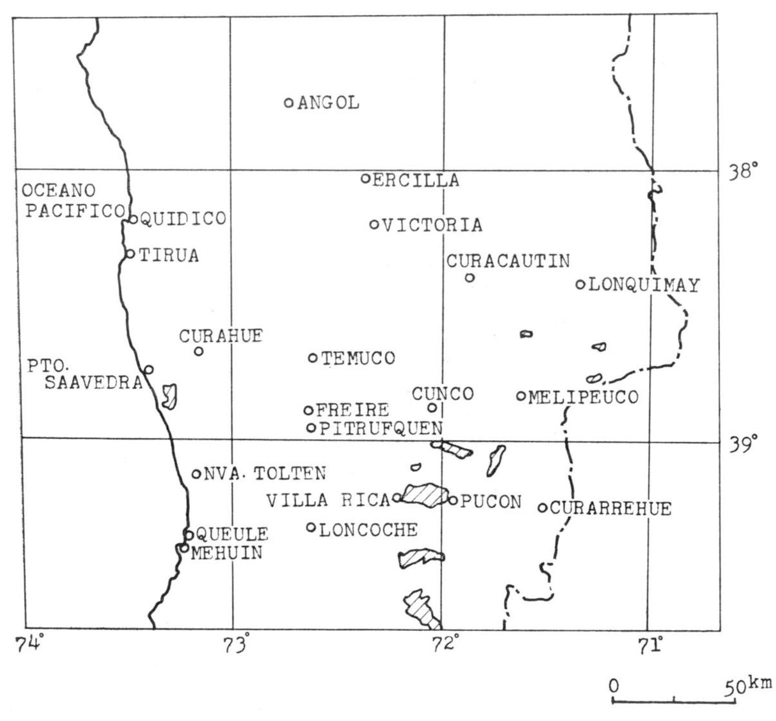

Mapa 3. Region de la Araucanía

tancia de los productos marinos para los lafkenches se refleja en su rito tradicional de *ngillatún* (véase el artículo de Ochiai en este volumen). La palabra *ngillatún* se deriva del verbo *ngillatu*, que quiere decir pedir. En realidad, es un rito de rogativo, y entre las oraciones figuran los nombres de productos básicos para el abastecimiento. En el rito de *ngillatún* que tuvimos la ocasión de observar en la reducción de Cayulfe de la IX Región, primeramente se ponían en ejecución una serie de rituales en un local interior, después de lo cual los participantes se marcharon a caballo hasta la orilla del mar para comenzar la segunda serie de rituales. Evidentemente, la primera es para rogar el éxito en la ganadería y la agricultura, y la segunda la abundancia de la cosecha del mar. Según los informantes

Foto 12. Un cochayuyero y su carreta cargada de paquetes de cochayuyo. Cerca de Freire, IX Región de Chile.

Foto 13. Venta del paquete. Freire, IX Región de Chile.

locales, figuran los nombres de algas en la invocación dirigida al mar.

Como hemos visto en la sección 2, se encuentran dos zonas de importancia para la recolección del cochayuyo en la IX Región, una entre Tirúa y Puerto Saavedra, otra entre Toltén y Chanchan, siendo el centro la zona de Queule (Mapa 3). De ambas zonas salen las carretas de cochayuyeros entre noviembre y abril. Antiguamente, el objecto principal de su comercio era conseguir piñones por trueque. Los mapuches cultivaban poñu(papa), wa(maíz), trapi(ají), dawe(quinua), y al mismo tiempo, la recolección de avellana, callampas (una especie de hongo), y piñones tenía la igual importancia. En particular, piñones (*Araucaria araucana*) era la comida preferentemente apetecida, y los mapuches del interior los recolectaban mucho y los guardaban en grandes hoyos llamdos *dollinko*. En la actualidad, el trigo es la mercancía más importante que los mapuches quieren conseguir.

El viaje ambulante de los cochayuyeros es un trabajo muy duro, que requiere gran resistencia física. Hemos entrevistado a muchos campesinos viejos que habían experimentado el viaje de trueque en su juventud con mulas cargadas de los paquetes de cochayuyo. Según dicen, era mucho más ventajoso conseguir el trigo por trueque que vender el cochayuyo a los compradores. Pero para aguantar un largo viaje que dura a veces más de un mes, se necesitan el vigor y la firme voluntad. Tienen que caminar larga distancia, durmiendo al aire libre y subsistiendo con comidas frugales. Consecuentemente, han abandonado el trabajo cuando disminuyó la fuerza física.

Todos los informantes coinciden en que hubo mayor actividad de cochayuyeros en la época anterior. El número total de las carretas que salen de la región de Tirúa y la de Queule sería más o menos de 30 anualmente en estos días. Comenzando la recolección y la confección de cochayuyo en noviembre, a menudo salen a las cercanías para vender 500 o 1,000 paquetes. Pero la época más importante viene después de la cosecha de trigo en las partes interiores. El mayor número de carretas sale de la costa a partir de mediados de febrero.

Antiguamente, los cochayuyeros solían a viajar con caballos o mulas por los senderos. Alrededor del año 1970, se construyó el camino entre

Tirúa y Carahue, y hoy casi todos viajan con las carretas hacia el interior. Los de la región de Queule tienden a dirigirse a Temuco, la capital de la Región. Los de la región de Tirúa entran a las zonas más al norte de la misma Región. Para llegar a Temuco de Queule, se pasa por Toltén, y atravesando la balsadera del Río Toltén, se llega a Pitrufkén, de donde es fácil llegar a Temuco. Algunos cochayuyeros viajan hasta más al norte. El grupo de Tirúa viaja por Carahue y Imperial para llegar a Temuco. Sin embargo, para ambos grupos, Temuco no es destino final del viaje, porque la mayoría de ellos prefieren el trueque a la venta al contado. Muchos marchan de Pitrufkén hacia la Cordillera, y entran en la zona de lagos, Villa Rica, Pucón etc., y algunos llegan hasta Curarrehue. O de Pitrufkén llegan a Cunco y Melipeuco, y allí consiguen cantidad de trigo. Normalmente cambian un fardo de cochayuyo por un kilo de trigo. Llevan por lo menos 2000 fardos, algunos hasta 5,000, así que fácilmente consiguen más de una tonelada de trigo. En el camino de vuelta, hacen escala en un molino. Por moler un kilo de trigo pagan 4–5 pesos (marzo de 1987). Igualmente el otro grupo que sale de Tirúa y sus alrededores no termina su viaje en Temuco, sino prosigue a las regiones más internas. Un cochayuyero que entrevistamos nos dio la siguiente ruta como ejemplo — La costa-Carahue-Imperial-Cholchol-Galvarino-Traiguén-Perquenco-Curacautín. En otras palabras, llegan hasta la Precordillera.

La penetración de la economía del mercado en los recientes años está afectando considerablemente la vida social de los mapuches. Por ejemplo, los lafkenches de hoy puede ganar mucho recolectando el pelillo y los mariscos. Lo que está de moda es la extracción de macha. La recolección del cochayuyo les cuesta muchos días. Además tienen que emplear más de un mes para secarlo y acomodarlo en la forma de fardo (paquete), y luego salen al viaje de comercio muy largo. Al comienzo de 1987, vendían un fardo por 30 pesos, de manera que ganaban el valor equivalente a 60,000–150,000 pesos en un viaje, dependiendo de la cantidad del alga que llevan a comerciar. En cambio, en el caso de la macha, es fácil ganar de 30,000 a 40,000 pesos diariamente vendiendo la cosecha a los compradores que vienen a su pueblo. Es cierto que el trabajo en el agua fría es tan duro como el trabajo de los algueros. Sin embargo, se ha modernizado el método de extracción, con la introducción de neuvo tipo de instumentos para el buceo y la escafandra más resistente al frío del mar. De esta manera, tabajando cinco o seis horas diariamente y ocho o diez días por mes, un machero puede ganar 250,000 de hasta 400,000 pesos. Después de todo, mucha gente mira hacia este trabajo nuevo, que se empezó alrededor del año 1980.

Muchos lafkenches que eran cochayuyeros en su época, atestiguan que antes salían mucho más carretas y caballos con las algas desde la costa. Hasta hace unos 50 años, el trato de las algas y los pescados secos era tan popular que todas las familias que tenían mano de obra capacitada se entregaban al negocio de productos marinos, según los testimonios de los ancianos. Por aquel entonces, los cochayuyeros lafkenches llegaban hasta *inapire mapu*, tierra cercana a las nieves, para su negocio.

En la zona costeña donde viven los lafkenches, el suelo es arenoso, y la productividad agrícola es pobre. Consecuentemente, hay que complementar el abastecimiento alimenticio con otro tipo de actividades, entre las cuales los trabajos marítimos tenía suma trascendencia.

En la época cuando la economía del mercado moderno estaba poco desarrollada, debía haber algún sistema autóctono de fomentar el intercambio de los productos de variadas regiones, cada una de las cuales tenía su modo de producción sometido estrictamente al propio ambiente ecológico. Los lelfunches, es decir, los que vivían en *lelfun mapu*, zona del valle central, cultívaban las plantas nativas como ají, calabazas, papas y maíz, junto con los cultígenos europeos como trigo, cebada, poroto (judía), haba, etc. Más arriba vivían los pehuenches en *inapire mapu*, tierra alta, criando los auquénidos autóctonos, así como animales introducidos después de la conquista española. Contaban también con las frutas y semillas, entre las cuales los piñones ocupaban un lugar muy importante. En la tierra baja de la costa pacífica subsistían los lafkenches, complementando la escasez de los productos agropecuarios con la cosecha del mar. No será nada sorprendente si la red de intercambio económico estuviera más firme y sistemáticamente organizada entre esos tres grupos indígenas en aquellas épocas del siglo XIX y de la Colonia. Indudablemente los comerciantes andantes de los lafkenches, desempeñarían un papel importante como intermediarios interregionales, con su tráfico de algas, mariscos y pescados. Esto nos hace recordar las actividades de los pastores de la puna peruana en cuanto a la recolección de las algas y su comercio por trueque a base de ésta (Masuda 1986).

Aun antes de la Colonia, en el período prehispánico, la interdependencia regional a nivel económico sería mucho mayor. Se supone que de los productos marítimos de los lafkenches, de los productos agrícolas de los lelfunches, y de lana, charqui y piñones que controlaban los pehuenches, los organizadores del comercio precolombino de aquella parte austral del mundo andino se servirían para desarrollar el sistema efectivo de complimentariedad ecológica entre regiones. Nos preguntamos: ¿Quiénes desempeñaban el importante cargo de traficantes en aquella época prehispánica? ¿Con qué medio de transporte contaban ellos? ¿Hasta qué región se extendía la red del comercio prehispánico surandino en los sentidos vertical y horizontal? ¿Si acaso existiera algunas relaciones entre el comercio austral de los mapuches (araucanos) y el de los quechua o ayamara hablantes de las punas bolivianas y peruanas? Desde que escribió Ricardo Latcham sobre el comercio precolombino, ha habido debates y discusiones sobre la antropología económica del Chile prehispánico. Todos estos interrogantes deben ser confrontados con los datos e informaciones bien controlados que se encuentren en los contextos etnohistórico y arqueológico.

6. LAS ALGAS CHILENAS PARA INDUSTRIA

Después de la Segunda Guerra Mundial se empezó la explotación sistemática de los recursos algueros de Chile. Hoy en día las algas constituyen un rubro importante de exportación. Las aguas chilenas tienen varias especies de algas necesitadas para la industria de los fitocoloides, es decir, la de agar-agar, alginatos y carragenia.

Como vemos en la Tabla 1, sobresalen tres especies de algas en la exporatción — pelillo (*Gracilaria* sp.), chascón (*Lessonia* sp.) y luga luga (*Iridaea* sp.). Entre los años 1983–1985, hubo incremento notable de *Gracilaria* exportada, en tanto que la exportación de *Lessonia* e *Iridaea*

Tabla 1 Algas exportadas 1983–1985
(en toneladas)

NOMBRE	1983	1984	1985
Cochayuyo (*Durvillea* sp.)	106	772	1,492
Chasca (*Gelidium* sp.)	207	277	800
Pelillo (*Gracilaria* sp.)	6,534	6,500	117,521
Luga luga (*Iridaea* sp.)	5,350	6,265	27,362
Chascón (*Lessonia* sp.)	12,920	9,725	29,842
Chicoria de mar (*Gigartina* sp.)	46	131	320
Huiro (*Macrosystis* sp.)	318	2,335	4,699
Otras algas	158	331	374
Total de algas secas	25,639	26,336	182,410

(SERNAP: *Anuario estadístico de pesca*, 1983, 1984 y 1985)

se ha triplicado. La exportación de otros géneros también ha aumentado considerablemente. Este hecho significa el crecimiento de nuevo tipo de algueros que tienen característcas distintas de las que tienen los algueros artesanales del cochayuyo y el luche.

El chascón, *Lessonia nigrescens*, junto con las otras tres especies del mismo género, existe extensamente desde Arica hasta las islas subantárticas por el sur. Se le ha explotado intensamente para exportar a países donde la industria de alginatos lo necesita, especialmente a los Estados Unidos y al Japón. Este género sufrió muchos daños cuando la Corriente El Niño descendía hacia el sur, lo cual se refleja en la baja de la cantidad exportada en 1984. Las algas del género *Lessonia* es importante no solamente por su valor económico, sino también desde el punto de vista ecológico, "ya que conforman el llamado 'cinturón de Lessonia' que juega un rol preponderante en la distribución y dinámica de las comunidades bentónicas intermareales" (Olivarí 1983: 28).

Foto 14. Los algueros del pelillo (*Gracilaria*). Mejillones, II Región de Chile.

El luga luga siempre ha ocupado el tercer lugar en volumen de exportación. Los Estados Unidos son el mayor comprador de esta alga, explotada para extraer carragenanos (Avila y Erbs 1982). Algunos especialistas le dan el nombre científico de *Iridaea laminarioides*, pero otros lo consideran sinónimo de *Iridaea boryana*. Se distribuye desde Valparaíso a Chiloé. Los principales puntos de extracción son Talcahuano y Puerto Montt (Olivarí 1983: 24). En los recientes años se lo explota intensamente en Chiloé y en las islas Guaitecas también.

El pelillo quizá ha tenido la mayor importancia como algas para exportación. Es representado por dos especies, *Gracilaria lemanaeformis* y *G. verrucosa*. La primera especie se distribuye de Arica hasta Coquimbo, mientras que *G. verrucosa* "se encuentra repartida desde Tongoy (30°16′S) hasta el Seno de Reloncaví, extrayéndose principalmente en las provincias de Concepción, Llanquihue y Chiloé" (Oliverí 1983: 24). La extracción del pelillo se inició en las praderas localizadas en Coquimbo a mediados de la década de los 60. Nacieron allí los algueros no artesanales.

Tabla 2 Número de algueros en 1979 y 1983

Región	Al. Permanentes		Al. Ocasionales		Total Región		%	
	1979	1983	1979	1983	1979	1983	1979	1983
IV	734	202	1,374	369	2,108	566	23.4	5.0
VIII	1,485	404	1,734	3,196	3,219	3,600	35.8	31.9
X	90	561	2,116	4,871	2,206	5,432	24.5	48.1

(Lopehandía 1986: 34)

En un momento, las paraderas de Coquimbo constituían la principal zona productiva de esta alga, contando con más de 2,000 algueros trabajando diariamente. Pero la sobreexplotación de esta pradera pronto causó la extinción de *Gracilaria*, y salieron los algueros para buscar nuevas praderas. En la IV Región, Playa Changa les ha proveido una pradera nueva, y allí se juntaban 1,120 algueros en tiempo próspero (Lopehandía 1986: 35). Mejillones de la II Región, Isla Santa María de la VIII Región, Maullín y Piedra Azul de la X Región sucesivamente surgieron como locales que abarcan excelentes praderas de *Gracilaria*. Las encuestas realizadas por SERNAP (Tabla 2) señalan la tendencia hacia el sur de los movimientos demográficos de los algueros flotantes.

En la actualidad (1988), ya han agotado los recursos algueros en las praderas de Isla Santa María, Maullín y Piedra Azul. Nuevas praderas fueron buscadas en la isla Chiloé, y los algueros llegaron hasta el cabo extremo sur de la isla. En la desembocadura del Río Inío y en Bahía Nayahue que está al oeste del río, se han encontrado la pradera excelente de *Gracilaria* hace algún tiempo, y en una época vivían unos 4,000 algueros allí en un lugar antes totalmente inhabitado. Pero en marzo de 1987, ya estaba agotando *Gracilaria* en Inío, y mucha gente estaban a punto de salir más al sur para buscar otras praderas. En Melinka de las islas Guaitecas, la extracción del pelillo se inició en 1984. Pero al comienzo de 1987, ya no era fácil encontrar buenas praderas cerca de Melinka, y los algueros han adelantado hasta las islas Concoto y Melchor. La mayoría de ellos salen en lanchas de Ancud, Castro y Quellón y se dirigen a su destino directamente sin hacer escale en Melinka.

El pelillo se usa como materia prima para extraer agar-agar, La producción de agar-agar había sido monopolizado por Japón. Durante la Segunda Guerra Mundial, hubo un desarrollo notable de la industria de agar-agar en los Ustados Unidos y otros países. Sin embargo, Japón produce más del 90% de ese producto en el mundo hoy todavía. Japón ha sido el principal país importador del pelillo, y más del 70% de las algas consumidas en Japón para la extracción de agar-agar es la importación desde Chile. Recientemente surgió la industria de agar-agar también en Chile, y está creciendo la producción. Pero el agotamiento del pelillo en muchas praderas está causando problemas, y los productores de agar-agar en Chile empiezan a contar con la importación para asegurar la materia prima.

El surgimiento de la extracción de las algas para exportación ha dado origen al grupo de algueros que tienen otro carácter social que los de la línea tradicional. Estos algueros nuevos consisten de obreros libres del sector marginal de la sociedad campesina y pesquera. También ya hemos visto que aun los algueros del tipo tradicional están empezando a intervenir en la recolección de las algas industriales, lo cual cambia su modo de vida considerablemente. Un elemento que no podemos pasar por alto es el crecimiento de la extracción de cochayuyo para la exportación. *Durvillea*, junto con *Ecklonia*, *Laminaria* y *Ascophyllum*, es potencialmente la fuente más rica de alginatos. Su alta explotación en el último tiempo ha originado su desaparecimiento en algunos sitios australes de Chile. Si la explotación sigue creciendo, se afectatá la vida de los algueros y cochayuyeros que subsisten de la recolección y del comercio de cochayuyo.

BIBLIOGRAFIA

ACLETO OSORIO, César
1971 *Algas marinas del Perú de importancia económica.* Universidad Nacional Mayor de San Marcos, Museo de Historia Natural "Javier Prado", Departamento de Botánica, Serie de Divulgación 5.

AVILA L., Marcela Y ERBS G., Vicente
1982 Laga-luga. En *Estado actual de las pricipales pesquerías nacionales, Complementación.* Santiago: Instituto de Fomento Pesquero.

BUDGE DE EDWARDS, Olga
1933 *La buena mesa.* Santiago.

CARDENAS PEREZ, Manuel
s/f *Visión folklórica de las comidas en Chiloé.* Castro: Imprenta Lamack.

CASTILLA, Juan Carlos, SANTELICES, Bernabé y BECERRA, Raúl
1976 *Guía para la observación e identificación de mariscos y algas comerciales de Chile.* Santiago: Editorial Nacional Gabriela Mistral.

COBO, Bernabé
1956 [1653] *Historia del Nuevo Mundo.* Madrid: Editorial Atlas.

COÑA, Pascual
1973 *Memorias de un cacique Mapuche.* Santiago: ICIRA.

EMPERAIRE, Joseph
1963 *Los nomades del mar,* traducción de Luis Oyarzún. Santiago: Universidad de Chile.

JUAN, Jorge y Ulloa, Antonio de
1748 *Relación histórica del viage a la América Meridional.* Madrid: Antonio Marín. 2 tomos.

LOPENHANDÍA, J.
1985 Problems y perspectivas en la utilización de algas chilenas. Bernabé Santelices, ed., *Usos y funciones ecológicas de las algas marinas bentónicas.* Monografías Biológicas, No. 4, Facultad de Ciencias Biológicas, Pontificia Universided Católica de Chile. Pp. 29-43.

MASUDA, Shozo
1986 Las algas en la etnografía andina de ayer y de hoy. Masuda, Shozo, ed., *Etnografía e historia del mundo andino: continuidad y cambio.* Tokio: Universidad de Tokio. Págs. 223–268.

MOLINA, Juan Ignacio
1879 [1776] *Compendio de la historia jeográfica, natural i civil del Reino de Chile,* traducción de Narciso Cueto. Santiago: Imprenta de la Librería del Mercurio.

OLIVERÍ, Rodolfo
1983 Estado en que se encuentra la explotación de algas en Chile. Patricio Arana Espinosa, ed., *Análisis de pesquerías chilenas.* Escuela de Ciencia del Mar, Faculted de Recursos Naturales, Universidad Católica de Valparaíso. Pp. 23-36.

OVALLE, Alonso de
1969 [1649] *Histórica relación del Reyno de Chile.* Santiago: Instituto de Literatura Chilena.

PLATH, Oreste
1973 *Folklore chileno,* cuarta edición. Santiago: Editorial Nacimiento.

ROSTWOROWSKI DE DIEZ CANSECO, María

1981 *Recursos naturales renovables y pesca, siglos XVI-XVII.* Lima: Instituto de Estudios Peruanos.

Uribe Velasquez, Mario
1982 *Crónicas de Chiloé.* Santiago: Alfabeta Impresores.

Persistencia y transformación del modo de vida andino en el extremo sur de los Andes Centrales

Rodolfo J. Merlino
Universidad de Buenos Aires y CONICET
Mario Sánchez Proaño
Universidad de Buenos Aires
Margarita Ozcoidi
Universidad de Buenos Aires

INTRODUCCION

Este trabajo, en su primera parte, aborda la problemática global de los grupos campesinos en una zona comprendida al sur de Potosí en Bolivia y los valles Calchaquíes en la Argentina. En su segunda parte trata una situación puntual en una unidad, correpondiente a una microrregión andina argentina.

En la actualidad, el dinamismo cerativo de las poblaciones campesinas, del área en estudio, se produce dentro de un contexto cambiante, variado y además fragmentado por fronteras internacionales.

Estos últimos factores hacen que exista una diversidad muy rica de situaciones como respuestas a cada contexto natural, social y cultural en particular.

Subyacente a dicha heterogeneidad se advierten caracteres comunes en la vida de los campesinos y la permanencia de vinculaciones que directa o indirectamente abarcan grandes territorios.

El juego dinámico entre los grupos humanos y los marcos sociales y naturales donde se desenvuelven, implican transformaciones que no

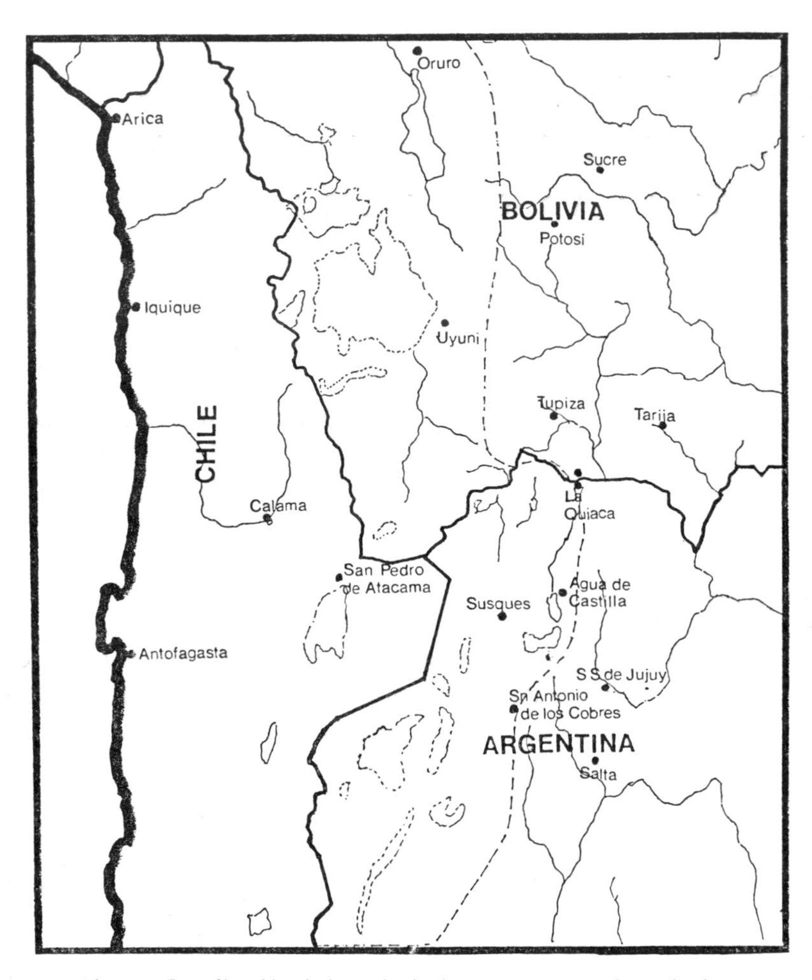

Fig. 1. Localización de los principales puntos geográficos citados.

desdibujan características identificatorias fundamentales que permanecen a través del tiempo.

I

REGIONES ECOLOGICO-CULTURALES

La porción sur de los Andes Centrales, correspondiente al noroeste argentino y la parte meridional de Bolivia, constituye un espacio geográfico en donde operan diversos factores integrativos, originados en las realizaciones culturales de las poblaciones humanas que habitan la zona.

La unificación dada en la dimensión cultural, contrasta con la diversidad existente en el aspecto natural; este rasgo es común a toda la extensión del área andina, aunque en el tramo considerado se notan algunas características peculiares que lo distinguen del resto. La variación de las condiciones ambientales, ya sea en sentido vertical, horizontal o longitudinal, ha permitido desplegar una variada y cambiante gama de estrategias de vida y articulación social. La modalidad de acceso y uso de los recursos puesta en práctica por las poblaciones campesinas del área es, por lo tanto, variada y compleja. El modelo de "control vertical" esbozado por Murra (1972), puede servir de patrón a sólo una parte de las formas de circulación de recursos y productos vigentes en la actualidad, tal como lo sostiene Salomon (1985).

Como punto de partida para la caracterización antropológica de este tramo andino, se esbozará una sistematización clasificatoria ecosistemática "ad hoc" que, como la formulada por Pulgar Vidal para Perú, toma en cuenta las denominaciones y clasificaciones émicas de la cultura local (Pulgar Vidal, 1946). Con esta finalidad, se tomará como unidad ecológico-cultural al conjunto mínimo estructurado de factores ambientales que hace posible el desarrollo de una estrategia unitaria de vida, dentro de una población humana dada. Cada una de estas unidades deberá guardar una relativa homogeneidad interna ya que, siguiendo a Sarmiento "un ecosistema es espacialmente homogéneo cuando determinados parámetros no varían significativamente de una zona a otra" (Sarmiento, 1984).

Se considerarán las discontinuidades que limitan las unidades ambientales, en dos escalas: las correspondientes a nivel macro, donde quedan comprendidas las conformaciones fisiográficas y ecosistemáticas de gran extensión y, a un nivel micro en el cual se incluyen las subunidades que reflejan la diversidad y articulación que se produce dentro de cada macrosistema.

Clasificación de sistemas:

Se trazará una división ecosistemática a un nivel general entre dos macrounidades ecológico-culturales: *punas y valles y quebradas*, bajo el fundamento de que en cada una de estas grandes unidades se dan factores de relevancia identificatorios constantes en una y ausentes en otra.

a) *Punas.* En el aspecto fisiográfico, las punas se caracterizan por contener cuencas cerradas elevadas que conforman hoyadas bordeadas por cadenas montañosas, que si bien tienen una considerable altura sobre el nivel del mar, su magnitud se ve disminuida si se la mide a partir del nivel de la planicie circundante. Su interior alberga planicies de depósito de poca pendiente y en el centro lagos o salares.

A estas latitudes las punas reciben pocas precipitaciones pluviales, concentrándose la humedad en pequeñas zonas junto a los cursos de agua ("ciénegos") o en las vegas de altura ("bofedales" en Chile, Bolivia y Perú). El clima es seco, frío y ventoso, y la insolación es intensa durante todo el año. Estas condiciones, además de la gran porosidad, hacen que el suelo no se desarrolle y en la mayoría de los casos esté constituido por litosoles. El manto vegetal está formado por especies arbustivas, gramíneas y cactáceas xerófilas, salvo en los lugares privilegiados por la humedad.

En estas extensas estepas de altura la actividad humana fundamental es el pastoreo. En algunos lugares favorables se da, complementariamente, el cultivo de forrajeras y especies de comestibles adaptadas a estas duras condiciones ambientales, La disponibilidad de animales de carga, como las llamas, desde tiempos remotos, y los burros, desde su introducción hecha por los europeos, ha dado a los pobladores una gran capacidad de movilidad y transporte.

Esta macrounidad ecológico-cultural se articula en microunidades, caracterizadas por atributos diferenciadores que juegan papeles importantes en las estrategias productivas de las poblaciones humanas. Las microunidades consideradas para esta región, son las siguientes:

- las lagunas y salares que ocupan el fondo de las hoyadas, donde convergen los pequeños cursos de agua, conformando cuencas endorreicas con flora y fauna de recolección y caza;
- las pampas de pendientes suaves que rodean las lagunas y salares, en las cuales crecen especies vegetales que las convierten en zonas muy propicias para el pastoreo;
- los cerros que circundan las hoyadas donde se produce la condensación de la humedad; el agua aflora en las vegas creando lugares permanentemente irrigados que constituyen la reserva de los pastores. En ellos nacen pequeñas quebradas por donde corren los cursos de agua que se originan en las referidas vegas y que, en algunas lugares, pueden servir para el riego de cultivos microtérmicos;
- las quebradas de acceso a las punas, las cuales se abren entre las elevaciones montañosas y constituyen los puntos de vinculación antropodinámicos entre las hoyadas.

b) *Valles y quebradas*. Estas unidades se corresponden con los tributarios andinos de la cuenca del Plata. Estos ríos corren en valles de pendiente moderada, los cuales están beneficiados por la presencia del recurso hídrico que permite el crecimiento de una flora variada, dentro de las que ya se pueden encontrar especies arbóreas.

La actividad fundamental de los pueblos que habitan estos sistemas es la agricultura, facilitada por la accesibilidad y posibilidad de control del agua, gracias a la pendiente de los tributarios que permite la construcción de acequias, represas y otras obras de infraestructura típica de la tecnología agrícola andina. El pastoreo y la cría de animales de carga cumple acá un papel complementario secundario. Las microunidades aquí consideradas son:

- las quebradas altas en donde, según la cota, es posible el cultivo de especies micro y mesotérmicas;

- las laderas orientales ("sol de mañana"), favorecidas por la humedad de los vientos del cuadrante Este. Las laderas occidentales ("sol de tarde"), más secas que las anteriores (Merlino y Sánchez Proaño, 1984);
- los valles bajos, cálidos y húmedos, que se abren hacia las llanuras orientales. En estos lugares se desarrolló menos la técnica de regadío y los cultivos son de especies microtérmicas.

Entre las macro y microunidades puede mediar una frontera ecológicamente muy definida o darse gradientes y ecotonos de variada magnitud. Es necesario remarcar los factores que dificultan o favorecen la interacción humana en cada uno de estos sistemas. A través de estas interconexiones se da el flujo simultáneo o discriminado de materiales en forma de recursos o productos, trabajo e información cultural. En el aspecto social, los vínculos se plasman en redes de lazos de parentesco y solidaridad, a través de los que se dan las segmentaciones étnicas y sociales. Todos estos parámetros contribuyen, desde un pasado remoto, a dar tipicidad cultural a cada pequeña región pese a compartir patrones generales con todos los pueblos andinos.

Los valles y quebradas, junto con sus tributarios, permiten la comunicación humana y han constituido un factor integrador cultural interno de suma importancia, en especial desde el desarrollo de la agricultura. La vinculación entre las quebradas, por el contrario, sólo es posible trasponiendo barreras geográficas de importancia (Callegari et al., 1983/85). Lo mismo puede decirse de cada hoyada puneña, aunque en este caso las barreras son de fácil trasposición.

Factores integrativos sociales:

La diversidad fisiográfica y ecológica del área tomada en consideración tiene una integración social que se produce a través de una compleja red de asociaciones y vinculaciones permanentes o periódicas, ligada a nudos que tienen entre sí algunos atributos diferenciales.

La heterogeneidad, como principio de integración, hace que participen componentes sociales diversificados tanto en lo ecológico, como en lo económico. El acceso diferenciado a los recursos naturales dados en dos unidades ecosistemáticas, justifica una articulación; del mismo modo, una distinta inserción respecto al mercado o a los recursos sociales urbanos, abre a los campesinos andinos las posibilidades para desplegar una cambiante gama de estrategias de vida, en aras de lograr su estabilidad y sobrellevar las crisis de diferente índole que suelen afectar los diversos campos de su existencia (Isbell, 1972; Dandler y Medeiros, 1985).

Diversidad y complementariedad son, entonces, dos reglas fundamentales en las dimensiones naturales y culturales de la estructura de vinculaciones intercampesinas, pero constituyen sólo una de las modalidades que pueden adoptar las articulaciones con los sistemas sociales a nivel nacional e internacional.

Al caracterizar al campesino, Shanin afirma que esas poblaciones mantienen relaciones de complementariedad, pero también de excentricidad con respecto al mercado y a las instituciones político-administrativas (Shanin, 1976); a éstas habría que agregar los factores de conflicto aparejados a esos contactos.

En su carácter de excéntricas, las poblaciones campesinas tienden a mantener una lógica administrativa propia, que se observa en conjuntos sociales que van desde el ámbito doméstico al extradoméstico y que son, a su vez, integrados por extensas redes que unen nudos a menudo distantes. Estas estructuras corresponden a grandes territorios que trascienden las barreras jurisdiccionales formales que, en este caso, son los límites internacionales de Argentina con Bolivia y Chile.

En las relaciones mantenidas por las asociaciones campesinas con las estructuras político-económicas e ideológicas de las jurisdicciones regionales y nacionales, suelen surgir aspectos conflictivos que tienden a subordinar, destruir y hasta expoliar las organizaciones de las mismas. La situación de estabilidad de estas últimas, depende tanto de la intensidad de los determinantes exteriores, como de las estrategias desplegadas para neutralizar sus efectos negativos. La complementariedad entre ambas estructuras puede consistir en la "apropiación" o incorporación a los objetivos de las organizaciones campesinas e intercampesinas de elementos originarios del sistema global o dominante (García Canclini, 1978).

El área en consideración encierra una diversidad de situaciones empíricas, dentro de las cuales se dan casos en que puede predominar la excentricidad y, por lo tanto, la tipicidad y tradicionalidad del modo de vida, así como la autonomía de las decisiones tomadas y la independencia de los circuitos de distribución económica con respecto al mercado. En otras situaciones puede darse la complementariedad y convivencia con el medio social a través del mantenimiento de flujos que no afecten la permanencia de la identidad campesina, aunque esto imprima cambios inevitables.

Finalmente, las crisis en las que las poblaciones tradicionales pueden llegar a desenvolverse, suelen ser producidas cuando en los contactos hay asimetrías políticas, económicas e ideológicas, las cuales desembocarán en la pérdida de identidad, en el éxodo definitivo o, como no es lo característico en la actualidad dentro de la zona, en el surgimiento de reacciones violentas o mesiánicas.

Relaciones intercampesinas:

En el mapa acompañado (Fig. 2) están representadas las unidades ecosistemáticas relevadas en varios viajes de investigación; los límites de las mismas son: al Norte, los valles agrícolas cercanos a las ciudades de Potosí y Sucre en Bolivia y, al Sur, los valles salteños de la Argentina. Entre estos puntos existe una red de intercambios campesinos, que directa o indirectamente, liga a todas las unidades ecosistemáticas tomadas en consideración y que se aprecian el en gráfico que se agrega (Fig. 3).

Es evidente que, de acuerdo con el sentido predominante de las flechas, existe una articulación global entre las zonas de las hoyadas puneñas con especialización pastoril y de extracción de sal y los valles o quebradas especializados principalmente en agricultura de maíz. Esta articulación, como ya se mencionó, se produce a nivel general en flujos mantenidos a larga distancia; pero subyacente a la misma, existen otras articulaciones mantenidas entre las microunidades enunciadas más arriba y los enclaves de mercado locales.

El primer flujo, en la parte septentrional de la zona relevada (1 con 2, Fig. 3), se dirige desde la hoyada de Uyuni, concretamente de las co-

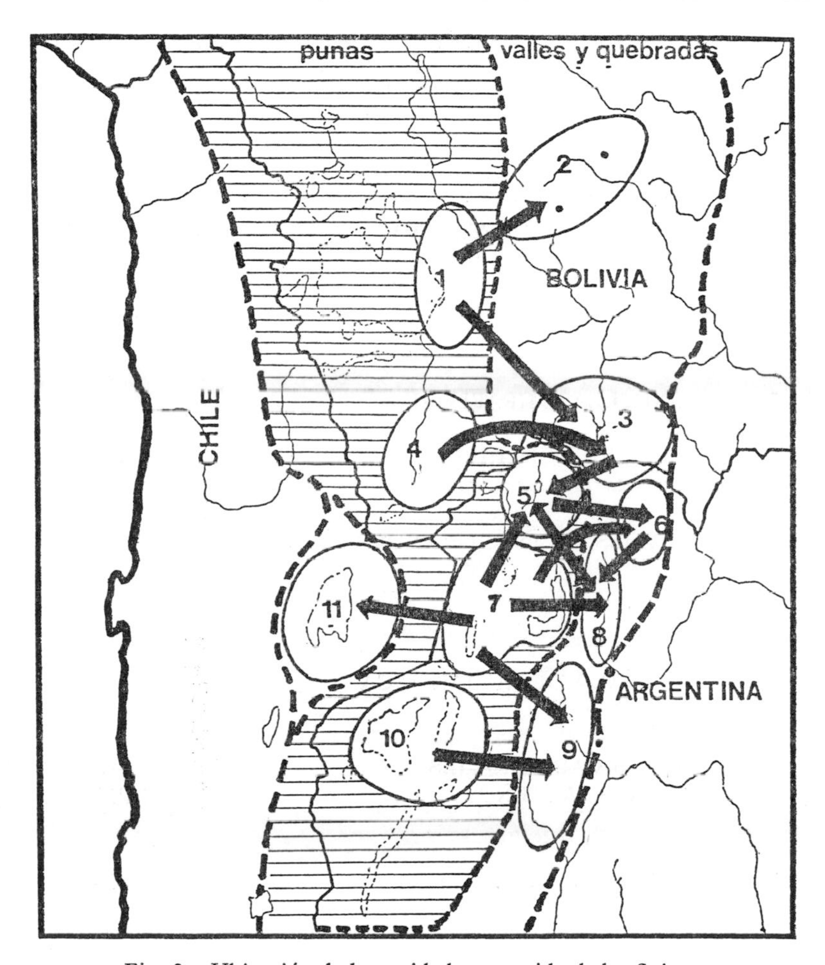

Fig. 2. Ubicación de las unidades y sentido de los flujos.

Fig. 3. *ARTICULACION INTERECOSIS-*

Nº	UNIDAD	ECOSISTEMA
1	UYUNI	PUNA
2	BETANZOS/SUCRE	VALLE
3	TARIJA/SOCOCHA TALINA	VALLE
4	SUD-LIPEZ	PUNA
5	DONCELLAS/MIRAFLORES	PUNA
6	SANTA VICTORIA/IRUYA	VALLE
7	SUSQUES/SALINAS GRANDES	PUNA
8	QUEBRADA DE HUMAHUACA	VALLE
9	VALLES CALCHAQUIES	VALLE
10	SALARES SALTEÑOS	PUNA
11	CUENCA DE ATACAMA	VALLE

munidades de Incacancha, Pozo Cavado, Río Mulato, Tomave, Coroma y Quehua, a los valles maiceros de las cuencas superiores de los ríos Pilcomayo y Bermejo, como Tarija, Potosí, Betanzos y Sucre. El principal promotor de estas relaciones es el pastor "llamero" de la zona circundante al Salar de Uyuni. Su producción doméstica es pastoril con complemento artesanal y, en algunos casos, con cultivos de papa y quínoa.

TEMATICA E INTERCAMPESINA

PRODUCTOS			ARTICULACION
Primario	Secundario	Terciario	
SAL			2/3
MAIZ			1
MAIZ	ALFARERIA		1/4/5
FRUTA	UTILITARIA		
VERDURA			
CARNE	TEJIDO	TRABAJO	3
LANA		COSECHA	
		TRANSPORTE	
CARNE		TEJIDO	3/6
LANA			
PAPA			5/7
MAIZ			
FRUTA			
SAL	TEJIDO		6/8/9/11
CARNE			
LANA			
QUESO			
BURROS			
MAIZ			7
VERDURA			
FRUTA			
MAIZ			7/10
SAL			9
CARNE			
LANA			
FRUTA			7
SECA			

Esta verdadera cadena de intercambio se inicia con una primera etapa que denominamos *acopio*: entre marzo y abril, en viajes breves, los pastores adquieren la sal en la cooperativa minera de Colchani y luego regresan a sus comunidades. El número de animales que forman las tropas oscila entre 30 y 150.

En la segunda etapa, que designamos *transporte a distancia*, las caravanas se dirigen a los valles agrícolas. La duración de estos viajes suele exceder los dos meses y la carga de sal que se lleva oscila entre 1000 y 2000 kg. por caravana. El número que compone la tropa, en esta etapa, es de 100 a 200 llamas; además se incorporan, en este momento, algunos burros. En estos viajes también participan mujeres.

Los animales no siempre son de una sola familia; muchas caravanas están integradas por llamas pertenecientes a otros miembros de la comunidad, que pueden o no ser parientes, en cuyo caso los productos intercambiados se reparten por partes iguales ("al partir") entre dueños y troperos.

La tercera etapa consiste en el *canje o trueque* llevado a cabo en los valles agrícolas, en los cuales, en la mayoría de los casos, la tasa de intercambio es de "arroba por arroba", es decir sal por maíz, en medidas de peso semejante.

En la cuarta etapa, luego del retorno al lugar de residencia, la cadena culmina con la *distribución* del maíz a través de variados mecanismos que permiten el acceso a este alimento de muchos grupos domésticos que no participan de las caravanas.

Además de la venta en los mercados locales de los excedentes propios de la economía pastoril (carne, lana y cueros), requisito indispensable para obtener dinero, éste es utilizado también en la primera etapa de la cadena (compra de sal), así como en la tercera (venta de productos artesanales) y cuarta (venta de maíz en las comunidades y poblados adyacentes, una vez separado el cereal para el consumo familiar). Es decir que en esta cadena de intercambios intercampesinos, ecológicamente vertical, interviene el trueque junto con las transacciones por dinero, el cual permite dinamizar y enriquecer las distintas etapas de la misma, dado que dicho dinero posibilitará la adquisición de la sal y con ella reiniciar el ciclo.

Todo ello evidencia que en este proceso existe una clara complementariedad entre:

a) dos sistemas ecológicos.
b) grupos campesinos pastores y agricultores.
c) entre cada uno de éstos y el mercado local.

Una articulación análoga se cumple entre los pastores de Sud-Lípez y los agricultores ya mencionados: Tarija, Socochа, Talina y Yavi. En este caso las cadenas son más simples, porque los pastores traen sus propios excedentes de carne, lana, cuero y alguna artesanía, para intercambiarlos por maíz, harina y coca.

Un caso particular está dado por algunos pastores que suelen no llevar ningún producto, dado que sólo van a intercambiar su propio trabajo como braceros en la cosecha, ofreciendo también los servicios de sus llamas cargueras; es el caso de los llameros de Lípez que viajan a los valles en plena época de cosecha, entre marzo y abril. En cambio los de Uyuni, que no aportan trabajo, lo hacen a fines de junio.

La zona de los valles agrícolas es una unidad tan diversificada que determina una compleja articulación interna. Sus principales componentes son:

1 Los valles de Talina y Socochа; sus ríos nacen en diferentes puntos de la frontera argentino-boliviana y confluyen en el Pilcomayo.
2 El valle de Tarija, cuyo río es afluente del Bermejo.

Entre ambos sistemas hídricos se encuentran los valles altos de Iscahiachi. 1) El curso superior del río Talina, desde la comunidad de Chagua a las nacientes, está ocupado por poblaciones alfareras que, en las partes bajas del valle, complementan esa actividad con las agropastoriles; en cambio, en sus cotas más altas sólo se da una actividad pastoril.

El curso inferior del mismo río, desde Chagua a Tupiza, está ocupado por agricultores especializados en maíz.

Existe además una cadena de intercambio que se proyecta hacia el sur, tras la frontera con la Argentina, específicamente con la hoyada de Pozuelos, (3 con 5, Fig. 3), y hacia el norte concluye en el mercado de Tupiza. Los agentes dinamizadores, en este caso, son los agricultores, porque son los que se trasladan, río arriba, en caravanas de burros, entre mayo y agosto, a intercambiar sus excedentes de maíz y harina por ollas de alfareros bolivianos o argentinos y, a veces, por carne y lana producidos en la referida hoyada de Pozuelos. Esta artesanía utilitaria es colocada, finalmente, en el mercado de Tupiza, para su venta por dinero.

De manera análoga a la cadena dinamizada por los "llameros" de Uyuni, aquí se produce un intercambio de productos por trueque, complementariamente a las transacciones por dinero. Consideramos, entonces que la participación en esta cadena es a través de la complementación entre nudos que difieren en especialización productiva, en tanto que la diversificación ecológica, aunque existente, no es relevante.

Los alfareros mencionados, además de ser eslabones en la cadena son, a su vez, el extremo de otro flujo que es dinamizado por los agricultores de la localidad de Sococha, que tienen una producción diversificada.

Los sococheneses, por su parte y en razón de esa diversificación viajan llevando maíz, frutas y verduras para intercambiarlas en Chagua, en cantidades equivalentes al contenido de los recipientes ("capacidad de ollas"). También son asiduos concurrentes a las ferias anuales del altiplano argentino, donde sus productos son muy apreciados para el trueque por carne. Circunstancialmente llevan ollas trocadas en Chagua. 2) En el valle de Tarija hay una fuerte producción de maíz que está polarizado por un importante mercado urbano del mismo nombre. A este lugar convergen varios flujos: los "llameros" de Uyuni; los agricultores de Sococha y Tojo; la producción de papa y quínoa de los valles altos de Iscahiachi y la alfarería de Talina.

En el mercado de Tarija, la forma de intercambio predominante es de producto por dinero; en lugares cercanos como Padcaya y demás valles agrícolas puede darse el trueque.

La dinamización de la red intercampesina a través de la frontera argentino-boliviana es efectuada por campesinos bolivianos. De este modo no sólo quedan conectadas, como ya se mencionó, unidades de diferentes características ecológicas, diversidad productiva, etc.; sino que también se trasponen barreras jurisdiccionales de los estados nacionales.

La hoyada de Pozuelos y la cuenca del río Miraflores es un ecosistema pastoril argentino muy cercano a las quebradas agrícolas bolivianas (3 con 5, Fig. 2), con las que, como ya se dijo, mantienen flujos continuos y variados.

Existe en esta unidad 5 (Fig. 3), una doble estructuración:

En primer término, la realización de significativas ferias a lo largo del año, celebradas en diferentes puntos cercanos a la frontera internacional, es de primordial importancia respecto de los vínculos intercampesinos, ya que las mismas cumplen un rol articulador en dos niveles:

- entre campesinos de ambos lados de la frontera.
- interecosistemático, es decir entre campesinos argentinos de toda la región circundante.

En segundo lugar, los centros urbanos situados en el lado argentino, con funciones de terminales del mercado nacional y representación institucional, política y administrativa, que participan significativamente en la organización de esta unidad.

Por lo tanto, consideramos que hay una superposición de estructuras: así, por ejemplo, mientras la primera posibilita que esta unidad se integre en la red intercampesina que se prolonga más allá de la frontera y se regule por la lógica articulatoria andina, la otra hace que la misma se subordine a los imperativos del mercado y de los poderes nacionales.

La tendencia a lograr una compatibilización en esta superposición de estructuras, se visualiza en el hecho de que la vigencia de las ferias—que en su comienzo fueron exclusivamente campesinas—se lleven a cabo en los centros de mercado e institucionales de la unidad; tal el caso de Rinconada, Cieneguillas, Abra Pampa y Santa Catalina. Independientemente de que estas ferias tengan como finalidad principal el encuentro para el intercambio campesino, ello no implica que estas transacciones se realicen exclusivamente por trueque.

La importancia del mercado, en esta unidad, radica en el hecho de que es el ámbito primordial donde se producen las conversiones de las producciones campesinas. En estos centros, además, residen permanentemente los acopiadores-comerciantes que captan, por un lado, la producción de lana, papa, tejido y cuero, le fijan el precio y, por el otro, venden mercaderías agrícolas e industriales, que son insumo y consumo de las unidades domésticas campesinas.

Por otra parte, los pastores residentes en puntos cercanos a los enclaves de mercado, crían predominantemente ovinos y vacunos, aun cuando estos animales tienen en la zona un bajo rendimiento y sean onerosos desde el punto de vista ecológico. Esto no significa que la cercanía a dichos polos sea la única variable que determina la modificación de la producción pastoril, así como su destino. Los pastores, que tienen una estrategia de vida más independiente de los mercados, en lugar de vacunos crían preferentemente llamas. De esta manera conservan rasgos andinos más tradicionales, con tecnologías apropiadas al medio.

Son, además, de suma importancia para la dinamización y mantenimiento del intercambio entre campesinos y para el interecosistemático entre las punas y la Quebrada de Humahuaca (5 con 8, Fig. 3), las líneas de ómnibus que circulan por la ruta nacional N°9, como así también el ferrocarril que llega hasta La Paz, en Bolivia.

El otro destino de los productos de la unidad 5 es la zona de Santa Victoria e Iruya (unidad 6). Las quebradas de los ríos Santa Victoria e Iruya son similares en su conformación ecosistemática, ya que ambos cursos de agua nacen en las alturas montañosas de la Cordillera Oriental y fluyen hacia el Este por una pendiente que pronto alcanza los ambientes subtropicales; sin embargo no existen lazos de interacción entre ambas.

En Santa Victoria, con una producción predominantemente agrícola, se da una cadena con un punto terminal constituido por el mercado de la ciudad fronteriza de La Quiaca. En cambio, el caso de Iruya es más complejo, ya que aparece en esta zona una trama de flujos internos basados en el trueque: de los valles altos microtérmicos provienen los tubérculos; de los de altura media llegan el maíz y las frutas desecadas y de los macro y mesotérmicos orientales las naranjas y aves de corral.

Las transacciones llevadas a cabo en los meses de abril y mayo, coincidiendo con la época de cosecha, son de carácter bilateral; en octubre, en cambio, los intercambios se concentran en la feria que se celebra en el pueblo de Iruya, momento en el que llega carne y sal de las unidades 7 y 5 (Fig. 3). En forma paralela al conjunto de relaciones intercampesinas, existe en el pueblo una estructura centralizada y permanente constituida por los acopiadores y comerciantes.

Fuera de esta unidad, hay una cadena que se inicia con los iruyenses que viajan a puntos cercanos en la Quebrada de Humahuaca (unidad 8), llevando fruta seca que intercambian por productos de origen no campesino en pequeños comercios o con particulares, quienes a su vez se vinculan directamente con el mercado en la importante ciudad de Humahuaca.

La unidad 7 está constituida por las hoyadas de los salares de Cauchari y Guayatayoc-Salinas Grandes. Aquí se mantienen vínculos tenues entre las unidades sociales que las componen y el intercambio interno es débil. Las asociaciones estables surgen fundamentalmente de las relaciones de parentesco y de la participación en instituciones informales, así como también en actividades festivas y deportivas, esporádicas o cíclicas. Otra característica relevante es el relativo aislamiento de dichas hoyadas respecto de los centros económicos y administrativos.

La existencia de la importante y cercana mina El Aguilar determina muchos hechos en la vida de los pobladores de esta unidad, aunque este polo no interfiere en la organización del área que la circunda. Salvo la ciudad de San Antonio de los Cobres, situada al SO de dicha mina, no existen mercados de importancia en la unidad; para acceder a ellos, los campesinos deben trasladarse a Abra Pampa, unidad 5, o a la Quebrada de Humahuaca, unidad 8.

La necesidad de la vinculación intercampesina surge de la iniciativa o especialización doméstica y no por decisiones tomadas o por la coordinación de acciones en un ámbito social más amplio. Es por ello que es imprescindible salir de la unidad para trocar, para vincularse plenamente con el mercado o para realizar ambas acciones en forma combinada.

Estas circunstancias determinan que los pastores de estas hoyadas sean los caravaneros más dinámicos de la Puna Argentina, aunque no pueden compararse con sus similares bolivianos de la zona de Uyuni en sus características excéntricas y de tipicidad.

Estos pastores suelen visitar todas las unidades agrícolas adyacentes como las de Iruya, Quebrada de Humahuaca, Quebrada del Toro, Valles Calchaquíes y la cuenca chilena del Salar de Atacama (unidades 6, 8, 9 y 11, Fig. 3).

En la actualidad el uso del burro como medio de transporte, es complementado con una línea de ómnibus. Esta transporte colectivo hace viajes periódicos uniendo la población de Susques en la Puna con la de Purmamarca en la Quebrada de Humahuaca, teniendo como parada intermedia la localidad El Moreno.

Las tropas de burro y de mulas, que no exceden los 25 animales, soportan cargas de magnitud y transitan rutas por las que no pueden circular los vehículos motorizados. El ómnibus, en cambio, transporta a varias decenas de pasajeros que llevan sus correspondientes bultos; de esta manera se viabiliza significativamente parte de los flujos interecosistemáticos de materia e información, de manera análoga, aunque con menor número y frecuencia, al ya mencionado entre las unidades 5 y 8.

El camión es un transporte que traslada la economía de mercado a las zonas campesinas.

Los viajes a la referida cuenca chilena de Atacama, generalmente se realizan tomando el paso de Huaschalasque-Jama, y buscan evitar la severa aduana sanitaria que realiza controles bromatológicos en San Pedro de Atacama. Estas travesías son anuales y los intercambios se hacen entre productor y productor o entre pastor argentino y comerciante chileno; la tasa de canje es "por pesada", o sea kilo por kilo, cuando se troca carne por peras y de un kilo de queso de cabra por tres kilos de fruta desecada. También por el mismo paso estos pastores llevan burros a Chile para ser vendidos. A su vez, "arrieros" chilenos pasan a la Argentina y canjean fruta por burros (Rabey et al., 1986).

Existen también flujos que parten del sur de la unidad 7 y van hacia los valles Calchaquíes (unidad 9), llevando sal y lana para trocarlos por maíz. En la actualidad, esta conexión se va debilitando como vínculo intercampesino en la medida que en los valles se expanden los cultivos comerciales incorporándose, estos últimos, al sistema del mercado nacional.

La última zona puneña (unidad 10) tomada en consideración, corresponde a los departamentos más elevados de la provincia de Salta y cumple una articulación similar a la de la unidad 7 con respecto a la unidad 9, pero en este caso atenuada por la bajísima densidad de población que acusa la región: menos de un habitante cada 10 kilómetros cuadrados; por esta razón hemos establecido aquí el límite sur de nuestra área de estudio.

Movilidad poblacional:

Desde este conjunto de unidades parten flujos poblacionales de magnitud con destino y modalidades diversas. Una de estas corrientes es la estacional que es orienta hacia las zafras de caña y elaboración azucarera en ingenios y plantaciones ubicadas en la zona subtropical vecina a los ecosistemas tomados en consideración en este trabajo. Entre mayo y octubre grandes contingentes de la unidad 3 (quebradas y valles del sur de Bolivia), de la 6 (Santa Victoria e Iruya) y, en menor proporción, de las unidades 5 y 8 (Pozuelos-Miraflores y Quebrada de Humahuaca, punas y quebradas del noroeste argentino), son trasladados a los ingenios de Santa Cruz de la Sierra, en el área boliviana del Bermejo, al "Ramal" saltojujeño y a la provincia de Tucumán en la Argentina (Rutledge, 1987).

Otra variante de dicha movilidad se registra en el traslado transitorio o definitivo a las minas radicadas en las zonas altiplánicas.

La particularidad de esta última modalidad de traslado de población, es que agrega nudos urbanos situados en el territorio argentino, donde se han radicado migrantes de origen campesino predominantemente bolivianos, a los flujos de materia e información de la parte estudiade de los Andes Centrales.

La interacción tiene dos sentidos: por un lado, a las ciudades argentinas de Jujuy, Salta y Buenos Aires llegan continuamente y en cantidades apreciables, productos agrícolas bolivianos como mote, maíz capia, ají, quínoa, chuño y diversos elementos mágico-medicinales. Estos, por su volumen, no llegan a constituir la base alimentaria de los migrantes, pero son imprescindibles tanto para su dieta, como por ser un factor reforzador de identidad cultural y paliativo de los posibles conflictos de desarraigo (Richmond, 1984). Como contrapartida, desde las metrópolis argentinas se transportan hacia los Andes productos del mercado urbano, así como información renovada y dinero acumulado para inversiones en tierra y para la construcción de viviendas en el lugar de origen o en pueblos y ciudades cercanos al mismo. De este modo, los migrantes siguen participando directa o indirectamente de las redes campesinas y se nuclean en organizaciones informales urbanas en las que se recrean lazos de cooperación similares a los mantenidos en las comunidades de origen.

El carácter informal de las redes en las que los flujos de población y recursos están involucrados no son decididos totalmente ni planificados por ninguna autoridad y trascienden las fronteras internacionales. Sin embargo, los canales a través de los que se producen, coinciden con la red oficial de transporte nacional e internacional (como por ejemplo el ferrocarril que une Buenos Aires con La Paz). Al quedar ligadas las poblaciones de residentes andinos en Buenos Aires con las unidades ecosistemáticas de origen, se agrega un nuevo componente, localizado en una metrópoli, a la lógica articulatoria general.

Si bien, hay características comunes con los flujos migratorios de la sierra peruana que se trasladan a la ciudad de Lima (Altamirano, 1984), cabe remarcar las importantes diferencias que existen con los grupos referidos en este estudio:

- Median más de 2000 km entre el lugar de origen y Buenos Aires.
- Buenos Aires es un polo urbano que, a diferencia de Lima, contrasta drásticamente en lo ecológico y en lo étnico con el ambiente andino.

CONCLUSIONES PARCIALES

(1) Es imprescindible tener en cuenta, además de su marco geográfico y ecológico, las condiciones generales dentro de las que es desenvuelve la vida campesina de esta porción de los Andes Centrales. Esto obliga a considerar tres jurisdicciones que dividen el área en sus correspondientes sistemas nacionales, con sus propias estructuras económicas, políticas e ideológicas.

(2) Planteamos la existencia de una verdadera racionalidad en las estrategias de vida andina, la cual se logra mediante la integración socio-cultural, el mantenimiento de la excentricidad y su tipicidad y la posibilidad de entablar nexos complementarios con cada uno de los sistemas a los que se subordina. Sin embargo, no se puede dejar de lado los múltiples factores conflictivos que emergen del juego dinámico entre las diferentes

estructuras.

(3) Es evidente que las cadenas de intercambio mantenidas entre campesinos tienen, muchas veces, terminales en los mercados locales. Además, ya sea que dichas cadenas liguen diferentes productos correspondientes a pisos ecológicos diversos o contengan nudos con especialización productiva particulares, en los intercambios siempre interviene el trueque y el dinero, ya sea por separado o en forma combinada.

(4) Hay cadenas a larga distancia entre diferentes unidades y, en circuitos cortos, dentro de cada unidad.

(5) Las cadenas se imbrican en redes informales autocoordinadas, sin que se visualice un polo de control definido que imponga archipiélagos. Dichas redes cubren una diversidad ecológico-cultural en un marco internacional que se extiende hasta metrópolis distantes.

(6) Esto implica la existencia de una *lógica articulatoria* que se da en una escala global, donde la complementación vertical es sólo uno de sus aspectos que puede no ser evidente en casos particulares.

(7) Lo andino no corresponde a un ideal abstracto y estático, sino que está contenido en una lógica que reposa en reglas determinadas por la necesidad del mantenimiento, establidad y cohesión de las grandes entidades socio-culturales que las crean y las transforman en la medida que cambia su universo.

(8) La lógica articulatoria implica, por estas razones, la posibilidad de apropiación de elementos del sistema mayor.

(9) Considerando comparativamente la situación de las unidades del territorio boliviano con respecto a sus similares de la Argentina, vemos que las comunidades campesinas de aquel país han privilegiado el uso de procedimientos e instrumentos tradicionales, lo que implica una mayor excentricidad y tipicidad.

(10) En la Argentina se observa una superposición de estructuras que redundan en una interferencia, la cual es atenuada en la medida en que se produzcan mecanismos de apropiación de elementos del sistema global.

Ciertos aspectos más detallados sólo pueden ser advertidos si se toma un universo restringido de estudio, de modo que aplicando métodos de relevamiento intensivo con unidades fisiográficas, ecológicas y sociales pequeñas, puedan ser vistos más claramente. En consecuencia, realizaremos a continuación un estudio de una situación puntual en una de las unidades andinas argentinas.

II

HOYADA DE GUAYATAYOC-SALINAS GRANDES

Para realizar el estudio detallado ya anunciado, hemos elegido la hoyada de Guayatayoc-Salinas Grandes situada dentro de la unidad 7. A los fines de delimitar el área de relevamiento, se trazó una transecta de modo que contuviera todas las microunidades articulatorias enunciadas para las hoyadas de puna, tratando que coincidiera con el área territorial de control humano. Dentro de ésta se encuentra la población de Agua de Castilla, situada a los 23°30′ de latitud sur y 65°30′ de longitud oeste.

Siguiendo un corte transversal en el sentido de los paralelos desde el espejo de agua de la laguna de Guayatayoc que ocupa el centro de la hoyada, hasta el cerro El Aguilar, que constituye uno de sus límites, se puede caracterizar la siguiente sucesión de zonas diferenciadas de recursos naturales. (Figs. 3 y 4).

(A) *Espejo de agua de la laguna:* es una fuente importante de recursos a los que se accede mediante la caza y la recolección. Se ha comprobado la vigencia de ambas actividades como complemento de dieta, cubriendo además expectativas lúdicras. Se recolectan huevos y pichones de aves acuáticas y se cazan diferentes especies de palmípedas. Al sur de de la transecta la laguna se continúa en un salar.

(B) *Pampas altoandinas.* Se pueden discriminar dos sectores:

1-El "carrizal", es una comunidad vegetal, denominada así por los pobladores, que se desarrolla en la parte liberada por las aguas durante el período de retroceso invernal. Además de las gramíneas, crece una gran variedad de especies utilizadas con fines medicinales, rituales y alimenticias. También hay caza furtiva de vicuñas y suris.

2-El "Tolar", es el término con que los lugareños denominan la estepa arbustiva de esta cuenca, prolongándose en este sector parte de

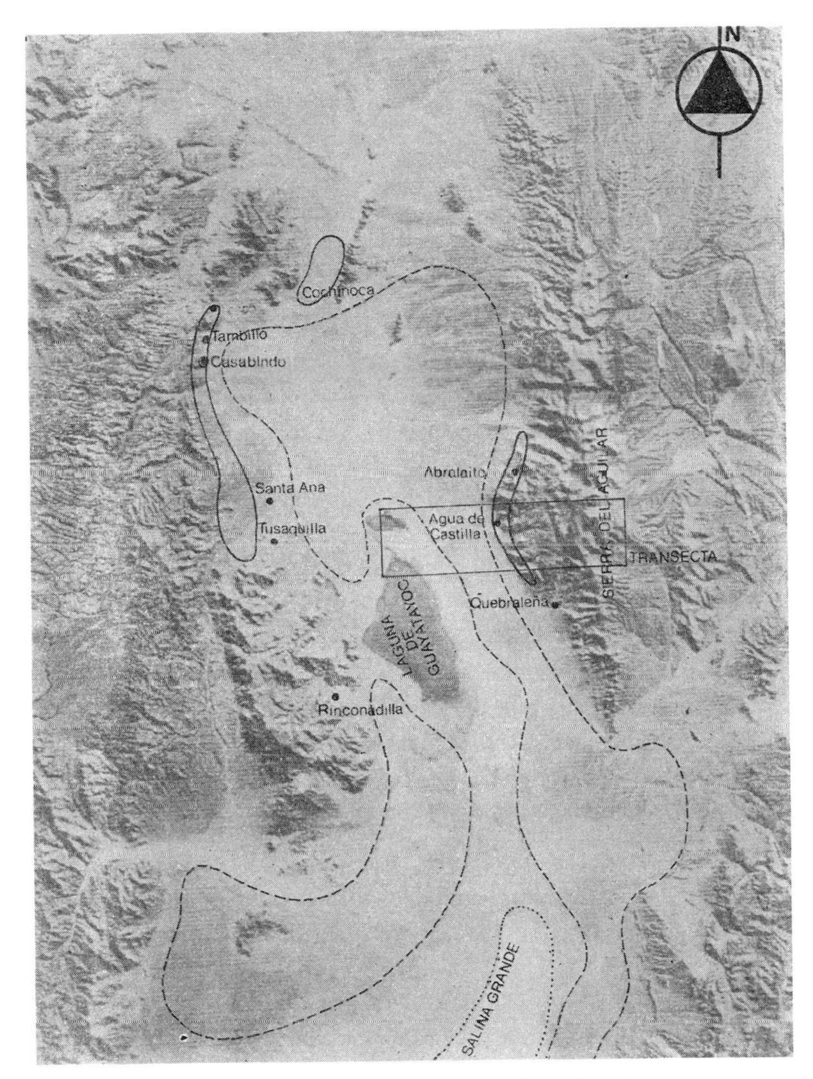

Fig. 4. Hoyada de Guayatayoc-Salinas Grandes.

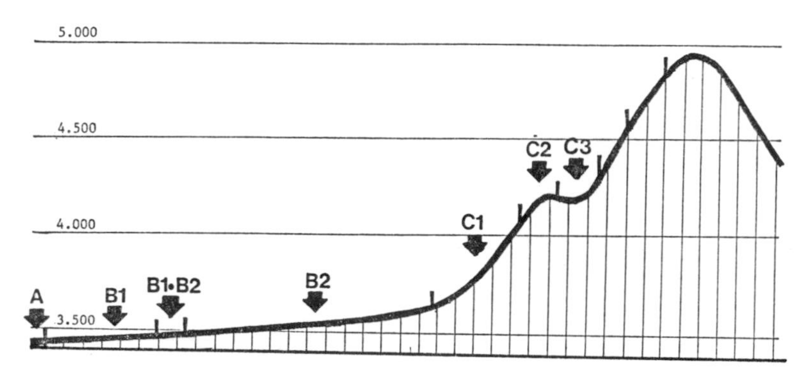

Fig. 5. Corte transversal con zonas diferenciadas de recursos naturales.

las especies de gramíneas de la comunidad anterior.

(C) *Cerros circundantes.* Se pueden diferenciar tres áreas:

1-Las faldas de pendiente media, donde continúa la estepa arbustiva pero variando su composición en especies.

2-El pastizal altoandino con arbustos, utilizado como área de recolección de especies medicinales y rituales.

3-El pastizal altoandino puro que en determinados puntos contiene vegas de altura, en las que crecen comunidades vegetales que se mantienen permanentemente (Ruthzatz y Movia, 1975).

En esta ladera corre un río que aporta a la laguna.

Unidades sociales y su interacción con las de carácter ecológico-natural:

Consideramos de suma utilidad tomar como unidad mínima de analisis al grupo doméstico enmarcado dentro de un ámbito de asociaciones extradomésticas.

El *grupo doméstico* es la unidad de producción y reproducción elemental, así como también, la unidad de consumo, distribución y socialización primaria que se corresponde con:

- una territorialidad definida;
- la toma de decisiones internas en el manejo de recursos;

- la división interna de trabajo, que coincide con la diferenciación en roles según sexo y edad;
- su articulación con el mercado de bienes y el laboral;
- el manejo de las funciones de reproducción y mantenimiento biológico, económico e ideológico, las cuales además coinciden, en muchos casos, con las unidades productivas.

El *ámbito extradoméstico* contiene al doméstico y es imprescindible para su reproducción, mantenimiento y organización (Merlino, et al., 1987).

Las fronteras territoriales de Agua de Castilla encierran el área de máxima extensión del control colectivo de recursos. No obstante, hay un cierto grado de permisividad a la trasgresión de estos límites por parte de las poblaciones vecinas, del mismo modo que la influencia y actividades de la aldea penetran en los territorios linderos. En los aspectos socioculturales, como se verá más adelante, tampoco pueden establecerse límites tajantes.

Existe una doble modalidad de control social de recursos: una doméstica y otra colectiva que se corresponden a dos campos territoriales.

El *control doméstico* se ejerce sobre:

- los "rastrojos" o áreas de cultivo, que están situados en C. 1 (Fig. 5) y son destinados al cultivo de alimentos y forrajes.
- las casas, los puestos de pastoreo estacional, los corrales y los pozos de agua están situados en las zonas B y C. 2 (Fig. 5).

El *control colectivo* se ejerce sobre los recursos de pastoreo de las pampas y de los cerros circundantes, así como los de recolección lacustre y circunlacustre.

Los espacios donde se realiza el control doméstico exclusivo están demarcados por paredes de pirca o por tapias, en tanto que los de uso colectivo están delimitados de las aldeas vecinas por una franja desmontada ("destole").

En las tierras que circundan la aldea, aunque no existen límites físicos, hay un consenso general en cuanto al uso de las rutas de pastoreo que conducen a la periferia; esto demuestra que el grado de exclusividad respecto del uso de los recursos y del espacio se va diluyendo en la medida en que aumenta la distancia a la zona habitada; paralelamente aumenta la prerrogativa grupal de uso de los campos.

El empobrecimiento en la organización del pastoreo, de modo que se coordinen las tareas de las unidades domésticas de producción para el control de los espacios de uso exclusivo y colectivo, se comprueba en que, en la actualidad, hay capacidad de carga vacante en las pampas y muestras de sobrepastoreo en las áreas cercanas a la aldea.

Se considera que el ideal de optimización en la utilización de los recursos de pastoreo, que en otros momentos cumplió un número importante de unidades productivas, es el siguiente:

- de julio a noviembre, época de máxima reducción de la fitomasa de gramíneas, deben ocuparse los puestos de los "carrizales" circunlacustres;
- a partir de noviembre y hasta febrero o marzo, coincidiendo con la época de lluvias, el pastoreo deberá realizarse en los "tolares" de las pampas y en las estepas más bajas de los cerros;
- en agosto debe iniciarse el ciclo agrícola con la apertura de acequias y la roturación de la tierra, mientras que la siembra debe realizarse en primavera;
- después de Pascua y por un lapso de un mes, se ocuparán los puestos de los pastizales de altura y a partir de mayo, al culminar la cosecha de los cultivos agrícolas, los rebaños consumirán las reservas de los "rastrojos".

Las pariciones de llamas, ovejas y cabras, se producen en épocas coincidentes con la proximidad de los rebaños a la aldea; esto facilita el control de dichas pariciones.

La división tradicional del trabajo, correspondiente a este modelo, adjudica a las mujeres las tareas de: pastoreo, tejido de agujas y telar de piso y semillado. A los varones les corresponde: roturación de la tierra; limpieza y mantenimiento de acequias, caminos y límites; matanza y faenado de hacienda; caza de animales predadores; tejido en telar de pedal; construcción de casas, puestos, corrales y pircas. Ambos sexos se ocupan de la esquila, el cuidado de los cultivos y la cosecha. Los niños cumplen una función importante en el pastoreo y las tareas domésticas.

De este modo, vemos cómo se integra el ciclo de trashumancia con el agrícola, a través de las funciones cumplidas por cada miembro del grupo doméstico, siguiendo un modelo análogo al vigente en muchas partes del área andina.

En la actualidad, en Agua de Castilla, el modelo mencionado se puede aplicar parcialmente, debido a que el estado demográfico de la población no permite cubrir en cantidad y calidad todas las necesidades de trabajo que demandan las actividades tradicionales y, por lo tanto, esto redunda en la pérdida de capacidad de control sobre los recursos naturales disponibles.

La aldea cuenta con 71 habitantes agrupados en 24 grupos domésticos (Figs. 6 y 7); de este total 19 tienen residencia permanente, 2 residen sólo en determinadas épocas del año y 3 llegan al lugar esporádicamente.

Hay una gran proporción de unidades nucleares incompletas. 13 de los 24 grupos domésticos; de éstas, 8 están conformadas exclusivamente por mujeres, y entre las unidades que tienen varones adultos resaltan las siguientes particularidades: en 2 de ellas se trata de ancianos de más de 70 años; en otras 5 los mismos superan los 50 años; en otras 3, los varones tienen 25, 33 y 37, pero están afectados por distintos tipos de incapacidades físicas. De todos estos hombres, únicamente 4 cumplen en plenitud sus roles laborales en la aldea. Por lo tanto, recae en la mujer la responsabilidad fundamental de organizar y llevar a cabo las estrategias de vida y de trabajo. En consecuencia, la principal actividad productiva se centra en el pastoreo, que como dijimos, es llevado a cabo por mujeres y complementariamente por niños en época de vacaciones escolares que tienen lugar entre diciembre y feberro, momento en que las haciendas se encuentran, coincidentemente, en las zonas más cercanas a la aldea.

De las unidades que residen permanentemente, sólo 3 continúan utilizando los puestos de trashumancia de altura, con la particularidad de que una de ellas al no tener competencia, ocupa este escalón de abril a diciembre, lo cual implica una especialización a este ambiente que es complementado con el forraje del "rastrojo". En otros 2 casos la tras-

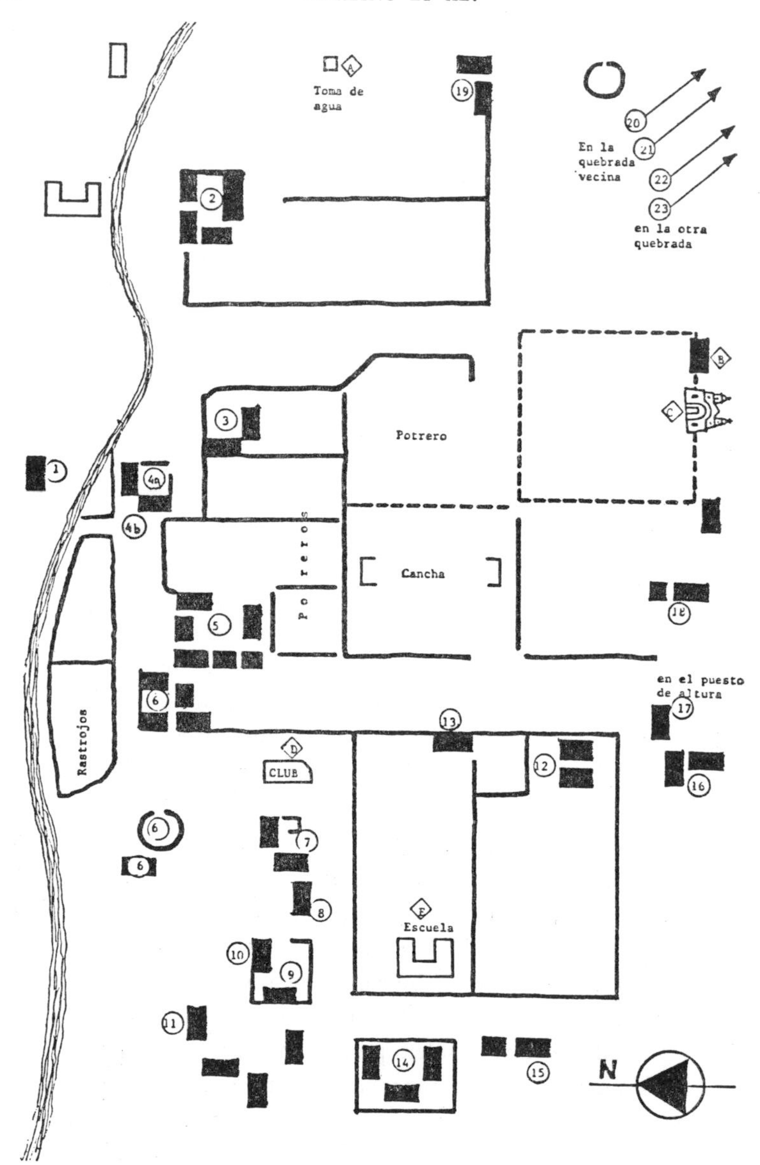

Fig. 6. Plano de la aldea.

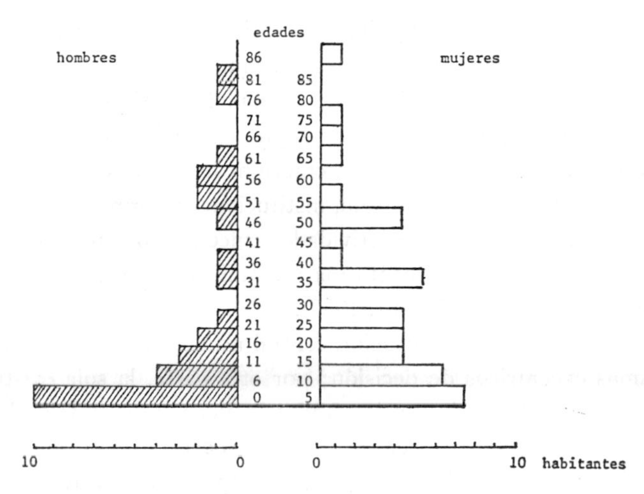

Fig. 7. Pirámide de población de Agua de Castilla.

humancia abarca todos los pisos pero, en cambio, no realiza la complementación con la reserva forrajera de los cultivos. Por último, hay otras 4 unidades productivas que sólo tienen puestos de trashumancia en la zona circunlacustre.

De las 7 unidades domésticas que poseen "rastrojos" o áreas de cultivo bajo riego, únicamente 4 utilizan plenamente la capacidad de producción agrícola, estando las mismas dedicadas exclusivamente al consumo familiar.

Estructura interna de la aldea:

El único factor que en Agua de Castilla no aparece con límites difusos y que sí coincide con sus marcas territoriales, abarcando prácticamente la totalidad de la población, es la existencia de un manifiesto reconocimiento de pertenencia compartido. Este sentido de identidad envuelve tanto a los habitantes permanentes como también a los emigrados que vuelven esporádicamente y que conservan en el lugar tanto la casa como parte de la hacienda. Esto se extiende incluso a los forasteros varones y mujeres que han formado pareja y fijado su residencia en la aldea.

La estructuración interna de este conjunto poblacional no es unitaria; tampoco tienen un elemento coordinador definido, como es el caso de las comunidades o ayllus de otros puntos de la región andina. La acción coordinadora surge de la interacción de núcleos de organización, que pueden ser: líderes de prestigio, instituciones informales y la organización circunstancial o anual de actividades colectivas o grupales. Es decir que el conjunto social local conforma una unidad fragmentada, con identificación de comunidad (Adams, 1983).

La ausencia de una institución central no implica la carencia total de mecanismos excéntricos de decisión; por otra parte, la sola existencia de la comunidad no determina en los Andes la plena autonomía de las determinaciones locales con respecto a los poderes centralizados externos (Iturralde, 1980); las redes de parentesco, la cooperadora escolar, la comisión administradora de la escuela y la Iglesia, son las asociaciones que organizan la actividad y vida local.

Todos los habitantes de Agua de Castilla están emparentados, aunque la ratificación fundamental de un vínculo de parentesco lo da en mayor medida la participación en las relaciones de producción y reproducción que la nominación formal de una estructura de reglas preexistentes. Esto se verifica porque en determinados conjuntos emparentados se observa la existencia de obligaciones recíprocas; por esto hay una tendencia a conformar racimos de parentesco separados.

No se definen claramente reglas de enlace, salvo el predominio de relaciones exogámicas, porque en general las parejas se forman con varones de aldeas vecinas. De esta manera no hay una separación tajante en cuanto a parentesco con los territorios linderos, especialmente con la vecina aldea de Abra Laite y en menor grado con Quebraleña. No hay tampoco reglas de localidad absoluta pero predominan los casos de matrilocalidad, hecho que se acentúa por la incidencia de las uniones esporádicas de mujeres jóvenes con forasteros que llegan al pueblo en fechas festivas; como consecuencia de estas uniones los grupos domésticos tienen, en general, uno o dos hijos con el apellido de la madre.

En el resto de las agrupaciones e instituciones que hemos mencionado no interviene el factor parentesco, dado que las mismas tienen un carácter particular según su incumbencia, los miembros que la forman y los cargos que se distribuyen.

Hay una significativa relación entre el ámbito físico de las instituciones y el sentido de pertenencia que tienen de las mismas los habitantes de Agua de Castilla, existiendo tres edificios que son de uso colectivo: la escuela, el templo y el club.

La escuela primaria de la aldea constituye la institución netamente formal y es, a la vez, delegación de la estructura educativa provincial, de donde provienen el grueso de las normas que son aplicadas, el contenido de la educación impartida y la designación de la única maestra, que también cumple el rol de directora. Esto le confiere un poder dentro del espacio físico y social de la escuela.

Pero el mantenimiento y la permanencia misma de esta institución educativa sólo es posible gracias a la iniciativa y accionar de dos agrupaciones informales, como son la Comisión Administradora y la Cooperadora Escolar, que en 1962 se encargaron de construirla y hacer gestiones para su institucionalización; además éstas también se ocupan de la provisión diaria de leña—aportada por cada alumno—para la calefacción y la cocina; del abastecimiento de la carne para el comedor escolar; y de las gestiones que haya que realizar en la cabecera del distrito departmental (Abra Pampa), distante a 42 Km de la aldea. Finalmente, los pobladores son los que se ocupan de lograr reunir dieciséis alumnos por año, que es el número mínimo exigido para que la escuela pueda seguir funcionando en el lugar.

Con el templo católico sucedió algo similar a lo ocurrido con la escuela, pues fue construido por iniciativa local, aunque en este caso el ritual no tiene continuidad pues las visitas de los sacerdotes son casi nulas, a tal punto que los oficios dominicales son dirigidos por un animador local.

El club es el ámbito que es percibido "como propio" por los "aguacastillenses" y el lugar donde funcionan las instituciones con características de excentricidad más marcadas: Comisión Vecinal, Club Social y Deportivo Flor de Manzana y la Comparsa del mismo nombre.

La Comisión Vecinal convoca a reuniones o asambleas cuando tiene que tomar decisiones respecto de temas relacionados con la organización y funcionamiento de la vida cotidiana; tareas colectivas, gestiones, petitorios y reclamos ante autoridades departamentales y provinciales. Tanto en las asambleas como en los cargos participan hombres y mujeres.

El Club Social y Deportivo realiza reuniones para atender las necesidades del equipo local de fútbol y para resolver la coordinación e intervención en los torneos, siendo una de las cuestiones principales reunir el número necesario de jugadores. En los campeonatos participan otros pueblos de la hoyada, en fechas que coinciden con las visitas de los hombres jóvenes que trabajan o han ido a residir a la mina cercana El Aguilar. Esta situación es similar en toda el área y, por esa razón, en dichos momentos se produce, a través de sus respectivas instituciones deportivas, una densa comunicación interaldeana.

Las fechas en que se realizan los encuentros deportivos dependen de los asuetos que concede el establecimiento minero y por lo tanto del calendario profano.

A través de los símbolos del equipo y del club se manifiesta la identificación local, a la vez que la diferenciación con otras aldeas.

El carnaval es la festividad andina por excelencia y, como tal, acapara el centro de la afectividad, la memoria, la fantasía y la ilusión de todos los grupos que ocupan el área en estudio.

Es un hito anual de carácter sagrado que genera hechos festivos-ceremoniales, en los cuales la participación está siempre programada y materializada por el Club, y sobre todo, por la Comparsa. Este acontecimiento es un factor de cohesión interna de los habitantes permanentes así como de mantenimiento de la solidaridad e integración de los residentes en la mina y de los emigrados que vuelven para esa fecha.

Esta institución—a la vez protocolar y permisiva—se manifiesta como un conjunto de personas en actitud de baile y canto que blandiendo estandartes simbólicos comunes, va—en un clima de jolgorio y embriaguez—de casa en casa dentro de la aldea para visitar luego localidades vecinas, llevando consigo la fiesta. Esta itinerancia promueve, de manera análoga a lo que ahora ocurre con los torneos deportivos, la integración interaldena y la circulación intensa y renovada de información cultural, así como el fluido acercamiento que rompe el aislamiento físico y cultural y abre el camino para la formación de nuevas parejas o a relaciones temporarias (Merlino, et al., ibídem).

Pero la particularidad de esta celebración, profusa en hechos simbólicos plasmados en rogativas, discursos repetitivos y manifestaciones de afecto, cariño y amistad, es que asume y manifiesta la religiosidad local, compartida con todo el conjunto social (Merlino y Rabey, 1983) y que no tiene puntos en común con el catolicismo y muy pocos con personajes y ritos carnavalescos de origen europeo vigentes en otras partes de los Andes. Sí, en cambio, es evidente la presencia de ofrendas y rituales propiciatorios ctónicos-telúricos que muestran el fuerte sustrato andino de la festividad.

Podemos discriminar dos formas de manifestaciones de carácter sagrado: el carnaval es una celebración colectiva y convocante que tiende a despertar motivaciones ancestrales y a alimentar lo que denominamos la "voluntad de quedarse" (Merlino, et al., ibídem); y una serie de rituales familiares—"challacos" y "señaladas"—en los cuales, a través de invocaciones y ofrendas a la divinidad telúrica, la Pachamama, se busca promover la buena predisposición de la misma para que provea a la reproducción de los bienes y recursos y asegure la protección y subsistencia de la familia. En este caso lo que está en juego es la protección del grupo doméstico siendo los rituales cerrados, íntimos y cargados de mayor dosis de religiosidad y misticismo.

En ambos casos, además de su carácter propiciatorio los acontecimientos rituales en sí, actúan como factor de reproducción ideológica que hacen a la socialización del grupo doméstico y de la comunidad.

Vinculaciones con el mercado:

Como en muchos otros pueblos campesinos contemporáneos, hoy ya son imprescindibles para la vida muchos insumos y bienes de consumo que sólo pueden adquirirse a comerciantes de las ciudades. El acceso a parte de los recursos esenciales para el mantenimiento y reproducción de los grupos domésticos, únicamente es posible a través del dinero y, por consiguiente, mediante la inserción de parte de sus integrantes en los circuitos monetarios generados por el mercado regional y nacional que fija y regula los precios.

El capital que circula en la aldes es tan insignificante que no puede transformar en operaciones mercantiles las transacciones de trueque, aparcería o intercambio recíproco de servicio. No obstante, el dinero es esencialmente el vehículo de las operaciones con los comercios y empresas de carácter capitalista que funcionan fuera de los límites geográficos de Agua de Castilla y de la esfera de su estructura económica interna; es el eslabón que intermedia entre la venta de bienes producidos localmente y la adquisición de mercaderías ajenas al área. Asimismo hay muchos mecanismos internos que impiden que algún particular centralice los excedentes locales y los convierta en capital.

Lo expresado nos demuestra que la modalidad imperante en la aldea es la de suplir lo que deja de producir el grupo doméstico con la alternativa del mercado. Las únicas formas de obtener dinero y ligarse al mercado son, además de las pequeñas jubilaciones y pensiones a la vejez, la venta de lana, animales y tejido. Cada grupo doméstico, entonces, en función de su composición y características particulares, despliega una estrategia de vida y organiza sus tareas siguiendo, por un lado, los patrones generales de la organización campesina tradicional y por otro, atendiendo los determinantes generados por la demanda de trabajo y los recursos obtenidos en el mercado.

En nuestro caso específico, la modalidad predominante del trabajo masculino es la de inserción en el mercado laboral exterior a la aldea, ya sea en la mina o ciudades cercanas, lo cual obliga a trasladarse a vivir en los lugares de trabajo. Por esta razón hay muy poca mano de obra masculina al servicio de las necesidades y requerimientos locales, tanto domésticos como comunitarios.

La demanda del mercado de trabajo exterior tiende a alterar cuantitativa y cualitativamente la estructura de la población local y la composición del grupo doméstico. La adopción de miembros es una estrategia puesta en práctica por los "aguacastillenses" para completar la diversidad generacional y sexual familiar. Generalmente se trata de niños que corren el peligro de quedar solos por la muerte o emigración de la madre sin pareja; éstos son acogidos por los abuelos, tíos o tíos abuelos. En estos casos, los adoptados cubren en alguna medida la pérdida demográfica por migración, aunque estos esfuerzos no alcanzan a cubrir el déficit casi total de hombres jóvenes porque se marchan a trabajar preferentemente a la mina El Aguilar.

Con esta estrategia quedan cubiertas las necesidades de socialización doméstica primaria pero con un marcado carácter femenino. Por estas razones, es la mujer la que va teniendo una participación cada vez más activa en la vida local, tanto en el uso y control de los recursos naturales como en la vinculación con el mercado, con la diferencia que no abandona la aldea. Una de las principales formas de conexión es a través de la comercialización de sus tejidos utilitarios de lana, que son los que demanda el mercado de la mina y Abra Pampa.

Finalmente, cabe agregar que no hay erogación alguna en especies ni en dinero por el pago de arriendo o impuestos territoriales, ya que las tierras son fiscales y la ocupación de las mismas se efectiviza a través de normas tradicionales que gozan del consenso general extendiéndose incluso a los lugares que pertenecieron a emigrados que no volvieron a la aldea. El Estado no ejerce presiones, esto ha permitido la permanencia a través de las últimas décadas de unidades productivas que tratan de evitar el abandono y la atomización.

CONCLUSIONES

(1) Agua de Castilla se puede caracterizar, en la actualidad, como una población pastoril, artesanal y complementariamente agrícola, donde la interferencia producida por la superposición del sistema global, dentro del cual se inscribe con sus propias estructuras, la impulsa a desplegar una serie de estrategias de vida tendientes a asegurar su supervivencia.

(2) Consideramos que dichas interferencias han provocado:

a) Un debilitamiento de su inserción en una red intercampesina que la ligaba a los diferentes macroambientes ecológicos, que fue de gran intensidad hasta un pasado reciente, llegando a mantenerse relaciones con todas las unidades de la macrorregión caracterizada en la primera parte de este trabajo.

b) Una situación de equilibrio inestable y precario, como consecuencia de la extrema cercanía a la mina y la proximidad a un centro administrativo, económico y político importante (Abra Pampa), considerado y denominado la "Capital de la Puna".

(3) Dentro de la unidad 7 existe una gran diversidad de situaciones, en las que Agua de Castilla representa una posición extrema respecto de los efectos desestabilizantes que produce la referida interferencia.

(4) Sin embargo, dentro de las estrategias hay que destacar el papel organizativo fundamental que tienen las agrupaciones informales, las cuales cubren aspectos muy importantes en la reproducción y mantenimiento de la vida local y por lo tanto, hay que rescatarlas como mecanismos de relevancia que tienden a revertir las situaciones críticas como:

- la reconstrucción de los grupos familiares relacionados con las

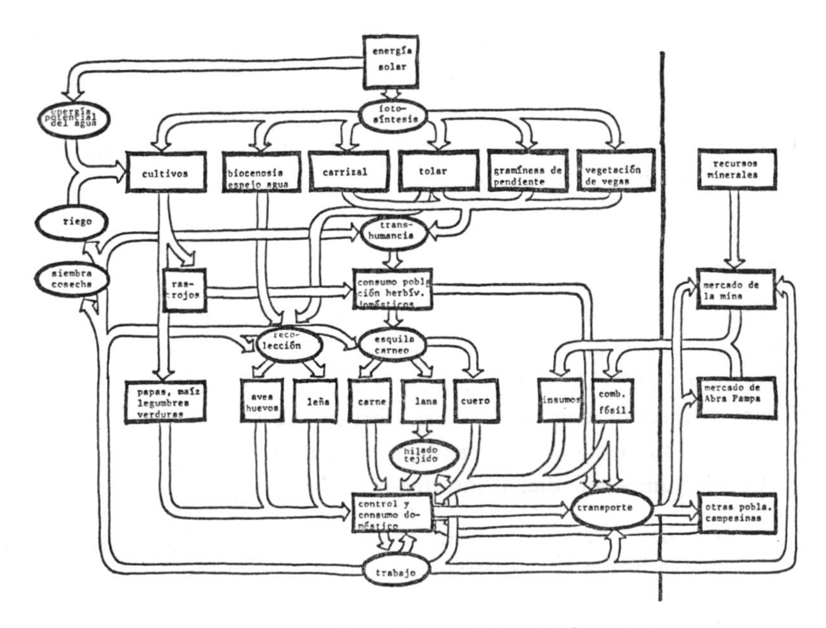

Fig. 8. Flujo de energía y materia.

unidades productivas y reproductivas, en función de los efectivos de población existentes;

- el mantenimiento y preeminencia de las relaciones igualitarias y del espíritu colectivo manifestado en la minimización de la competencia interna;
- la vigencia de reglas de derecho consuetudinario que aseguran la continuidad de las unidades productivas;
- la vigencia de hechos socio-culturales que hacen a la afirmación de la identidad local y al sentimiento de pertenencia que renuevan y ratifican la "voluntad de quedarse".

(5) Por último, la interferencia existe con mayor incidencia en los aspectos económicos y sociales, en tanto que todavía no ha alcanzado a desestructurar el sustento ideológico-organizativo tradicional que hace a la existencia de este grupo humano.

BIBLIOGRAFIA

ADAMS, Richard N.
1983 *Energía y Estructura. Una teoría del poder social.* México: Fondo de de Cultura Económica.

ALTAMIRANO, Teófilo
1984 *Presencia andina en Lima metropolitana.* Lima: Pontificia Universidad Católica del Perú, Fondo Editorial.

CALLEGARI, Adriana, Luis CARLETTI, Jorge PALMA y Mario SANCHEZ PROAÑO
1983/85 Esbozo para el estudio de una sociedad agroalfarera: La Quebrada de Humahuaca. En *Cuadernos del Instituto Nacional de Antropología, Nº* 10, pp. 339–362, Buenos Aires.

DANDLER, Jorge y Carmen MEDEIROS
1985 *La migración temporal internacional y su impacto en los lugares de origen.* La Paz: Comité Intergubernamental para las Migraciones.

GARCIA CANCLINI, Néstor
1978 *Las culturas populares en el capitalismo.* México: Nueva Imagen.

ISBELL, William H.
1978 Environmental Perturbations and the Origin of the Andean State. In *Social Archaeology*, pp. 303–327, New York, Academic Press.

ITURRALDE, Diego A.
1980 *Guamote: campesinos y comunas.* Otavalo: Colección Pendoneros, Instituto Otavaleño de Antropología.

MERLINO, Rodolfo y Mario RABEY
1984 Pastores del altiplano andino meridional: religiosidad, territorio y equilibrio ecológico. *Allpanchis, Nº* 21, XVIII: 149–170, Cusco.
MERLINO, Rodolfo y Mario SANCHEZ PROAÑO
1984 Cosmovisión y espacio cultural en la Puna. En *Ideas en Arte y Tecnología, Nº* 2/3, Buenos Aires, Universidad de Belgrano.
MERLINO, Rodolfo, Mario SANCHEZ PROAÑO y Margarita OZCOIDI
1987 *Articulación de lo microscoial con el marco nacional y regional en una población de la hoyada de Guayatayoc.* Tilcara: Jornadas de Antropología del NOA 1987: mimeografiado.
En prensa
La problemática de la tecnología en una comunidad de la Puna argentina.
MURRA, John V.
1975 *Formaciones económicas y políticas del mundo andino.* Lima: Instituto de Estudios Peruanos.
PULGAR VIDAL, Javier
1946 *Historia y geografía del Perú. Las ocho regiones naturales.* Lima.
RABEY, Mario, Rodolfo MERLINO y Daniel GONZALEZ
1986 Trueque, articulaciones económicas y racionalidad campesina en los Andes Centrales. *Revista Andina,* año 4, Nº 5, Cusco.
RICHMOND, Anthony H.
1984 Adaptación y conflictos socioculturales en los países receptores de migrantes. *Revista Internacional de Ciencias Sociales,* Nº, 101, vol. XXXVI, París, UNESCO.
RUTLEDGE, Ian
1987 *Cambio agrario e integración.* Buenos Aires: ECIRA/CICSO.
RUTHSATZ, Bárbara y Clara P. MOVIA
1975 *Relevamiento de las estepas andinas del noroeste de la provincia de Jujuy.* Buenos Aires: FECIC.
SALOMON, Franck
1985 The Dynamic Potential of the Complementarity Concept. Masuda, Shimida & Morris, eds. *Andean Ecology and Civilization,* pp. 511–331. Tokio: University of Tokyo Press.
SARMIENTO, Guillermo
1984 *Los ecosistemas.* Barcelona: Blume.
SHANIN, Teodor
1976 *La racinoalidad de la economía campesina.* Barcelona: Gaudarrama.

INDICE

CH

F

G

H

I

J

K

L